新装版

人生改造宣言

成功するための
セルフコーチング
プログラム

本書に掲載されている指示やアドバイスは，心理学的カウンセリングの代用を目的としたものではありません。著者および出版社は，本書で推奨または言及されている行為から生じた結果について，一切責任を負いません。

クライアントの秘密を保持するために，本書に登場するクライアントの名前および身元を特定できるような特徴は，すべて変更されています。状況，展開，結果は事実です。

日本の読者の皆様へ

この本を手に取っているあなたは，「敗者にはなりたくない」「負け犬と呼ばれるなんてまっぴら」，そう考えているのではないかと思います。でもこの本を読みはじめれば，勝者も敗者も存在しない世界が見えてくるでしょう。実際のところ，成功というものはひとつしかありません——あなたなりの方法で，あなたらしい人生を生きるということです。

今日，とくに東京や香港やニューヨークといった世界的な大都会で成功を遂げようと思うと，多大なストレスをこうむります。成功しなければならないというプレッシャーは，負け組になるのではないかという恐れを呼び起こします。日本人は，勤勉を善とし，長時間にわたって精を出して働くことをいとわず，失敗や不名誉な事態は何がなんでも避けようとすることで知られています。歴史に残る高潔なサムライ魂は，今日にも当てはまるのです——現代日本の場合，サムライとは，文句を言わずに身を粉にして仕事をし，企業社会に自らをささげる，企業のエグゼクティブ，管理職，従業員のことですが。そういった企業戦士の大半は，自分が思うように成功を果たせないとき，もっと一生懸命働くのが解決策だと考えます。その結果，労働時間はどんどん長くなり，心身ともに消耗するいっぽうです。これでは成功へ至るのはたいへん難しく，しかも悲しいことに，なんとしても避けたいはずの「失敗」に至る可能性が高くなります。

この本はそれを防ぐための手段です。もうあなたは成功するために必死にがんばる必要はありません。思っていたよりずっと簡単に成功できることがわかって，びっくりするかもしれません。昔ながらの成功する方法にうんざりしているのなら，本書の中のアドバイスを試してみてください。先へ進むにつれ，だんだん元気がわいてきて，生産性が向上し，いっそう成功へ近づくことでしょう。リラックスして，そのプロセスを楽しんでくださいね！

タレンより

Talane Miedaner

この本を、愛と感謝を込めて、ペネロピ——想像しうる範囲で最高の母——にささげます。

成功するためのセルフコーチングプログラム

人生改造宣言

CONTENTS

第十章　最小の努力で成功をつかむ …… 319

まえがき

過去五年間に二千人を超える人が、コーチ・ユニバーシティでコーチ・トレーニング・プログラムを修了しています。わたしはコーチ・ユニバーシティの総長として、また十年の経験を持つコーチとして、そういった人々とともに働く恩恵に浴してきました。その過程で、最も成功したコーチには、いくつかの重要な資質があることに気がつきました。

最も成功したコーチは、明らかにたいへんな思いやりの持ち主です。コーチングは人の発展にかかわる職業であり、単なる情報に基づいた仕事ではありません。コーチがクライアントの発展、サポート、トレーニングに多大な時間を費やしていることを考えると、クライアント、彼らの成功、彼らの価値に気をかけることは、コーチングのプロセスをスムースに進めてくれる潤滑油です。真の思いやりがなければ、コーチの効果は際だって低下します。

最も成功したコーチは、〝きらめき〟を持っています。目で見てそれとわかる何かがあるのです。彼らは明るく、生まれつきポジティブで、人とともに働くのを楽しみ、与えるものをたくさん持っています。目に輝きをたたえ、自然に他人を生きることに夢中にさせます。

最も成功したコーチは、生まれつき鋭い直観力を持っています。コーチングのプロセスで、コーチは敏感であることを要求されます。クライアントのエネルギーと気分を察知し、細かいことを区別し、情報を聞き出さなくても感じ取ることができます。言葉で表現されたことの真実を読み取り、直観をよく働かせることができます。自分を敏感にし、もともと持っている知覚能力を開発することは、成功したコーチになるプロセスの一部なのです。

最も成功したコーチは、会話がよくはずみます。コーチングは会話のうえに成り立っているわけですから、最も成功したコーチの場合、アイデア、コンセプト、感情、情報、事実、欲求、価値、優先事項などのやりとりが、自分とクライアントのあいだで、なんの努力もなく行われるのです。クライアントは、自分が一度も言ったことのないことを上手に言わせてくれる、のみ込みの速いコーチを必要としています。情報の流れを察知できないコーチ、クライアントの言葉を何もかもじっくり理解しなければならないようなコーチは、クライアントを抑制してしまいがちです。

最も成功したコーチは、コーチとして正式に訓練を受けています。良いコーチングをするには、同様のコースにのっている仲間とともに、数年に及ぶ真剣なトレーニングが必要です。ある意味、この世にいる誰もがコーチであるのは確かです。コンサルタント、セラピスト、教師、聖職者などは、確かに何らかのコーチングを行います。しかし、この職業において傑出し、クライアントにできるかぎりの援助をオファーするためには、正式なトレーニングが大きな差を生みます。

最も成功したコーチには、自分自身のコーチがいます。成功したコーチはみんな加速的に成長するコース上にいるので、自分のコーナーに熟練したコーチを置かないなどということは考えもしないでしょう——とくに、クライアントへの影響の大きさを考えると。自分自身のコーチを持つことは、誠実さの問題です。わたしには三人のコーチがいて、わたしの人生とビジネスのあらゆる面で価値を増してくれています。

最も成功したコーチは、常にクライアントから学びます。コーチングのテクノロジーは、効果については証明済みですが、やはりいまだ発展の初期段階にあります。そのため最も成功したコーチは、教えるのと同じくらいのたくさんのものごとを、クライアントひとりひとりから学ぶことにしています。そのおかげでコーチはいつも古びることなく、偉ぶらず、インプットを心がけ、昨年のクライアントではなく現在のクライアントのニーズに応えるために進んで順応しようとします。コーチが積極的にクライアントから学ぶようにしているとき、彼らのコーチング効果はいっそう上がります。なぜなら、彼らは講義するのではなく経験を総合しているからです。

最も成功したコーチは、コーチングを単なるテクニックではなく、芸術と考えます。コーチングのスキルは二〇〇以上、細かく区別すれば一〇〇〇以上、状況モデルは五〇〇以上あります。また、コーチ・ユニバーシティ公認コーチとなるためには、何百もの事実、テクニック、プロセスを学ばなければなりません。しかしながら、最高のコーチングは、単なる大量生産の絵画としてではなく、常に芸術作品として行われます。特定のツールとテクニックを要求する芸術として、コーチングに取り組むプロフェッショナルは、単にコーチングを〝する人〟より、ずっと成功する可能性が高いと言えるでしょう。

最も成功したコーチは、手本となってクライアントを導きます——コーチは自分の言ったことを実践しなければなりません。実際コーチは、学んだことを自分の生き方に適用し、クライアントに求めるのと同じように情報、区別、幸福、基準、境界線、スキルの手本にならないと、十分な実践を引き出すことができないことが多いものです。コーチの人生は〝メッセージ〟となるのです。

最も成功したコーチは、クライアントを引きつけます。そのためコーチは、自分のサービスの宣伝や売り込みに力を入れません。代わりに彼らがするのは〝流れに任せて〟生き、自分のまわりにいるひとりひとりに価値を加え続けることです。

タレンはそういった〝最も成功した〟コーチのひとりです。彼女は生来の達人です。わたしたちの講師陣のかけがえのないメンバーとして、わたしたちのプログラムと研修生たちに価値を付加してきた実績があります。人生に対する彼女の熱意は、彼女が触れ合う相手に自ずと伝わります。

コーチングのめざましい結果のことをよく知らないかたは、タレンのクライアントたちの人生に起こったすばらしい変化に驚くかもしれません。コーチは驚きません。それは彼らが予期していたものだからです。一つの小さな変化が、あなたの人生にとてつもないインパクトを与えます。この本はあなたがずっと夢に見ていた人生の青写真です。アドバイスを残らず実行に移せば、その結果に驚嘆することでしょう――その過程も楽しんでいただきたいと思います。

サンディ・ビーラス、コーチ・ユニバーシティ総長

謝辞

心からの感謝の念をここに表します。

大胆不敵な伝説的エージェント、ボニー・ソローは、いつもわたしのそばにいてくれました。あなたのきまじめさ、ねばり強さ、たゆまぬサポートに深く感謝します。魅力的で知性あふれる編集者、ジュディス・マッカーシーには、細部まで目を配り、洞察に満ちたコメントをくれ、親身になってかかわってくださったことにお礼を申し上げます。キンバリー・スーネンには、広報活動において熱意あふれるサポートをしていただきました――あなたは宝石のような人です。エリカ・リーバーマン、ブライス・スミスをはじめ、本書をできるかぎり最高の本にしようと尽力してくれた、《コンテンポラリー》の方々に深く感謝いたします。

デイビッド・ロス＝アイには、出版のプロセスにおける貴重なアドバイスに。スコット・モイヤーには、わたしの初稿に対して熱心に感想を聞かせてくれたことに。ベス・リーバーマンは、細心で配慮が行き届いた編集作業に。ジョン・ギーズ、ジョーン・ホーマー、ローランド・フリントは、非凡な教師でいてくれたことに。ジュリア・キャメロン、エレイン・セントジェームズには、わたしが自分のミューズ（詩神）を見つける手助けをしてくれたことに。ビクトリア・モランには、寛大にもパティ・ブライトマンを紹介してくれたことに。そしてパティには、ボニーを熱心に紹介してくれたことに。トーマス・J・レナードには、コーチ・ユニバーシティを創設し、コーチングを現実の職業としてくれたことに。みなさまの度量の大きさと創造性に心からお礼を申し上げます。本書に登場するずば抜けたアイデアが生まれたのは、みなさまのおかげです。サンディ・ビーラスには、寛大なサポートと、人をやる気にさせるリーダーシップに感謝いたします。わたしの最初のコーチ、トム・ポリティコーは、わたしの可能性を見抜いてくれました。もしもあなたがいなかったら、こういったことは何一つ起こらなかったでしょう。永遠に感謝します。

コーチ・ユニバーシティでのすてきなコーチング仲間全員には、サポートと励ましとすばらしいアイデアにお礼を申し上げます。レオナ・ナン、ハリエット・サリンジャー、バイアロン・バン・アースデイル、リー・ワインスタイン、シェリル・リチャードソン、カレン・ホイットワース、ドン・エドバーグ、ミミ・タイ、マーリーン・エリオット、ローラ・バーマン・フォートギャング、ハリー・スモール、デイビッド・ゴールドスミス、マーガレット・リクテンバーグ、キャサリン・ハルパーン、ポーレット・プレイス、サンドラ・バンドラー、シンシア・ストリンガー、ケリー・タイラー、マドリン・ホーマン、エリザベス・キャリントン、バル・ウィリアムズ、スティーブン・クルーニー、キャサリン・ミントン、エディ・ペリーラ、パム・リチャード、ジェフ・レイム、ボブ・シャー、シャーリー・アンダーソン、テリー・オニール、ビル・ベネット。そして、イギリスのコーチング・コミュニティに感謝を申し上げます。とくにエリザベス・ローランズ、レスリー・マクドナルド、ボブ・グリフィス、サラ・リトビノフは、わたしをあたたかく歓迎し、とても親切にもてなしてくださいました。あなたがたの愛情、サポート、励ましをありがたく思います。わたしはあなたがたひとりひとりから、たいへん多くのものごとを学びました。

トム・アトキンソンには、《トレ・ポモドリ》での絶品のディナーと友情に。いつもそばにいてくれてありがとう。アミア・デパズには、惜しみない支援と友情に。あなたはすばらしい人です。マリオ・デ・グロッシには、すばらしい写真を撮ってくださってお礼を申し上げます。あなたは達人です。ラジャ・シャヒーン、わたしはあなたのマッサージのおかげで、体も心も健全に保つことができました。愛情と信念と励ましに感謝します。

わたしの師、サーキス・ネダーには、愛情、賢明な助言、経験が生きたビジネスのアドバイスをくださったことに心から感謝を申し上げます。エイミー・ガードニックには、精力的なマーケティング・アプローチと友情に。いちばんの親友たち――トレイシー、ジョン、アレグラ、エリック、ケイト、ラルフ、トム――には、愛と励ましをくれたことに。

愛情をもって支えてくれた家族全員に、感謝をささげます。マーガレットおばあちゃんには、わたしを信じてくれたことに。いとこのアンは、ソファの上を紙や本で散らかしておいても文句一つ言わず、スペースの価値についていろいろ教えてくれました。姉のケラリーには、わたしの成功をはばむ想像上のあらゆる障害を取り除いてくれたことに。また、編集を手伝ってくれたこと、アイデアをくれたことにも感謝します。妹のセアリンには、抜群のウィットと、リサーチや編集などの惜しみない援助に。父テレルには、わたしの能力を確信してくれていたことに。そして、父自身の著書でわたしにひらめきを与えてくれたことに。母ペネロピには、最初のページから最後まで途切れることなく、愛情とサポートと励ましをくれたことに。

そして誰よりも、希望、夢、恐れをわたしに打ち明けてくれたわたしのクライアントたち全員に心からお礼を申し上げます。あなたがたのお話のおかげでこの本に命が宿りました。

Coach Yourself
to Success

序　章

コーチングとは?

What Is Coaching?

成功はひとつしかない——自分らしく一生を全うできるということだ。

——クリストファー・モーリー

コーチングとは？

コーチングは、いまあなたがいる場所と、あなたがいたいと思う場所とのあいだの、ギャップを埋めるものです。プロフェッショナルとしてあなたとかかわっていくコーチは、あなたがベストな状態になることしか望みません。そして、あなたが自ら設けていた限界を超え、豊かな可能性を実現できるようにするために、助言し、導き、励まします。オリンピック選手のことを考えてください。彼らは――コーチングのおかげで――世界でいちばん成功した選手たちです。コーチがいて、人を上回る力をつけているから、選手は金メダルを狙うことができるのです。コーチは外に向けて選手の視野を広げながら、目標を目指す集中力を維持させます。

人生のコーチは、あなたには見えないものを指摘し、あなたの行動をどう改善すればよいかアイデアを出します。それと同時に、ベストの状態になる意欲をあなたに起こさせます。また、あなたがふだん足を止めてしまうところより先へ進ませようとします。そして、あなたが自分のすばらしさを活用し、それを世界と分かち合うことを可能にします。もしあなたにコーチがいたら、どれほど生産性が上がり、どれほどの成功を手にすることになるか、想像できますか？　本書には、わたしのコーチング・プログラムの基本的な要素と、あなたが成功に到達し、ずっと望んでいたものを引きつけるための、最新の処方箋が含まれています。コーチングはかつては企業役員などエグゼクティブと超一流スポーツ選手だけのものでしたが、いまや人生コーチングは、夢を実現したいと思うどんな人の手にも届くものとなっています。今日、十万人を超える人々が、私生活とキャリアを改善するためのアドバイスと戦略を求めて、コーチングを利用しています。

成功をおさめれば幸せになるだろう――人はそう考えます。これは必ずしも真実ではありません。わたし自身、大きく成功した管理職でした。国の人口の九十パーセントの人々より収入が多く、昇進の見込みは上々でした。ところが、非常にうまくいっていたというのにわたしは仕事が嫌いでした。出勤の途中でバスにはねられてしまいたい、そうすれば職場ではなくて病院に行けるのに、などというばかな考えを抱いていたことさえあります。自分が可能性を存分に出し切っていないことがわかっていました。

ここで、「自分の人生をどうすればいいのか知るためにコーチを雇いました」と言えたらいいのですが、わたしはそれまでコーチングのことなど聞いたこともありませんでした。わたしのコーチが、わたしを見つけたのです。彼にコーチをしてもよいかと尋ねられたとき、わたしはできるだけ礼儀正しく〝お断りよ〟と言いました。今日この日まで、わたしは彼のねばり強さに心から感謝しています。なぜなら、それでわたしの人生がすっかり変わったからです。わたしはいま、まさに自分が好きなことをして、やりがいのある仕事に就いています。世界中でセミナーを開いたり、クライアントが目標や夢をかなえる手助けをしたりすることに、大きな満足感を得ています。さらに、世界屈指の優秀なコーチ集団を率いてもいます。プライベートの時間はたっぷりありますし、理想の男性にも出会い、すばらしい人生を心ゆくまで楽しんでいます。それこそが成功なのです。わたしはもはやバスにひかれたいなんて、つゆほどにも思いません。

あなたは、あなた自身の運命を自由に操り、創造する人です。人生に望むものをすでにはっきりと思い描いているかもしれません。もしくは、とっかかりすらつかんでいないかもしれません。スタート地点はどこでもかまいません。実際、選択肢を不必要に制限したりしないよう、とっかかりもつかんでいないほうが良いと言えます。コーチングが自分に効くかどうか、首をかしげている人もいるでしょう。ともかく試してください。ある意味では、コーチが欲しい人など誰もいません——途方もないぜいたくですから。しかし、オリンピック選手のように、自分のベストの状態を求めているなら、コーチングが提供する強みが欲しくなるでしょう。

　クライアントがわたしを雇うとき、人生の成功を手に入れようとあがくことに疲れ、もっと楽な方法を探しているのが普通です。わたしたちはたいてい、自分の人生を後ろ向きに生きています。きっと自分を幸せにしてくれるだろうものごとを、もっと実行したり買ったりしたい、そのためにはお金をもっと稼ぎたい、結果として、必死で働くことに大量の時間とエネルギーを費やしてしまっているのです。これでは成功を手にするのはかなり困難です。楽な道は、まず自分がどんな人間になりたいかを定め、そしてその決定に基づいて行動することです。そうすることによって、あなたは自分の望む人生を労せずに引きつけるでしょう。また、そういった生き方を始めると、おもしろいことが起こります——自分が本当に望むものがなんなのか、はっきりするのです。もはや満たされない目標、プロジェクト、人間関係にかかずらって、貴重な時間を無駄にすることはありません。本書は、どうすれば自分のベストの状態を引き出せるか、成功を手にできるかをお教えします。あなたが幸せになり、肩の力が抜けて、楽しい時間を過ごし、好きなことをするようになれば、自然に成功を引きつけます。人はどうしてもあなたに引き寄せられるし、絶好の機会も転がり込んでくることでしょう。

欲しいものを手に入れる二つの方法

　お金、愛情、機会、ビジネスなど、あなたが人生に望むものごとを手に入れるには、基本的に二つの方法があります。

1　目標を決めて目指す。
2　目標を自分に引きつける。

わたしたちは最初の方法を使うよう教えられてきましたが、うまくいかないことがよくあります。無理やり目標を結実させようとするのはやめましょう。これは無駄にいらいらがつのり、ストレスもたまって不健康です。

人は〝引きつけること〟をさまざまな別名で呼びます――思わぬ発見、幸運、シンクロニシティ、ネットワークなど。もしもこういったことが起こるのが〝ときたま〟とか〝偶発的〟なら、それらの呼び名は正しいと言えるでしょう。しかしわたしのクライアントとわたしには、驚くほど幸運な出来事が四六時中起こります。あるクライアントは、フォーチュン五〇〇に数えられる優良企業の地域マーケティング担当エグゼクティブで、年収一二万五千ドルという高収入を得ていましたが、行き詰まりを感じ、仕事で満足できずにいました。わたしたちは履歴書を書いたり就職活動に励んだりはせず、彼女の人生に取り組みました。彼女は気が滅入るささいないらだちの種を片っ端から排除しはじめました。週末にはリラックスのためにゴルフの回数を増やしました。わたしは彼女に、自分自身にしっかり手をかけなさい、週に一度マッサージを受けなさいと勧めました。彼女はオフィスや家を乱雑にしていた古いファイルや書類をすっかり片づけました。人生をあらゆる面で良い状態にしようと取り組みはじめてから九ヶ月後、彼女はヘッドハンターから電話を受け、別の企業の面接を受けることになりました。一週間後、彼女は新しい職を得て、即座に給料は二倍となりました。いまは一緒に働いていて楽しい人々とともに、やりがいのある仕事に従事しています。彼女はこの機会を追いまわすようなことはしませんでした。機会のほうから彼女のもとへやってきたのです。彼女がこの結果を〝引きつけた〟ということです。わたしのクライアントたちは、こういった種類の成功をひんぱんに経験しています。あなたにも同じことが起こらないはずがありません。幸せと成功を自分のところへ引き寄せるような人生を、体系的につくりましょう。日々の暮らしから、エネルギーが無駄に出ていってしまう口を取り除き、エネルギーを増やしてくれる楽しい活動を加えることによって、機会が自分のもとへ訪れるためのスペースをつくるのです。

ほとんどの人は、自分が成功を引きつけて当然とは思わないものです。良いものごとがめぐってくると、それを運や偶然として片づけてしまいます。わたしたちは、自分がベストの状態にあって、やりがいのある仕事をし、幸福を感じ、人生に胸をわくわくさせているとき、自然と成功を引きつけているということを知りません。問題は、多くのものごとにはばまれて、ベストの状態になれないということです。そういうところでコーチングのアドバイスが役立ちます。

本書では、プロのコーチとしての豊かな経験と、会社員として働いた経験から引き出された、実用的な知恵を用いて、最も強力で効果的なコーチングのアドバイスを一〇一個集め、実践しやすいように全体を十の章に分けました。それぞれの章に、あなたがずっと望んでいたものすべてを引きつけるために役立つ、実践的で折り紙付きの秘訣と、現実に即した例が詰め込まれています。

コーチングにはどのような効果があるのか

クライアントが自分の望むものを引きつけるためのコーチングを何百人分も経験して、わたしはそのプロセスがじつにシンプルであることに気がつきました。すべては基本に帰着します――それはエネルギーです。アインシュタインは、すべての物質はエネルギーであるということを発見しました。堅いマホガニーのデスクも、小さな原子がぐるぐるまわっている、ほぼ空っぽのスペースでできているのです。コーチングは、エネルギーを無駄に消費するものごとを取り除き、あなたにエネルギーを与えてくれるものを取り入れる方法を教えます。エネルギーをたくさん持てば持つほど、あなたの魅力は増し、よりパワフルになるでしょう。精力的で生気あふれる人、自分が本当にやりたいことをしている人は成功します。ガンジー、エレノア・ルーズベルト、オプラ・ウィンフリーのことを考えてみてください。自分と世界のために望むものを引きつけるのに、わたしたちがそれぞれに持っている能力を、どの人もよく物語っています。

本書の使い方

本書は十章に分かれ、自然に進行するよう組み立てられています。それぞれのパートには十のアドバイスが含まれていますが、必ずしも順番どおりに実行しなくてもかまいません。第一章では、エネルギーの排出口を取り除き、ポジティブなエネルギーを生み出してくれるものを取り入れることによって、自分が生来持っているパワーを増大させることを学びます。この基本を済ませたら、第二章では人生に望む新しいものごとのために、スペースをつくることを学びます。過剰な〝物〟は、あなたが成功を引きつける力を弱めます。自然は真空を嫌う――やっぱりこれも物理の法則です。人生に何か新しいものごとを呼び込みたければ、そのためのスペースをつくる必要があるのです。

第三章はお金について取り扱います。自分のためにお金を働かせる方法を身につけることができるのに、なぜお金のために働くのでしょう？　まずはお金について正直なところを認めることから始め、お金が無駄に出ていってしまう穴をふさぎ、十〜二十年後には生活のために働かなくてもよくなるように財政的自立を目指しましょう。たいていの人はそこそこのお金でしのいでしまいます。もしも労せず成功を手にしたいなら、そこそこ以上のお金を手に入れる必要があるのです。

お金の扱い方を学んだら、次のステップは、時間のないときに時間をつくる方法です。第四章では、時間を生み出す秘訣をお教えします。本当に重要なことに集中し、知らず知らずのうちにわたしたちの人生をむさぼり食う常習的な時間食いを排除する方法が身につきます。これによって人生におけるバランスや制御の感覚が培われるでしょう。

第五章では、友人、同僚、先達たちと、互いに支援し合うネットワークを築く方法を学びます。強力な人間関係をつくりあげ、維持するには手間がかかりますが、わたしたちはみんな多忙で、その時間がとれなかったりします。しかし成功を手にした人々は、個人的なネットワークの支援なしでは目標に到達することはできなかったと、躊躇なく認めることでしょう。また、無意識のうちに自分の行動や友人の選び方を左右しているかもしれない、感情的欲求の正体をつかんで満たす方法を見つけましょう。

第六章では、人生においてあなたが本当にやる気になるものを見つけ出します。そして、金銭的なリスクを負わずにそちらのほうへスムースに移行する方法を学びます。好きな仕事をしているうちに、あなたは魅力的で有力な人々を引きつけるようになります。彼らは、自分の仕事に毎日不満ばかりつぶやくみじめなあなたには、見向きもしなかったでしょう。自分の仕事に胸をときめかせて取り組む人はめったにいません。それだけでもあなたは群を抜いて目立ち、さらに多くの機会を引きつけることでしょう。

第七章では、能率と生産性と効果を格段に上げる方法を学びます。マンネリにはまり込んだときの打開策や、目標に向かって道を切り開き、最速記録で到達する方法が身につきます――それに目標そのものをなくしてしまう方法も。目標が仕事上のものであっても、個人的なものであっても、賢く働くこと、その過程をもっと楽しむことを学びます。

第八章では、人の話にじっと耳を傾ける術を学びます。深く話を聞くと、相手が自分でも気がつかなかったことをいろいろ引き出すことができます。成功を手にした人々には、共通する特徴が一つあります――パワー、品格、スタイルを持ってコミュニケートする方法を知っているのです。これはどんな人でも身につけることができます。人々がじっと聞き入るだけでなく、行動を起こそうという気になる話し方を、シンプルにご紹介します。人を操ることなく、あなたの望むことを相手にさせる秘訣も学びます。

第九章の時点で、あなたは自分の最大の資産――あなた自身――を十分にケアする準備ができています。このパートでは、無用なストレスをなくし、燃え尽きを防ぎ、自分のまわりをぜいたくで囲む方法を学びます。いまこそ自分自身を甘やかし、体調を万全に整えるときです。その見返りは、若返って元気いっぱいのあなた自身！かなり安定したペースで、良いものごとが次々と舞い込んでくるでしょう。ここであなたに必要なのは、それを正しいこととして受け止めることです。人はたいてい、自分にはそんなすごい人生を送る資格はないと考え、手を替え品を替え自分自身の妨害をするのです。でも、怖がらなくても大丈夫。そんな癖は治ります。良い人生を送りたいという意欲をふくらませるためのいちばん良い方法が、自分自身に思う存分手をかけることなのです。

第十章では、成功の主要な特質を強化します。このパートは、何かのやり方ではなく、あり方に関する話です。余分な時間とお金を持つとか、立派な家や肉体を手に入れるといったことを超越した話です。わたしたちは誰でも、一見、成功しているように見えても、一緒にいて楽しくないという人を知っています。成功というものは、見た目の装いを超越しているからです。第十章は、自然に成功を引きつけるような人物になろうという話です。ある意味で、これは他のどのステップよりも重要であり、他の部分が正しく仕上がっていなければ成功を維持するのは難しいと言えるでしょう。この時点で、あなたは自分の望みを考えるだけ、思うだけで、それがたちまち現実になってしまうかもしれません。これが魔法みたいに聞こえるのはわかっていますが、魔法ではありません。あなたがこの成功に向けて下地をつくってきたのです。エネルギーやバイタリティがあふれて、あなたの思考はいっそうパワフルになるでしょう。そうならないはずはありません。あなたは人生において注意をそらすものを取り除き、自分にエネルギーをもたらす環境をつくりあげたのです。この時点でのあなたは、驚くほど強い磁力を持つでしょう。

フランクの例をご紹介しましょう。彼はコンピューター・プログラマーで、デスクで居眠りするほど仕事に退屈していました。同じ銀行に七年以上勤め、ずいぶん努力したにもかかわらず、ろくに昇進していません。成果が上がらないことでいつも叱責を受けていましたが、いくら改善しようと思っても意欲が湧かないのです。彼は三ヶ月間コーチングを受け、そのあいだに自宅のがらくたや気に入らない家具をすっきり片づけ、我慢していたことすべてをなくしました。するとフランクは、給料が二万ドルも多い一流投資銀行の新しい仕事の口を見つけました。さらに、今度の仕事はやりがいがあり、上司は尊敬できるすばらしい人でした。自分自身と人生についてそうとう良い感触を得るようになったフランクは、聡明なキャリアウーマンに愛されるようにさえなりました。言うまでもなく、フランクは終始上機嫌です。

コーチングは、こういった行動を進んで取る気のある人なら誰にでも効果があります。やらなければならないことはありますが、それはしゃかりきになって目標に到達しようということには主眼を置いていません。あなたが主眼を置くのは、今日のあなたになれるかぎり最高の人間になることです。このコーチング・プログラムは、あなたが自分ならではの才能と素質に目覚め、成功に到達するためにそれらを最大にする手伝いをします。自分自身の人生に取り組むことは、何よりもやりがいがあることです。幸いなことに、コーチングを受けるプロセスで自然な勢いが生まれるので、やる気を維持しようとする必要はありません。人生における一つの分野に手をつければ、次の分野へ自然に手をつけようという気になります。自分が望むものを引きつけるということを経験してしまえば、成功に至るための古いやり方には、二度と戻りたくなくなるはずです。

これは行動志向のプログラムです。専用のノートか、手頃な大きさのルーズリーフ・バインダーを用意することをお勧めします。また、日記や日誌をつける習慣がない人は、これを機にぜひ始めてください。一日に数行書くだけです（書きたい気分のときはどんどん書いてください）。日誌を見れば、自分がどの程度のことをやり遂げたかがわかり、コーチング・プログラムを実践しているあいだに自分の人生にどれほどの変化があったか、よく理解して順応することができます。

最後に注意をひと言

本書に載っているアイデアのほとんどはたいへんシンプルなので、読むだけで実行したような気分になるかもしれません。それは大きな間違いです。読むことと、行動を起こすことは、まったくの別物です。アイデアを読むだけで十分だとしたら、いまごろ誰もかれも完璧になっていることでしょう。第一章から気に入ったアドバイスを一つ選び、〝実行〟してください。週に一つか二つのアドバイスを、集中してやるようにしてください。あっという間に終わってしまうものもあれば、完了させるのに多少の時間がかかるものもあるでしょう。たとえば、ボタンの縫いつけは二分で終わるかもしれませんが、半年分の生活費を貯金するには一年かかるかもしれません。最終結果に到達するまでどれくらいの時間がかかるかについては気をもまないこと。重要なのは、あなたの目標と夢を実現させるための構造を組み立てることです。

もしこのプロセスで自分を支えてくれるコーチを雇う余裕があるのなら、ぜひそうしてください。もしコーチを雇うことができない場合は、あなたと一緒にやってくれるパートナーか相棒を見つけ、週に一度は電話をし合ってお互いをチェックしましょう。もちろん、ひとりで行うこともできますが、誰か一緒にやってくれる人がいれば、ずっと容易で楽しくなります。

本書の中であちこち飛んで、いちばんやってみたいことから実行するのはまったくかまいませんが、もしある分野で苦労を感じたり、アイデアがどうにも無理に思えたりする場合は、初めのほうの章に書かれていることを先にじっくりやる必要があるということかもしれません。たとえば、まだ借金を負っているようなときには、個人指導のトレーナーを雇うのは無理でしょう。また、ベビーシッターの費用をどう捻出するか四苦八苦しているうちは、財政的自立を目指すなんてとんでもないと感じたり、不可能に思えたりするかもしれません。しかしながら、借金をすべて返済し、半年分の生活費を確保してしまえば、財政的自立は大事業でも達成可能なプロジェクトに感じられるようになります。以上、かいつまんでプロセスをご紹介しました。そのとおりにたどればいちばん楽ですが、どうぞあなたのやりたいようにやりたい順番でしてください。何より、プロセスを思いきり楽しんで！

Coach Yourself
to Success

第一章
ナチュラルパワーを高める

Increase Your Natural Power

そこにある活力、生命力、エネルギー、胎動――それがあなたを通して動きだす。あなたはいつも一人しかいないから、この表現は唯一無二。もしせきとめたら、他の誰を媒介としても生まれ出ることはなく、失われてしまう。

――マーサ・グレアム

パワフルな人が持つ能力、それは、自分が求めるものを手に入れ、絶好の機会や有能な人や富を自分に引き寄せ、まわりにインパクトを与えて影響を及ぼす能力です。わたしたちのパワフル度には差がありますが、自分自身が自然に持つパワーを増やしてさらに多くのエネルギーを持つのは誰にでもできることです。方法はシンプル。ナチュラルパワーを増やすには、エネルギーが無駄に消費されるもとを取り除き、エネルギーを与えてくれるもとを加えるのです。シンプルとは言っても、必ずしも簡単ではありません。このコーチング・プログラムを始めるにあたり、まずはあなたを悩ませるものごとやエネルギーを失わせるものごとを思い切って減らし、エネルギーがどんどん湧いてくるようなポジティブなものに置き換えましょう。この章では、自分の暮らしを良い状態に整え、悪い習慣を排除し、不愉快な人々や意見から自分自身を守る方法を学びます。これはあなたのパワーを自然に増やして、成功を引き寄せるために必要な土台です。わたしたちは目標を追うのにあまりにも忙しく、生きていくための強固な基礎を築くことをないがしろにしがちです。

時間をかけて人生の土台を整えることもなく、やたらと大きな目標を追い求めることには、明らかな危険があります。第一に、目標を実現したとしても、長続きしないかもしれないという危険です。砂の上に城を築くような時間の無駄はやめ、岩盤の上に築きましょう。すべてを犠牲にして目標を追い求め、達成したものの、その成功が短命に終わった友人はいませんか？　〝大きな成功は身を滅ぼす〟とはよく言われることですが、それは単に正しい土台を築いていなかったせいかもしれません。嵐や不運に少しばかり見舞われただけで、すべてが崩壊して駄目になってしまうのです。人を破滅させるのは成功そのものではなく、しっかりした土台の欠如であると言えるでしょう。この第一章の内容を実践すれば、あなたのパワーは強まり、あとで紹介するステップに進みやすくなるでしょう。これらは一見シンプルですが、実行するには時間を要します。長続きする成功を手に入れるには、必要不可欠なことです。

第二の危険は、目標に達したとしても達成感や満足を感じないかもしれない、という点です。かつてある記者に、人が目標に達しない最大の理由は何かと尋ねられたことがあります。わたしは、それはそもそも誤った目標を定めているからだと答えました。何かの目標を心に決め、ようやく達成しても、勝利がむなしく感じられたことはありませんか？　求めていたものが意外と大したことがなかったとか、つかの間は楽しんだけれどたちまち次の目標に目が移ってしまったとか。これはじつによくあることです。わたしたちはメディアや広告に強く影響を受け、自分が本当に欲しいものがなんなのかわからないこともしばしばで、メディアに吹き込まれた、いかにも幸せになれそうな幻想に飛びついてしまったりします。そういったものは真の夢でも目標でもなく、巧妙な広告にそそのかされた結果と言えるでしょう。そんな目標を達成しても、なんとなく不満が残るのは目に見えています。自分を本当に幸せにしてくれるものを見つける以前に、人生の土台をしっかりさせる必要があります。

あなたがいま我慢しているものごとを一つ残らず取り除くことで、毎日の暮らしに活気を与えましょう。クローゼットを整頓したりボタンを縫いつけたりするのは，ぱっとしないことですが、これは、あなたが本当に求めるものを得るための第一歩なのです。ママがいつもこう言っていましたね――「まず野菜を食べなさい。そしたらデザートをあげるわ」。

Tip 01 ささいないらだちの種をすべて排除する

小さなことに関して真に偉大であり、日常茶飯のささいな事柄に本当の気高さと英雄的態度を示すという、たぐいまれな美徳は、聖人の位に値する。

――ハリエット・ビーチャー・ストウ

本気で成功したいと思うなら、まず我慢していることすべてを排除することから始めましょう。しかたないと思っていること、耐えていること、そういったささいないらだちの種をなくしてしまうのです。あなたはきっと小さなあれこれをたくさん我慢していることでしょう。たとえば、あふれている未決書類の箱、シャワー室のドアを開くたびに目にしていやになるバスローブのほころびなど。あなたはそれを見るたびに思います――「早く繕わなくちゃ」。それがいらだちの種なのです――取れてしまったボタンやすり減った靴底のように、ごく小さなこと。もっと大きなこともあるかもしれません。夫の口臭が気になる，親友がいつも待ち合わせに遅刻する，もしくは、重箱の隅をつついてまわるようなうるさい上司がいるといった職場の悩み。それとも、爪をかむ、整理が下手で大事な書類が見つからないといった、自分の悪癖。または街の大気汚染に悩まされている、車が汚い、通勤時間が長い、などなど。

我慢していることのすべてにエネルギーが吸い取られ、あなたはいらいらして消耗します。我慢の種がたくさんあるとしたら、人生における成功を手にするのはかなり難しいでしょう。わたしのコーチングの経験から言うと、たいていの人はいろんな点で六十から一〇〇もの我慢をしています。それを排除するために、その六十から一〇〇のものごとを書き出して、リストをつくりましょう。頭の中でリストにするだけではうまくいきません。

きちんと紙に書いてください。そうしたら友人に電話をして、やはり我慢を全部やめたいと思っている誰かを見つけて協力し合いましょう。土曜か日曜をまる一日、決行日として確保し、リストにある項目の中で、一日でできそうなものを片っ端から実行していきます。勢いがなくなってきたら、仲間に電話をして進捗状況を報告しつつ励まし合います。終了時間も決めておいてください。決行日が終わったら、ディナーと映画を自分におごりましょう。

一日でできそうにないことは一～三ヶ月の期間を設けて、最も多くの我慢の種を排除できた人が、ディナーなどの賞品を勝ち取ることにします。ささいないらだちはエネルギーを無駄に消費し、成功を引きつける力を弱めます。細かいことをくよくよ気に病んではいけません。単に取り除けばよいのです。自分ではどうしようもないこと――上司、長い通勤時間、配偶者の強烈な口臭など――はリストに書き出すだけにして、あまり気にかけないようにしましょう。解決策はそのうちやってきます。

ウォール街の証券マン、ジェイソンの例を見てみましょう。ジェイソンは金融の世界がとても好きですが、連日の長時間勤務にかなりのいらだちを感じていました。しかも七年以上同じポジションにいて、ふさわしい評価や給料を得ていないような気がしていました。ジェイソンはわたしに言いました――「踏み車に乗ったネズミみたいな気分なんだ。どれほど走り続け、どれほど働き続けても、どこかに到達するわけじゃない。ぼくはどうすればいい？」。わたしはジェイソンに、常日頃我慢していることを、私生活か仕事かを問わず、すべてリストにするように言いました。やがて彼はかなり長いリストを持ってやってきました。その中にはこんなことが含まれていました。人づきあいがない。食事はいつもひとりきり。仕事で認められない。お気に入りの革ジャケットに破れ目ができた。シャツのアイロンがけが嫌い。未決書類の箱の中が山になっている。アシスタントがガムをかみっぱなしでろくに仕事をしない。請求書を支払わなければならない。バスタブのひび割れをふさがなければならない――。ちょっとあげただけでもこれです。彼の問題のリストは果てがないように思えました。多くの不幸な人々と同様に、彼は行き詰まり、身動きがとれなくなっていたのです。わたしはこう言いました――「ジェイソン、そろそろ自分を大切にしてもいいころじゃない？」。自分自身にほうびを与えるようにしなさい、書類仕事が全部片づいていなくても、何か自分が好きなことをやりなさい、とアドバイスをしました。ジェイソンはしばらく自分を追いつめるのをやめて、休息することが必要なのです。その結果はめざましいものでした。ある日、彼はセントラルパークに散歩に出かけ、夕焼けを眺めました――以前はこういうシンプルなことを楽しんでいたのに、ここ数年はそんなことをする時間がなかったのです。また、彼は武道を習いはじめました――ずっとやりたいと思っていたのに、そんなことに時間を使うのを正当化できずにいたのです。いま、仕事を終えてからの楽しみができたジェイソンは、早く武道のクラスに行けるよう、以前より仕事を効率よくやるようになりました。デスクの上の書類を全部片づけてバスタブのひび割れをふさぐと、やがて何もかもがまわりだしました。ヘッドハンターから声がかかり、二ヶ月もたたないうちに別の投資銀行の新しい職を得ました。今度は高く評価されているのが感じられるし、年収は三万ドルもアップ。彼がまた女性とつきあうようになったことは言うまでもありません。

ローリーという女性も、リストをつくってみて気づきました。我慢している小さなことは山のようにあるけれど、なかでも耐えがたいのは、もうあまり好きではなくなってしまった恋人の存在と、住んでいる街が嫌いなこと。彼女はただちに恋人と別れ、二週間後に別の街に引っ越しました。誰もがそんなふうに素早い行動を取れるわけではありませんが、可能であるならそうしない手はありません。ローリーはそういうことがどれほど負担になっているか気づいたとたん、もはや無駄な我慢をする気がなくなったのです。いま彼女はシカゴで快適な家に暮らし、理想の男性を見つけようとデートを重ねています。

いらだちの種リストをつくったロバートは、翌週わたしに電話をしてきました。日頃のささいな厄介ごとをすべてなくした結果、どれほどの差が生じたか信じられないくらいだと言います。彼は一年以上切れたままだった冷蔵庫の電球を取り替え、かびだらけのシャワーカーテンを捨てて新しいものを買い、取れたボタンを縫いつけ、しみや破れ目がある衣服を捨て、靴底を取り替えました。ロバートは、こういった細かいことは大して重要ではないのだから気にしてはならない、もっと大きな目標に集中して時間を使うべきだと思っていた、と打ち明けてくれました。我慢していた二三項目を全部なくしてしまうと、彼はこれまでになくエネルギーがみなぎるのを感じて、裏のポーチにデッキを造りはじめました——この三年のあいだそのうちやるよと言い続けていたことです。奥さんは大喜びしたそうです。

以前に電話セミナーを開催したとき、わたしは参加者に課題を出しました——次回まで、現在我慢していることをすべて書き出してリストをつくり、その中で最大のものを排除しなさいと。ある男性は次のセミナーのとき、みなぎるエネルギーではちきれそうになっていました。彼がリストを書いていて最初に気づいたのは、以前から利用していたセラピストに自分が不満を感じていることでした。彼はその人のセラピーを受けるのをやめ、心から安らぎを感じる別のセラピストを頼むことにしました。彼は効果の得られない関係に九ヶ月も耐えていたわけです。

リストを書こうと机に向かっても、どこから手を付ければよいかまったくわからない人がいます。そういう場合九九パーセントの確率で、ささいないらだちの種が一つもないからではなく、そういうものを考えつかないくらいに感覚が麻痺しているからです。いらだちの種を一つなくせば、耐えていることに気づきもしなかった別の種が頭に浮かぶものです。また、カテゴリー別に考えるのも効果的な場合があります。あなたが耐えているのは仕事のこと？　家庭のこと？　友人や家族のこと？　ペットのこと？　健康について？　自分の癖について？

次に、我慢していることをひとまとめにして一度に排除する方法をご紹介しましょう。たとえばジョンは、稼ぎがよくないこと、職場のデスクが散らかっていること、いやな上司、責任ある仕事を任されないこと、知識がまだ十分にないことを気に病んでいました。ふと、別の仕事につけばその悩みすべてをいっぺんに解消できることに気がつきました。彼はデスクを片づけ、もっと責任を持たせてもらえそうな別の部署へ移れないかどうか、上司に掛け合いました。そして無事に異動できることとなり、数ヶ月後には、増えた責任に見合う昇給も獲得したのです。

何かに我慢をしているのは、それなりの理由があってのことだと自分で気がつく場合もあります。ジェシカは、八九個の悩みをすべてなくしてしまおうと、必死に取り組みました。その成果にかなり満足していた彼女ですが、次に電話で話したときには少々気落ちしていました。ずっといらだちの種になっていたささいなものごとをすべて排除したいま、大きなものごとが目の前でこちらを見つめていたのです――二七年にわたる結婚生活の問題です。ビジネスで成功し、幸せな人生を送るためには、きちんと対処しなければならないことだとわかっていても、夫との関係がうまくいっていないという事実に目を向けないようにしてきました。小さなものごとは、彼女の人生における大問題から目をそらす役目を果たしていたのです。

リストを書きあげたとき、自分の手には負えないことがたくさんあって、途方に暮れるかもしれません。でもそれは気に病まずにリスト上に残しておいて、自分で何かできることのほうに取り組みましょう。以前、自分の家族に対してコーチングをするのはあまりよくないことに気づかず、妹にこの課題を出したことがあります。妹はリストをつくり、わたしに見せました。わたしは妹に謝り、やっぱり家族にコーチングをするべきではないと言うと、妹はそれ以上追及しませんでした。そのとき妹のリストの中にあったのが、職場で狭い個室を共有する同僚のことです。妹は何もしていないのに、一ヶ月後に別のパートナーと組むことになりました。リストを書いてひきだしの中につっこんでおき、一ヶ月後にそれを見たときには、なんの働きかけもしていないのに線を引いて消せる項目がいくつかあることがわかるでしょう。ということで、何はさておきリストだけは書いてください！

Tip 02 エネルギーの無駄な出口に栓をする

コカインの習慣性？　そんなことないわよ。わたしにはわかる。何年もやっているから。

――タルラ・バンクヘッド

我慢していることを排除しはじめると〈Tip 01〉、そういったささいな厄介ごとにどれほどのエネルギーが奪われていたかがわかるでしょう。ちょうどエアコンのうなりのようなものです。エアコンを切るまでどんなにうるさかったか気がつかないのです。わたしたちの大切なエネルギーを無駄に消費させるものはたくさんありますが、わたしたちは気づいてもいません。たとえばテレビです。テレビを見たあとでも気分は爽快ですか？　低俗な新聞にはエネルギーが吸い取られるような不愉快なゴシップ記事がたくさん載っています。貧しい人間関係には途方もない量の時間とエネルギーが費やされるでしょう。他のあらゆる依存症も同様です――アルコール、砂糖、ショッピング、コンピューターゲーム、カフェイン、ギャンブル、煙草、チョコレート、テレビ、セックス――自分にどれがあてはまるかはおわかりでしょう。わたしは、たまに飲む一杯のコーヒーをやめなさいと言っているわけではありません。でも週に三杯以上なら、それは中毒かもしれません。

わたしは自分がコーヒー中毒だとは思っていませんでした。朝一杯しか飲んでいなかったし、それほど好きではないと思っていたくらいです。コーヒーを断とうと決めたとき、そんなことは簡単だと考えていました。三日間、頭が割れるように痛み、何も考えられない日々を過ごしたあと（わたしは頭痛持ちではありません）、コーヒーは単なる飲み物ではなく、強力なドラッグだと気づきました。あなたも試してみればわかるでしょう。それに、カフェインがインシュリンの分泌を促進して脂肪の蓄積を増やすことが研究で証明されています。カフェイン断ちをしたいま、わたしのエネルギーは一日を通していつも変わらず、安定が保たれています。また、朝のうちにせわしく動きまわって、仕事を成し遂げたような錯覚にひたることもなくなりました。せき立てられてストレスがたまる？　だったらのんびりコーヒーを飲んでいる場合ではありません。コーヒーを飲んだら事態は悪くなるばかり。いまのストレスが悪化するだけです。カフェイン断ちをするときには、頭痛がくることを覚悟しておきましょう。あるクライアントはかつてはコーヒー愛好者でしたが、コーヒーをきっぱりやめ、そのあと一ヶ月は好きなだけ紅茶を飲み、やがてハーブティーに切り替える方法がうまくいきました。いま彼は以前よりエネルギーにあふれ、肩の力が抜けた気がすると言っています。

出版社の編集局次長をしている別のクライアントは砂糖中毒で、気がつくと、一日に何度も自動販売機に向かっていました。彼女はきっぱりやめようと決意しました。チョコレート菓子やコーラなどが欲しくて自動販売機に行きたくなったときには、こう自分に言い聞かせます――「砂糖は役に立たない。それどころか悪いことばかり」。この呪文が効きました。彼女にとって砂糖は速効的にエネルギーをチャージする方法でしたが、面倒なプロジェクトに取りかかるのをあとまわしにする方法でもあったのです。いまの彼女は目の前の仕事に集中し、プロジェクトに真っ向から取り組んでいます。体重が減っただけでなく、仕事における自分の生産性がより高まったそうです。

あなたの暮らしの中で、エネルギーを無駄使いさせる誘惑はなんでしょう？　サポートを受けることを恥ずかしがらないでください。どんな人にも何かがあります。エネルギーの無駄な消費をきっぱりとなくすために必要なサポートを受けましょう。もし依存症を自力でコントロールできそうなら、リストをつくり、毎月一つずつ排除しましょう。

依存症はあなたの人生を乗っ取ってしまい、自らの力でストップをかけるのは非常に困難です。ひとりでやめようとして失敗しても、絶望してはいけません。あなたに意志の力がないわけでも、弱くてどうしようもない人間だというわけでもないのです。意味することは、あなたが真の依存症であり、欠けているものは依存を断つための強力なサポートシステムだけだということです。ハーブ療法家の友人がヒントをくれました。たいていの依存症は儀式的行為に関係しています。マリファナを吸う喜びの一部は、紙を取り出して草を巻くこと。マリファナをやめたいなら、古い儀式の代わりに健康によい新しい儀式をつくることです。折り紙で何かをつくってみるとか？　代わりに楽しめる新しい儀式をゆっくり考えてみましょう。もしも依存症があなたの人生をむしばみはじめているなら、コーチングは効きません。なぜならあなたの人生を動かしているのはその依存症であり、あなたではないのですから。

Tip 03 毎日やる十の習慣を取り入れる

良い習慣が身についていれば、程度の低い情熱や欲求はひとりでに抑制されるので、わたしたちの本性は、より大きな人生経験を自由に探求できるようになる。あまりにも多くの人々が、くだらないことをめぐる議論にエネルギーを浪費している。

――ラルフ・W・ソックマン

わたしたちは誰でも、自分のためにならない悪い習慣を二つか三つは持っています。わたしにとっての毎日一杯のコーヒーのように、習慣から中毒になっていたりするかもしれません。専門家によれば、習慣をやめるには、それを別な習慣と置き換える必要があるそうです。さもないと、また古い習慣に立ち戻ってしまうからです。理想を言えば、悪い習慣を良い習慣に置き換えるということです。〝良い〟というのは、エネルギーを消費するのではなく与えてくれることを意味します。毎日やるのが楽しみに思えるようなことを、十個あげてみてください。一日の計画を立てたり、クリエイティブな考えごとをしたりするために、一五分間静かに過ごす？　仕事から帰ってきて、肩こりをほぐすために十分間ストレッチをする？　車をやめて徒歩や自転車で通勤する、カフェテリアではなく、外に出て木の下でランチをとる、ファストフードのお店でランチを食べずに自分でお弁当をつくる、試しに三十分早く寝て三十分早く起きてみる――。気をつけるのは、〝するべき〟習慣にせず、それ自体が自分へのごほうびになるような、〝喜んでやりたい〟習慣にすること。これは人によってさまざまです。たいていの人は、この課題を始めるときにはストレスで痛めつけられているため、十の楽しい習慣を思いつくことすらできません。わたしの場合もそうでした。自分が何か楽しんでやることなんて、まったく縁がない時期がありました（通勤の途中でバスに轢かれないかしらと思っていたころのことです。そうすれば病院でしばらく寝ていられるでしょう?）。〝するべき〟こと以外は何も考えられませんでした。たとえば、「毎日運動しなくちゃいけない」とか「もっと野菜を食べなくちゃ駄目」のように。それで気分が明るくなることも、気持をそそられることもありません。以前のわたしはいったい何を楽しんでやっていたのかしらと考えなくてはならないくらいでした。わたしの〝毎日やる十の習慣〟は、楽しいことと習慣的にやらなければならないとわかっていることの、組み合わせとなりました。

1 地下鉄に乗らずに歩いて通勤する（時間を計ってみると、地下鉄を使うと四十分、徒歩ではドア・ツー・ドアで一時間かかることがわかりました。二十分余計になりますが、一時間のエクササイズタイムが確保できるし、一ドル五十セントのお金が節約できます。結局は、歩きながら瞑想のようなことをする時間になりました）。

2 歯をフロスで掃除する（これは〝するべき〟ことですが、わたしは面倒に思いませんし、歯にはとてもいいことです）。

3 友だちに電話をするか、感謝のメモを送る。

4 珍しい果物（ラズベリー、イチゴ、マンゴー、パパイヤ、梨など）を食べる。

5 何か一つ、自分を甘やかすことをする（バブルバス、マニキュア、新しい雑誌、公園の散歩、オフィスに花を飾る、など）。

6 ビタミンCとマルチビタミンをとる（かなり簡単なことですね）。

7 背中の運動をする（わたしは腰痛持ちで、この運動のおかげで動いていられるのです）。

8 誰かに「愛してる」と言う（愛情表現する）。
9 毎朝、十五分かけて一日の予定を立てる。
10 夕方オフィスを出るときには、デスクの上を片づける。

もしも、なかなか悪い習慣をやめられなかったり、良い習慣を始められなかったりした場合は、進歩を図表にして目に見えるようにしてはどうでしょう。どんな方法でもかまいませんが、目標を見失わないよう、日常的に目で見て思い出せるものが必要です。たとえば、エレイン・セント・ジェイムズは、著書の『こころが癒される77の方法』*Inner Simplicity*（ダイヤモンド社）の中で、金の星を用いる方法を勧めています。幼稚園のころ、優等生に送られる金の星を獲得するのが好きだった人は、きっとこの方法が良いでしょう。もちろん他の方法を考えてもかまいません。やり方はこうです――何かを首尾よく成し遂げた日には、金の星を自分に与える。たとえばあなたはテレビを見るのをやめたいとします〈Tip 32〉。テレビを見なかった日は、自分に金星を一つ与えます。それをよく見える壁のカレンダーに貼りましょう。あなたが何に取り組んでいるか、他人に言う必要はありません。むしろ言わないほうが良いでしょう。誰かにうるさく言われないよう、内緒にしておいてください。一ヶ月間ずっと金星が続いたら、自分に特別なごほうびを出しましょう――ただし、続けていた習慣をそれで破ることにならないよう気をつけて。成果を記録するのに、棒グラフを書く方法もありますね。あるクライアントは、雑誌から写真を切り抜いて、がんばって新しい習慣を守ろうと自分を励ますコラージュをつくっています。また、礼状を出すのを忘れないようにリマインドする電子メールを、習慣になるまで毎日、自分宛てに自動送付している人もいます。新しい習慣が、歯磨きのような当たり前の習慣となるまで、身のまわりにあるものを利用して忘れないように工夫しましょう。十の習慣を身につけるのがたいへんに思えたら、一度に一つずつ定着させていってください。

ばかばかしく聞こえるかもしれませんが、効果が目に見えるようにしたり、ミニコンテストやゲームのように楽しんだりすることは、本当に有益です。わたしのクライアントでスポーツ選手のケンダルは、かつては砂糖中毒で、砂糖を抜いた日には金の星を自分に与える方法を実行しました。彼はカレンダーに空白の日があるのを見たくありませんでした。目に見えるようにすることで、自分の成果がはっきりわかるだけでなく、続けようという気にさせてくれます。以前のケンダルは頭で覚えていようとして、実際よりも自分に甘い点をつけていました。ちゃんと記録をつけないと、メイプルシロップのかかったフレンチトーストや、ミントキャンディーのことなどあっさり忘れてしまうものです。長く続ければ続けるほど、中断したくなくなります。砂糖断ちをして二週間が経過し、彼は途切れなく続く金色の星の列を途切れさせたくないと思いました。このテクニックは、犬を散歩させるとか、一日に三種類の生野菜を食べるといった、新しい習慣を定着させるためにも効果があります。日常的な楽しみを十個リストにして、毎日を楽しく過ごしませんか？

Tip 04 〝するべき〟を排除する

通俗的な善の基準に従って善良であることは、じつにたやすい。そのために必要なのは、いくらかのあさましい恐怖、想像力豊かな思考の欠如、中産階級的体面への情熱の低さのみ。

――オスカー・ワイルド

〝するべき〟ことというのは、何かやらなければならないと思いながらも、あまりやりたくないことを指します。体重を落とすべき。運動するべき。もっと人脈をつくるべき。サイズ六のドレスを着るべき。もっとお金を稼ぐべき。外国語を覚えるべき。あれもこれもいろいろやるべき。こんなに〝するべき〟がたくさんあったらお手上げ。気が滅入ってしまい、いつまでたっても本当に興味のあることに手がつけられません。〝するべき〟このリストをいますぐにつくってみてください。そして、その紙を丸めて玉にしたら、燃やしてしまいましょう。〝するべき〟はあなたの重しであり、足かせであり、生きるための大切なエネルギーを吸い取ってしまいます。あなたが本当にやる気になる、新しい目標のリストを考え、〝するべき〟は排除しましょう。

本物の目標か、単なる〝するべき〟的目標なのかは、どうやって見分けられるでしょうか。まず、間違いのない方法は、自分にこう訊いてみることです――「この目標はいつから抱いてる？」。もし一年以上前から抱いている目標なら、それはすっかり気の抜けた〝するべき〟的目標です。もうそんな死んだ目標をぶら下げていてはいけません。即刻捨てましょう！　いますぐにです！　でもあなたは文句を言うでしょうね。体重を落とすという目標を投げ出してしまったら、永遠に体重は落とせません。確かにそれは真実ですが、あなたは体重を落とさなければならないと何年言い続けていますか？　いつか実現するとは、わたしには思えません。その目標を捨てて、本気でやりたいと思える何かに置き換えるほうがよいと思います。こう言うと、私のクライアントの中には嬉々として古い目標を捨てる人もいますが、たいていの人は捨てようとはしません。こういった〝するべき〟ことに対するわたしたちのこだわりには、驚くばかりです。これまでずっとサイズ一二で生きてきたのに、いまさらあなたのサイズが六かどうかなんて誰が気にしますか？　これまでフランス語を話さずにいてなんの不都合もなかったのなら、もはやその目標にこだわる必要はないでしょう。それでも踏み切れない場合は、その目標をあなたがやる気になる目標へとふくらませてみましょう。たとえば、体重を落とすことに重点を置くのではなく、自分自身にたっぷり手をかけることを目標にするのはどうでしょうか。ここにはあらゆることが含まれます。栄養士と相談して、自分専用の食事計画を立てる。お尻をソファから引き離すために個人指導のトレーナーを頼む。一〜二週間おきにマッサージを受ける。定期的にフェイシャルを受ける。ずっとやってみたかったジャズダンスの講座に申し込みをする。あなたが目指す食事スタイルや健康的な習慣を持っている友人とつきあう。新しく定着させたい習慣の支えにならないような習慣を持つ友人とは、つきあいを減らす。こういった目標は、〝やっぱり体重を落とすべき〟よりずっと楽しく、いきいきと取り組めるはずです。

あなたのリストを検分して、できるだけたくさんの〝するべき〟を捨てましょう。どうしても捨てられないと感じたら、それをどのように人に委ねられるか考えましょう。運動するべきなのは本当で、それを線で消す気にはなれないのなら、個人指導のトレーナーを雇ったり、ウォーキングクラブに参加したりしましょう。そうやって何かを行動に移してください。単に〝するべき〟こととしてずっしり背負っているだけではいけません。また、もっといい仕事を探すべきなのになかなか腰が上がらないとします。それなら、履歴書を更新して（その道のプロに頼む方法もあります）ヘッドハンターのところへ届け、自分に適した仕事をその人に探してもらいましょう。まだ履歴書を更新するほどの実績がないとか、採用担当者と接触したり面接を受けたりする準備ができていないときは、この目標も忘れたほうがいいかもしれません。あっさり削って次に移ります。たちまち気分が軽くなるはずです。

サンディは四五歳のソーシャルワーカーです。最近離婚したばかりで、新しい男性と巡り会いたいと思い、わたしにコーチングを依頼しました。彼女はワークアウトを始めてやせたいと思っているのですが、なかなか腰が上がりませんでした。思い出したようにジムへ出かけるだけでは十分ではありません。サンディは自制心と意志の力がないと言って自分を責めていました。わたしは、うまくサポートしてくれる仕組みがあれば、意志の力などまったく要らないのだと言いました。そこで、ワークアウトをするのが苦にならないような、サポートシステムをつくることになりました。

サンディはとてもきまじめな人なので、友人とジムで待ち合わせをすれば、すっぽかすことはないはずです。彼女は仕事が終わってからまっすぐジムに行けるように、ジム用のバッグを車に積みました。いったん自宅に帰ってしまうと、二度とジムに足が向かないからです。サンディは、同じように体型を元に戻したいと思っている友人と、待ち合わせの約束をしました。ふたりはジムで会い、三五分間のエクササイズをこなしました。サンディの気分は最高でした。職場の同僚たちが彼女の熱意に目を留めるようになり、なかでもけっこうハンサムな男性が一緒にランニングをしませんかと誘ってきました。一つのことが次へとつながっていき、ほどなくサンディは四キロ近くも体重が減っただけでなく、日常的に運動する習慣が身につき、おまけにすてきなエクササイズ・パートナーまでできたのです。

手あかのついたあなたの目標はなんですか？　過去一年間にその目標について何も行動を起こさなかったのなら、やめてしまうか別な目標に切り替えましょう。減量を何年間も目標にしていたのなら、もう忘れることを強くお勧めします。それを再び目標にすることは、あとでいつでもできるのです。でも、いまのところは一息入れて、しばらくその重荷を下ろしましょう。クライアントのハワードは、体重を減らそうという目標を捨て、代わりに太極拳を始めました。数ヶ月後にランチで彼と会ったとき、とくにスリムになったわけではないものの、肩の力が抜けてどことなく余裕があり、かえって魅力的に見えました。やせてもやせなくても大した違いがないのなら、あえて苦労しなくてもいいではありませんか。

クライアントのジムは、精力的な住宅ローン仲介業者で、リストづくりが大好きです。毎年彼は、驚くほどたくさんの新年の決意を書き出します。今年は二五もの目標を並べたリストをわたしに見せてくれました。わたしは、リストを見直して一年以上前からの古い目標を探し、〝するべき〟的目標を消すよう言いました。ジムは少しずつリストを削り、本気で楽しみながら取り組めそうな、重要な目標四つにまで減らしました。彼はかなりほっとしたようです。冷めた目標はいますぐに捨ててください。そうすれば今年の残りはゆったりと過ごせるでしょう。

Tip 05 境界を築く

人が良心を失っていく様子は、山の木々が斧で倒されるのと似ている。来る日も来る日も切られていたのでは、人の心も森林も、美しく生き続けることはできない。

——孟子，紀元前四世紀

自分というものを明確な境界線で守らずに、成功を手にすることはほぼ不可能と言えます。わたしたちは強固な境界線を持つ人を自然と尊重するものです。境界線とは、他人が自分に対してしてはならないものごとを指し、自分を守り、自分が最高の状態でいられるようにしてくれるラインです。たとえば、ほとんどの人が「他人に自分を殴らせない」という境界線をどこかに持っています。ところが、その境界線を持たない人もいるのです。なんらかの理由があって虐待されるがままの状態にとどまる人の話は、耳にしたことがあるでしょう。このような人々は「わたしを殴っては駄目」という基本的な境界線が失われているのです。さて、あなたはこの境界線をちゃんと持っていて、誰もあなたをぶったりしないと仮定しましょう。あなたを怒鳴る人はいますか？　怒鳴られることは、殴られることと紙一重で、ちゃんと身を守っているとは言えません。「わたしを殴っては駄目」から「わたしを怒鳴っては駄目」へと、自分の境界線を広げなければなりません。相手が上司でも。恋人や配偶者は言うまでもなく。

スーザンは小売店のセールスアシスタントで、横暴このうえない上司のせいでつらい日々を送っていました。部下たちに怒鳴りちらし、わめき立て、鬱憤を晴らすことを何とも思わないその上司は、ごくささいな間違いでもスーザンに大声を浴びせるのです。スーザンは中西部の方言やなまりのせいで同僚からもからかわれていました。友人はスーザンの家に気分しだいで泊まりにくる始末。こういったことはすべて、境界線が失われている単純なケースです。人に怒鳴られるのも、冗談のネタにされるのも、利用されるのも、もう我慢しない――スーザンがそう決意すると、何もかもが変わりはじめました。同僚は彼女をからかうのをやめ、友人は彼女を利用するのをやめました。思いがけないボーナスとして、彼女は仕事で昇進し、セールス部門の責任者になりました。いまは上司も同僚も、それに顧客も、スーザンに一目置くようになりました。彼女はどうやってそんなことを成し遂げたのでしょう？　シンプルに、みんなに告げたのです。〈Tip 06〉の四ステップのコミュニケーション・モデルを使って。

境界線は家庭でも同じような役目をします。あるクライアントのボーイフレンドは気が短くて、ことあるごとに腹を立てては彼女を怒鳴りつけていました。彼女はそれが普通だと思い、我慢すべきことだと考えていました。わたしは彼女に、自分の境界線を広げてみてはと言いました。どんな理由があれ、ボーイフレンドは彼女を怒鳴ってはならないのです。彼女はボーイフレンドにはっきり言いました――「わたしはあなたを愛している。どんな場合でもわざとあなたを傷つけるようなことはしない。わたしに腹を立てるべきなのは、わたしがわざとあなたを傷つけようとしたときだけ。だから、もしわたしがデートに十分遅刻したら、あなたは腹を立てたり怒鳴ったりせずに、遅刻は困ると言えばいいのよ」と。最初は、彼のふるまいは変わらず、何かで彼女にむっとすると、当然のように怒鳴りはじめました。彼女は静かに「あなたはいまわたしに怒鳴っているわね」と告げ、こう尋ねました――「あとどのくらいの時間怒ってれば気が済む？　五分？　三十分？　あなたが落ち着いたら戻ってくるわ」。彼は自分の行いが愚かだったことに気づき、笑い出したそうです。

一度そういった境界線を引けば、人はあなたに大声を出さなくなります。その境界線をさらに広げるようにしましょう。そうすれば人から無用な批判を受けることも、悪口を言われることも、ジョークのだしにされることもなくなります。たとえその悪口がおもしろ半分に言われたものだとしても、ちっともおもしろいことではありません。そういうタイプのコメントは人を傷つけるものであり、許容すべきではないのです。軽蔑的な冗談や悪口はあなたの評判をおとしめ、エネルギーを奪い、あなたの望むものごとを引きつける能力を弱めます。断じて許してはなりません！

いまあなたは、「それはすごいけど、実際に誰かに怒鳴りつけられたり遅刻されたり利用されたりしたらどうすればいいの？」と考えていることでしょう。これがあなたの新しい境界線だと自分ではわかっても、人はどうすればわかってくれるでしょうか。簡単です。感じが悪くならないように自分自身を守る方法を覚えればよいのです。続きを読んでください。

Tip 06 気品を持って自分自身を守る

誰もあなたの同意なしには、あなたに劣等感を感じさせることができない。

――エリノア・ローズベルト

わたしがコーチ・ユニバーシティで学んだ、簡単な四ステップのコミュニケーション・モデルで、不愉快なものごとから身を守りましょう。誰かがあなたを傷つけたりいやな目に遭わせたりしたとき、それはあなたがその行為を許可してしまっているのです。ここでは、その行為を品良く効果的にやめさせる方法をご紹介します（女性のみなさん、ご注目を。女性はこの点でとくに弱い傾向があります）。

1 **告げる。**「自分が怒鳴ってるって気づいてる?」「そう言われると、わたし傷つくわ」「あなたに意見は訊いていないんだけど」。もしも相手が不愉快な態度をとり続けるなら、ステップ2に移ります。でも必ずこのステップ1を試したあとにしてください。

2 **要請する。**やめてほしいと頼みましょう。「怒鳴るのをいますぐやめてもらえないかしら」「建設的な意見だけを聞かせていただけるかしら」。それでもわかってもらえなければ、ステップ3を試してください。

3 **要求する。**または主張する。「怒鳴るのをいますぐやめてください」。それでもまだ続くようなら、次のステップへ。

4 **その場を去る**（きつく言い返すようなことはせずに）。「そうやってあなたが怒鳴っているうちは話ができないわ。わたし、部屋を出るわね」。もし相手と恋愛関係にあって、あなたが何度このパターンを試しても、彼もしくは彼女の態度が変わらなければ、関係を解消するか、もしくはセラピーを受けましょう。あなたを本当に愛している人であれば、あなたの境界線を尊重してくれるはずです。

この四ステップを成功させるポイントは、ニュートラルな口調で相手に言うことです。声を高くしたり低くしたりしてはいけません。落ち着いた平板な調子を保ってください。声に非難や興奮や怒りが帯びたら自分でわかるはずです。あなたは相手に〝知らせている〟のです。「空は青い」と言うのと同じような調子で、四つのステップを踏んでいくようにしてください。感情や興奮は交えず、淡々とした声色で話すのです。それができれば、あなたは誰に対してもどんなことでも言えます。

さて、〈Tip 05〉に登場したスーザンは、次に上司が怒鳴りつけてくるときに備えて防御手段ができました。四ステップを利用して、上司にニュートラルな口調で告げるのです。ここで注意が必要です。この口調を完全にマスターしておかなければ、職を失う恐れがありますので、ちゃんとできるようになるまで友人や家族を相手に練習しましょう。スーザンは翌日オフィスで小さなミスをしました。いつものように上司が大声でわめきはじめました。スーザンは冷静に、皮肉も非難もいっさい込めずにこう返しました――「わたしに大声をあげていらっしゃることにお気づきですか?」。上司の足がその場で止まりました。そしてスーザンは言いました――「あなたのもとで最高の仕事をしたいと心から思っています。間違いは穏やかな声で指摘していただければ、わたしは精いっぱい働きます」。上司は急に冷静になって謝罪し、あとでスーザンをランチに連れていきました。これはとてもパワフルな、コミュニケーションのやり方です。

この時点で、あなたはおそらくこう考えているでしょう。「それはスーザンにとってはいいかもしれないけど、わたしはボスにそんな口の利き方はできないわ」。率直に言えばそれは、わたしが「上司が境界線を越えてきたらそう告げなさい」とクライアントに言ったときに、全員から返ってくる反応です。上司と渡り合うときの鍵は、どこまでもニュートラルな口調を使い、機転を利かせることです。第三者の面前で、とくに会議では、決して上司の誤りを正してはいけません（それは誰が相手でも同じことですが）。さりげなさを装うのも良いでしょう。上司の行動を大げさに騒ぎ立てないこと。たとえば、わたしのクライアントのリーは支店長の役職ですが、上司である事業部長が細かいことにいちいち口を出す人で、リーの部下との打ち合わせの予定を立てるときにも最初にリーに話を通さなかったため、リーは職域を侵害されたと感じていました。事業部長はいずれボーナスの額を決定する人ですから、機嫌を損ねたくはありません。それでも、リーは支店を管理するという自分の責任を上司が軽く見ているような気がして、いらだっていました。翌日、事業部長が何かの報告書の件で電話をかけてきたとき、リーは何食わぬ顔で言いました。「うちの店員のジョンから聞いたんですが、彼と打ち合わせをする予定になっているそうですね。今後そういった打ち合わせのことをわたしに知らせていただければ、予定を立てるのがもっと楽になると思うのですが」。これです。リーは率直な言い方で、上司が境界線を踏み越えたことをじつにさりげなく本人に知らせたのです。じつはリーはそうとうびくびくしていたのですが、目的は無事に達せられました。次に事業部長が会議を希望したとき、まずリーに電話がかかってきて、彼を通して会議のセットアップがなされました。

細かいことまでいちいち口を出される件については、わたしはリーに言いました――「上司がどんな報告を望んでいるか調べなさい。そして、上司が何も言わなくても、状況が逐一上司の知るところとなるように、その週の営業活動や成果について短いメモを書きなさい」。わたしはまた、週に一度は部長とのミーティングの場を設けて、最新の状況を定期的に報告するようにリーに言いました。その一ヶ月後、事業部長は、ミーティングは月に一度で十分だ、毎週の報告はやめてもいいと言ったそうです。リーは上司の信頼を勝ち取り、いまは指図を受けずに自分の仕事をしています。

別のクライアント、マーシャには、最近大きな変化がありました。フルタイムのエンジニアで一家の稼ぎ手だった彼女が、三人の子どものフルタイムマザーになったのです。三番目の子が生まれたときに、仕事を辞めて数ヶ月間は子育てを楽しみ、その後在宅での仕事を始めようと決めました。収入がいきなり激減したことはこたえましたし、家族のためにお金を稼ぎもせず、費やすいっぽうであることに罪悪感をおぼえました。問題をさらに複雑にしたのは、気分が悪くなるようなことを他人から始終言われることです。「外で働いていないんだから、お客を家に呼んでビジネスやってる時間はたっぷりあるわよね」とか、彼女の達成感をくじくような「一日中子どもと一緒に家の中でぶらぶらしていられていいわね。いまは旦那さんが養ってくれることだし」など。わたしはマーシャが「自分の働きを他人に軽視させない」という境界線を失っていると指摘しました。これがマーシャにとっては新発見で、彼女はただちに境界線を設けました。翌日、夫に付き添われて病院に行かなければならなくなり、看護婦がマーシャの職業を尋ねたとき、夫は言いました。「妻は家にいるんですよ」。マーシャはそれを聞いて傷つき、境界線が踏み越えられたと感じました。あとになって夫に、病院で彼が言ったことについて話しました。夫はネガティブな意味で言ったつもりはまったくなく、いちばん簡単な返事だと思っただけでした。マーシャは、これからは妻はビジネス・コンサルタントだと言ってほしい、誰かに電話番号を知らせるときはオフィスの番号にしてほしい、と夫に頼みました。彼はこころよくそうすると言ってくれました。

ここで別の要点が出てきます。人に通告するときは、相手を品良く引っ込ませてあげることが肝心です。しかし、うまくいかない場合もしばしば。そうなってはすべての目的が台無しです。マーシャの例を借りてどういうことか説明しましょう。マーシャの夫が「ごめん。そんなつもりで言ったんじゃないんだ」と答えたとき、マーシャはこう返したかもしれません。「違うわよ、あなたはそのつもりで言ったのよ！　あなたってほんとに最低でいやみで#@$%&な人ね！」。笑ってはいけません。こういうことは誰だって心当たりがあるはずです。彼らを解放してあげましょう。もし謝ってくれなければ、謝罪を求めてもいいのです――「あの件について謝ってほしいの」。謝罪が十分でないときは、償いを要求しなければならないかもしれません――「わたしの麻のスーツに赤ワインをこぼしたことを謝ってくださったけど、やっぱりクリーニング代を払っていただけないかしら」。

わたしたちの自然な傾向として、1と2のステップを飛ばして一気に3か4を試したくなるものです――それはたいてい、ニュートラルな口調を保てないとき。ニュートラルでいるこつは、ものごとをその場で処理することです〈Tip 07〉。

幸いなことに、あなたはやがてそういった境界線を必要としなくなるでしょう――あなたに思いやりのない言葉を投げつけるなんて、まわりの人が考えもしなくなるからです。境界線を強化することには、興味深い副次効果があります。境界線を強化すると、人に嫌われはしないか、押しが強い、攻撃的、わがままなどと思われたりするのではないかと考えがちですが、それはまったく逆です。しっかりした境界線を設ければ、人はあなたを踏みつけにするのをやめて敬意を払うようになります。あなたは人が自然と敬い礼儀正しく接するような人間になるでしょう。わたしは小学校一年生のとき、五年生の体の大きないじめっ子（一年生から見た五年生がどれほど大きいかわかるでしょう）に、いつもいじめられたり脅されたりしていました。父に相談すると、パンチのやり方を教えてくれました。ある日校庭で、いじめっ子のマークは仲間たちと一緒にわたしをからかいはじめました。わたしはくるりと振り向いて、彼の鼻にパンチを一発お見舞いしました。彼は仰向けに倒れて鼻から血を流し、わたし自身びっくりしてしまいました。仲間たちはぽかんと口を開け、彼を取り巻いて立っています。わたしは彼らに八つ裂きにされるのではないかと恐ろしくてたまらず、その場から逃げ去りました。翌日、わたしはびくびくしながら学校へ行きましたが、まったく意外なことに、マークがわたしのところへやってきて、じつに丁重なふるまいを見せました。彼はわたしをいじめるのをやめ、わたしたちはなんと友だちになって一緒にカエル取りに行くようになりました。わたしの隣の家に住む友人のジェイミーとわたしに、マークがソーダを買ってくれたことがあります。彼は二つのうち一つを途中で落としてしまいました。彼は落としたほうのソーダをわたしではなくジェイミーに手渡しました。わたしは彼の敬意を勝ち得たのです。この幼いころの話は、境界線というものがどれほど効果的で強力かをよく表しています。もちろん、人にパンチを浴びせてまわれと言っているわけではありませんよ――でも、通告と要求をするようにしてください。

人は、あなたをやりこめているときにはそれなりに自覚があり、このままうまく逃げおおせたいとは本気で思っていないものです。もし彼らをそのまま許せば、あなたは自分を低く見るだけでなく、彼らをも低く見ることにもなります。自分自身を品良く守る方法を知ったいま、あなたはどんな境界線を引きたいと思いますか？少なくとも五つは考え、書き留めてください。

Tip 07 聞き流しては駄目

自信は、偉業を成し遂げるために第一の必要条件である。

――サミュエル・ジョンソン

パワー、自信、成功は、互いに密接に関係しています。ここでのアドバイスは、自信をつけるのにめざましい効果をあげることでしょう。秘訣は何ごとも避けて通らないこと。気になることにはなんでもその場で、もしくはできるだけ早く、取り組む癖をつけましょう。批判的なコメントやさりげない皮肉は、馬耳東風とばかりにさらりと聞き流すほうが楽に思えるかもしれません。そのため、そういった小さなことはやり過ごして大きなことに備えるべきだという、誤った考え方をする人がたくさんいます。この考え方の問題は、代償があまりにも大きいということです。そういった小さなコメントが積もり積もって、あなたの自尊心をむしばむのです。小さなことを見て見ぬふりをしてはいけません。そんなことをすれば、少しずつ積み重なっていずれあなたはパンクしてしまうでしょう。相手に告げるべきときは〝たったいま〟です――「あなたが食べ終えた食器、テーブルに置きっぱなしよ」。かつてのわたしのように、食器を片づけて「まあ大したことじゃないもの」と自分に言い聞かせ、負けるが勝ちと片づけてはいけません。聖人ぶるのはやめて、あなたがいやだと思うことを相手に伝えるようにしてください。

本当の〝大物〟は、他人の不愉快なふるまいには黙っていないものです。たとえば、同僚に何か否定的な物言いをされたとします――「あなたってなんてバカなの」。そしたらそれを聞き流さずに、こう告げます――「それってけっこう傷つくんだけどな」とか「ええっ！　ずきっとくるわ」など。もしくはなんにでも使える「そういう言い方をするものじゃないわ」。友人、家族、同僚、見知らぬ人と、言った人が誰であっても、そういった否定的な物言いをやめさせるには大した苦労は要りません。少しばかり練習が必要ですが、コミュニケーション・モデルの四ステップ〈Tip 06〉に従って、声をニュートラルに保てば、あなたに対してそういう言葉を投げつける人はいなくなるでしょう。〝いい人〟としてポイントを稼ぐこともできなくなりますが、人間関係はすっきりするし、いつも自信を持っていられます。

境界線をきちんと引くようになると、自分が他人からの思いやりのない発言や意見にどれほど耐えてきたかということに気がつくと思います。わたしたちはたいてい、ぶしつけな物言いは無視するのがいいと教えられてきました。その場で対処することには慣れていません。そのため最初はタイミングを逸するかもしれません。

クライアントのジューンは、ウェストコーストスイングのダンスを習っています。ダンスフロアで友人と踊っていたとき、彼のリードがあまりにも上手なので、ジューンは自分の技術で踊っているように見えました。ひとりの男性が近づいてきて彼女にダンスを申し込みましたが、ジューンは彼にうまくついていけませんでした。彼はジューンの未熟さに見るからにいらだち、こう言い放ちました――「きみって左脚が二本あるんじゃないの」。ジューンはあっけにとられ、なんの反応もできませんでした。あとになって、あくまでニュートラルな口調で「それってとても失礼よ」と言ってやればよかったとつくづく思いました。いまの彼女は、即座にタイミングをつかむのがとても上手です。つい先日、彼女は職場での境界線を強化したことをうれしそうに報告してくれました。上司が休暇を取り、彼の息子で学生ぐらいの年齢の若者が、代わりに店を見ることになったそうです。権力を手にした気分の息子は、従業員のあら探しをして嫌みを言いはじめました。困惑したジューンは、もう許容の範囲を超えていると思い、きっちりかつ穏やかに彼に言いました――「わたしが他の販売員の売り上げを横取りしているかのような言い方をされると、とても困ります。そんなことはしようとも思いません。なぜそんなことを言うのか説明していただけますか」。彼はぎょっとして、「冗談を言っただけだ、もうやめにする」と言いました。ジューンはその場のタイミングを逃さないで、本当によかったと思いました。

いつもちょうどよい瞬間をとらえられるわけではありませんが、毒を含むことや不適当なことを言われたとあとからでも気がついたら、その時点ですぐに相手に電話をかけて告げましょう。たとえば「ボブ、昨日ランチであなたが言ったこと、失礼だったとわかってる？　わたし、まだ頭にこびりついてるの。謝ってもらいたいわ」など。多くの人が手遅れだと考え、蒸し返すのはやめようと考えます。本当にやり過ごせるならそれでもかまいませんが、自分をごまかしてはいけません。たいていの人は何年たっても根に持っているものです。ジューンがまだダンスでの出来事を覚えているということは、傷ついたしるしです。もしその場で処理していたら、記憶には残っていなかったと思います。なんというエネルギーの無駄でしょう。気持を害されたと思ったらすぐに相手に告げる、それが安全策です。

一五年前にいとこに言われたことをまだ考えているならば、さらにこの先一五年間気をもむよりも、いま片づけるべきです。わたしは本気で言っています。人の意見や侮辱的な言動をいまだに考えているなら、あなたはその相手を許していないということです。これをすっきりと解決する方法、それは相手に電話をして、長年気に病んできたことがある、それをすっきりさせたいと伝え、記憶にある事実を穏やかな口調で告げるのです。あくまで事実にこだわり、決して感情を交えないようにします。相手は自分の立場から話をしてくれるかもしれませんし、その出来事が記憶にないかもしれません。多くの場合は丁重に謝ってくれるでしょう。自己弁護をする人もいるかもしれませんが、その場合はあなたがニュートラルな口調を用いていないのかもしれません。相手がどんな反応をするかは、それほど気にすることではありません。肝心なのは、あなたが長年言わなかったことを言い、謝罪や償いなどを要求したという点です。そうすれば、あなたは相手を許せるのです。

たとえば、ジェイムズは上司と同僚たちに腹を立てていました。以前フィアンセが特別な旅行をプレゼントしてくれたとき、休暇を取らせてくれなかったからです。フィアンセは自分の家族にジェイムズを紹介するために、彼の誕生日を含めた日取りで二週間のイスラエル旅行を予約してくれていました。あいにく、彼女はジェイムズが休暇を取れる日を確認しませんでした。その期間はジェイムズの同僚がすでに休むことになっていたのです。ジェイムズは状況を説明しましたが、その同僚からは、予定は動かせないんだと謝られました。彼は同僚全員に休暇を取る日を交換してもらえないかと頼みましたが、それぞれ同じような事情を抱えていました。結局、ジェイムズは旅行全部をキャンセルせざるをえませんでした。昇進して別の部署に移ってからも、彼は三年ものあいだ同僚たちに腹を立てていました。わたしはジェイムズに、そのときの同僚たちに電話をして事実を話し、なぜあのとき休暇を代わってくれなかったのか尋ねてみるよう言いました。彼はどうせなんにもならないのだからと乗り気ではありませんでした。わたしはやってみるよう強く言いました。彼はひとりの同僚に電話をかけて、すっきりさせたいことがあると言い、あのときの状況を淡々と話して、なぜ休暇を代わってくれなかったのか尋ねました。同僚はこう言ったそうです――「あれがあなたにとってそんなに重要だったなんて知らなかったわ。あのときはわたしの予定は動かせないとほんとに思っていたのよ。あとになって変わっちゃったんだけど」。ジェイムズは不意に自分がどうでもいいことに腹を立て、貴重なエネルギーを大量に無駄にしたと気づきました。他の同僚に電話をかけることもしませんでした。あの出来事は、ひとつの会話ですっきり片づいてしまったからです。まったく私事ではない出来事を、私的にとらえすぎていたことに、ジェイムズは気づきました。

この時点で、人はたいていこう尋ねます――「神経過敏だって思われるだけじゃない?」。そうかもしれません。自分はそのとおり敏感なたちであり、敬意を持って接してもらいたいと思っていると、人に言いましょう。敏感であって何も悪いことはありません。他人の微妙な感情や思考を、本人が気づかないうちから感じ取ることができるということです。敏感であればあるほど、境界線の内側は広くする必要があるので、広い境界をしっかり確立するようにしてください〈Tip 05〉。

わたしのクライアントはときどき、境界線と壁を混同します。境界線とは単に、人があなたに対してしていいことといけないことを区別するものであり、人をあなたに近づけてくれるものと言ってもいいでしょう。境界を持たない人は、他人に傷つけられてしまうので、他人と距離を置くために壁やバリアを築くことで自分を守ろうとします。強力な境界線をちゃんと持っていれば、あなたの安心感はアップして、あなたの境界線を尊重してくれる人に心を開くことができるのです。ここで警告。あなたの境界線をどうしても尊重できない人もいます。そんなときは彼らと顔を合わせないようにしたり、つきあいをやめたり、あなたを尊重してくれる人と一緒に働くために転職したりする必要があるかもしれません。

また、細かいことにいちいち目くじらを立てるうるさ型や気むずかし屋と受け取られはしないかと、心配しているクライアントもいます。実際のところ、それは逆です。その場で明確にきっぱりと処理すればするほど、あなたが泣き言や不平を言う結果になる確率は減っていくでしょう。しばらく時間がたてば、あなたは何も言わなくてもよくなります。人はあなたにそういった境界線があることを無意識に感じ取り、それを踏み越えようとは思いもしなくなるからです。そこにいるだけで自然と礼儀正しく話しかけたくなる人のことを考えてみてください。それから、いつも物笑いの対象にされている人もいますね。その違いは、強力な境界線です。いいですか、暴言が始まるのは、こちらが冷静さを失い、未熟であるという印象を与えたときです。その場で丁寧に指摘すれば、相手はもうあなたに干渉しなくなり、尊重するようになるでしょう。

わたしが銀行で働いていたときの経験からお話を一つ。わたしはかつて、勤めていた銀行の中で最も厄介で悪名高い支店でセールスマネージャーをしていました。その地域には非常に変わったお客がいました。管理職トレーニング・プログラムでは、お客様にフラストレーションをはき出させ、そのうえで力になろうとすることが、お客様への良いサービスの一部であると教わりました。マネージャーであるわたしは、最悪のお客様の担当になりました。他の顧客係が扱いかねてわたしにまわしてきたのです。わたしは毎日かなりの時間を、そういったお客様の叫び声や怒号やわめきを聞いて過ごしました。わたしはあの境界線のテクニックが銀行でも効果があるかどうか確かめようと思いました。その翌朝、少し酒に酔った四五歳の男性が来店し、うちの顧客係に向かって怒鳴りはじめました。奥のオフィスまでその声が聞こえてきたので、わたしはその場に出ていって腕試しをすることにしました。彼はわたしの姿を見ると、自分の口座に問題があるとかなんとか、わたしに向かってわめきはじめました。わたしは、完全にニュートラルな口調で言いました――「お客様、わたしに大声を出していらっしゃることにお気づきですか？」。男性はまだわめいて言いました――「あんたに腹を立ててるわけじゃない、銀行に腹を立ててるんだ！」。わたしは答えました――「まだ大声でいらっしゃいますね。怒鳴るのをいますぐやめていただけませんか」（ここでステップ2――要請――に移ったわけです）。男性はたじたじとなって、何か小声でつぶやき、小切手を現金化するために窓口へ向かいました。そして顧客係のデスクに行って、なんと担当者に謝罪したのです。それからわたしのところに戻り、わたしにも謝りました。わたしはびっくりしました。境界線のテクニックが単にうまくいっただけでなく、信じられないくらい強力だったのです。もともとの問題が解決し、その客は上機嫌で帰っていきました。彼がまたうちの支店で大声を出すことはなさそうでした。あのまま怒鳴らせておいたら（以前のわたしはそうしたでしょう）、彼は上機嫌で帰っていくことはなく、また同じ行動を繰り返していたことでしょう。これはじつに興味深いことでした。わたしはただちに、怒った客への対処方法として、この四つのステップとニュートラルな口調の使い方をスタッフに教えました。数週間後には、支店の雰囲気はすっかり変わっていました。もはや怒鳴る人は誰もいません。みんな静かに歩きまわる様子は、まるで図書館のようでした。スタッフの士気も向上しました。職業にふさわしい丁重な方法で、客に接する手段を手にしたからです。仕事に向けるエネルギーも増え、怒号の猛襲にさらされる日々を恐れることがなくなりました。これは非常にシンプルでありながら、たいへん効果的な方法なのです。わたしはこのコミュニケーション手段を用いて、数多くの組織の力になっています――患者たちの不満に対応しなくてはならない病院から、卒業時に職がないと言ってふくれっつらをしている学生を抱え、支援が必要なロースクールまで。あなたもぜひ自分で試してみてください。

Tip 08 基準を引き上げる

人生は、何かになっていくという過程、通り抜けなくてはならない状態の組み合わせだ。人々が犯す間違いは、状態を確立し、そこに留まろうとすること。これは一種の死だ。

――アナイス・ニン

境界線と表裏一体なのが基準です――あなたが行動するときに従う基準のことです。あなたが他人に悪口を言う人なら、他人に自分の悪口を言わせないために境界線を設けても意味がありません。境界線を広げれば、逆にあなたの基準も引き上げられることになります。境界線と基準は密接に関係しているのです。自分の基準は選ぶことができます。たとえば、わたしは嘘はつきません。わたしは建設的なフィードバックを返します。わたしは栄養のある食べ物をとります。わたしは声を荒らげません。約束の時刻に姿を見せます。頼まれないかぎりアドバイスはしません。そう、〝自分はこうするべき〟と考えているものではなく、すでに実行する用意ができている基準を選んでください。あなたが尊敬する人物のリストをつくって、その人たちの長所を書き出し、彼らが行動するときに従う基準について考えてみましょう。そして、自分でも採用したいと思う基準を書き出しましょう。

出版社の管理職で常に忙しいポールは、いつも遅刻ばかりしていました。部下とのミーティングにも、時刻どおりには現れません。友人たちにも、彼は必ず遅れるものと思われていました。人はよく、いつも時間に遅れていれば多忙な重要人物と思われるだろうという、誤った考え方をします。人を待たせているということは、ある意味でその人を支配していることになります。これはまさにポールが、人を支配する気分を味わうために、無意識のうちにやっていたことです。非常に厄介な癖です。わたしはポールに、自分の基準を引き上げて、約束やミーティングには必ず早く行くよう言いました。彼は初めて、自分の部署のミーティングに開始時刻より早く出向きました。当然のことながら、あとからやってきた彼の部下たちは、すでに席について待っているポールを見てたいへん驚きました。そのことを口に出して言った人もいたほどです。彼がいまは時間を守る人間であると認識されるにはまだ何度か機会が必要でしょうが、すでに以前より頼りにされるようになりました。

基準は、私生活でも同じように重要です。ファッション界で働くたいへん魅力的な女性、マーゴは、寄ってくる男はみんな自分をまともに扱ってくれないと、いつも不満をもらしていました。とくにあるひとりの男性（かつての恋人）は、彼女に電話をかけてきては、うちでピザを食べながらビデオを見ようと誘うのです。言外にはセックスの誘いもありました。他になんの予定もない彼女は彼の家に出向き、そのあとでいつも決まって最低の気分になります。自分が利用されるばかりの無価値な存在に思えるのです。わたしはそんなことはないとマーゴに言いました。彼女は目の覚めるようなブロンド美人で、一緒にいて楽しいし、悪い点はなにもありません。マーゴの問題は、単に基準が低いというところにあるのです。翌週、彼女はその話が頭から離れませんでした。基準が低いですって！　元恋人がまた電話をかけてきたとき、彼女は誘いを断り、自分でも信じられないことに、冗談めかしてこう言いました——「やめておくわ。わたしには基準があるの」。それから数週間がたち、マーゴには、彼女をディナーに連れ出し、敬意と礼儀をもって接してくれる、すてきな男性が寄りつくようになりました。彼女は〝わたしは自分を丁重に扱ってくれる人とだけ出歩く〟というところまで、自分の基準を引き上げたのです。ときに、基準を持つということは、そう公言するだけの話だったりします。

Tip 09 悪いことも良いことのうち

わたしには元気のいい個人的な敵が残っていない。誰も彼も死んでしまった。彼らがわたしの立場を明確にしてくれたのだから、いなくなったのは非常に残念だ。

——クレア・ブース・ルース

汚く、痛ましく、邪悪に見えるものも、開かれた心で対峙すれば、美と喜びと力の源泉となる。それを認識できる眼力のある者には、どの瞬間も黄金となる。

——ヘンリー・ミラー

前向きな態度を取るのは、悪いことも含めて何もかもが良いことなのだと思えるようになれば簡単です。人生に起こる良いものごとを存分に味わうためには、その逆も経験する必要があると言えるでしょう。たとえば、幸福。悲しい思いをしたことが一度もなければ、幸福はそこまで豊かでしょうか。悪いことが存在しなければ、良いことを選べません。わたしの同僚はかつて言いました――「悪いことはわれわれに降ってくるわけじゃない。学ぶことができるように、われわれのほうから引き寄せているんだ」。

わたしは五歳のころ、よく耳の痛みに襲われ、ベッドでおとなしくしていなければならないことがありました。元気盛りのおてんば娘でしたから、寝ていなければならないのがいやでたまらず、その苦痛といったらかなりのものでした。わたしはベッドに横になり、外に出て遊びたいとひたすら願ったものでした。ある日、わたしは気づきました。病気になることにも取り柄がひとつある、もしも病気になったことがなかったら、元気でいることがどんなにすばらしいことかわからなかっただろう、と。これは人生のあらゆることにあてはまります。外がいつも晴れていたら、いいお天気が当たり前だと思うでしょう。雨が降れば、あの美しく晴れた日がありがたく感じられるようになります。つまり、ある意味ではすべてのものごとが良いことなのです。健康を知るためには病気が必要。お日さまを知るためには雨が必要。良いことを知るためには悪いことが必要。喜びをたっぷり知るためには怒りが必要。わたしは五歳のときにこのことに気づいたので、みんなわたしと同じようにものごとを見ていると当たり前のように思っていました。でもいまは、そうする人は非常に少ないとわかっています。前向きなものの見方には、有利な点がたくさんあります。

1　文句を言わず、現在の状況を最大限に活かすようになります。
2　悪い状況に抵抗しようとしないため、長くはまり込み続けることがなくなります。抵抗すれば長引きます。抵抗せずに、単に行動を起こしましょう。
3　自分の感情を受け入れやすくなります。悲しいときは、とことん悲しみ、腹が立てば怒ります。うれしいときは、うれしさをたっぷり楽しむことができるでしょう。

4　出来事を善悪で判断しないようになります。人生とは毎日の暮らしの連続。単に何が起こっているかということです。起こることにはすべて、それなりに得るところがあります。どれをとっても大いなる経験の一部なのです。誰も病気にかからない世界では、誰も健康をありがたいと思いません。みんなそれが当たり前だと思っています。〝悪い〟ものごとが起こるのは、良いものごとをありがたいと思えるようにするためかもしれません。それも一つの考え方です。

ともあれ楽天的な人は、人生において幸せになりやすく、成功を手にしやすい傾向にあります。楽天主義を試してみない手はありません。悪いものごとの中に良いことを探しましょう。一つの課題と考えてください。

《ウォール・ストリート・ジャーナル》紙で、一九九三年のミズーリ川の氾濫による洪水被害に関する、興味深い記事を読んだことがあります。見出しは「水を分けた出来事――ミズーリ河畔の町でのビジネス復興は洪水が原因。チェスターフィールドの事業主ら、大洪水を会社再建の機会に利用」。チェスターフィールドの町は、ミズーリ川の水が土手を越えて何もかも水浸しになり、二、五〇〇人もの人々が避難を余儀なくされて壊滅状態となりました。事業を守ろうとしたわずかな人々の中に、ミスター・ホフマンがいました。彼は自営の自動車部品工場を必死に守ろうとしましたが、無駄に終わりました。翌朝には、彼の工場は水没し、彼は二階の窓から避難せざるをえませんでした。会社は三、三〇〇万ドルの損害をこうむり、保険でカバーされたのはそのわずか三分の一でした。チェスターフィールドの悲劇は、一九九三年に中西部を襲った大規模な洪水被害の一部であり、その被害のあまりの大きさに、経営者の三分の一が会社を見限り、手放しました。三年後、あきらめなかった人々が、景気がいいのは洪水のおかげだと言うようになりました。「こんなに見通しが明るかったことはかつてないよ」――ミスター・ホフマンは言います。彼の会社の従業員数は一二五人から三五〇人になりました。かつて五十万ドルの無保険被害をこうむった造園業者は「洪水は良いことだね」と言いました。

自然災害は精神的にも肉体的にも地域社会にけたはずれの被害をもたらしますが、記事に書かれているように、チェスターフィールドの経験は、「経営者らは自然災害を、会社の悲劇ではなく、乗り越えるべき障害物として扱った。その結果は驚きに値する……。ある会社では、片づけ作業というきつい肉体労働のせいで怠惰な従業員が一掃され、残った従業員のあいだでは強い絆が形成された。また、危機を耐え抜いたことで、事業を拡張しようという新たな自信が生まれると同時に、顧客らは深く心を打たれて大量発注の決心をした。再建にあたって事業を改革し、さらに良い設備を購入したり、延期となっていた投資をする経営者もいた」ということです。

このように、すべて良いことばかりです――悪いことも含めて。それは、あなたのものの見方にかかっています。

Tip 10 毎日楽しみにすることを持つ

人生はビールと九柱戯だけではないが、ビールと九柱戯、もしくはその類でもっと良いものを、あらゆる英国人の教育にたっぷりと組み入れることが必要だ。

――トマス・ヒューズ、『トム・ブラウンの学校生活』

楽しみにするものごとが何もなければ、わたしたちの生活はたちまち味気なく退屈なものになってしまいます。わたしたちは首を長くして、年に一度の休暇や特別なイベントを待ちます。でもそれだけでは足りません。もしかしたら足りてはいるのかもしれませんが、成功を手にするということは、何かが足りればいいということではありません――豊富にあるということなのです。あなたには、楽しみに待つ良いものごとがたくさん必要です。毎日一つは必要最小限。それから、シンプルなものごとを見落とさないように。そういうものに最もやりがいがあるというのもよくあることです。

まず、楽しみになりそうなものを並べてみましょう。三十分間ひとりきりで過ごす。大切な人と森を散歩する。公園で自転車に乗る。夫もしくは妻に、美しい花束をおみやげにする。古い映画のビデオを借りて、友人とポップコーンを食べながら観る。ゴムのあひるちゃんかうさちゃんを連れてバブルバスに入る。シャンペンの栓を抜いて夕焼けを鑑賞する。ガレージで愛車をいじる。オフィスに花を飾って一日を明るく過ごす。日記を書く。キッスチョコレートをオフィスのみんなに配る。ゴルフで一ラウンドまわる。ご無沙汰している友人に電話をする。アシスタントをランチに連れていってあげる。上司をランチか仕事のあとの一杯に誘い出す。ハーレーに乗る。いままで読んだことのない雑誌を買う。職場の友人とランチを楽しむ。芝居、オペラ、ジャズの生演奏などを鑑賞する。お昼休みに爪の手入れをしてもらう。家政婦を雇い、長い一日の仕事が終わったあとできれいな家に帰れるようにする。新しいレストランを試してみる。といった具合に、あなたには毎日楽しみにする何かが必要です。必要ならカレンダーに書き込んでもいいですが、楽しみにする何か特別なものを、毎日必ず用意してください。これでどんなにさえない日でもずっと楽しくなりますし、憂鬱の淵に落ち込むことも、生きることのありがたさがわからなくなることも防げます。人生には楽しむべきすばらしいものごとがたくさんあるのです。

ときには、たくさんの小さいものごとではなく、一つの大きなものごとを楽しみにするのもとても大事です。五六歳の企業経営者、バイロンは、毎日非常に忙しく、仕事に追われてばかりで、遊んだり楽しんだりする暇などないと思っていました。気分はすっかり落ち込み、精神科医の診察を受けるほどでした。わたしは彼に、人生が生きがいのあるものとなるよう、何か楽しみにして待つものをつくってみてはと提案しました。彼はあまり楽観していませんでした。ところが、まるで奇跡のように、大好きな山の中で一軒の家と出会いました。それが彼にひらめきを与えました。バイロンは、こんな美しい風景に囲まれたこの家で、本を執筆したいと思いました。その家を買うと、彼の姿勢が一変しました。彼は楽しみに待つ何かを、人生を生きがいのあるものにしてくれる目標を、手に入れたのです。いまはまだいろいろな難問が待ちかまえていますが、それでもバイロンは、最悪の場合でもくぐり抜けることができるような気がしています――山の家に引っ越すという楽しみがあるからです。これは極端なケースですが、日々の暮らしに、楽しみにして待つ何かがあることがいかに大切かということを示しています。

マージョリーは申し分のない暮らしを送っていました。やさしくて協力的な恋人と一緒に美しい家に住み、新しいビジネスを始めてわくわくしたり、興味のある講座を受講してみたり。でも、朝ベッドから出るのが苦痛でたまりませんでした。わたしは彼女に、理想的な朝のひとときを設計してみてはと提案しました。翌週、彼女はわたしに報告してくれました。午前八時に起床。二十分間瞑想をする。家の近くの森を三十分ほど散歩。そのあとシャワーを浴び、ベランダで焼きたてのマフィンと熱い紅茶をいただきながら、日記を書く。マージョリーは、朝ひとりで考えをまとめたり一日の予定を立てたりする静かなひとときが必要だということに気づきました。また、理想的な朝を構成する要素はすべて、毎日やることが可能だということにも気づきました。いま彼女らです。

は起き出して一日を始めることに喜びを感じています。なぜなら、一日の始まりを楽しむ時間を自分に与えたか

あなたの理想の朝はどんなものでしょうか？　理想の夜は？　毎日が理想の朝で始まり、理想の夜で終われば、あなたの暮らしはどうなるでしょうか。理想の日の要素をできるだけたくさん取り入れて、自分を楽しませてください。そうすれば気分はよくなり、一日中元気でいられます。いま少し時間をとって、あなたの理想の一日を、朝目覚めた瞬間から夜眠りに落ちるまで、ことこまかに想像して書き出してみましょう。念のため言っておきますが、これはあなたの〝理想〟ですから、自分を抑える必要はありません（わたしの理想の朝は、メイドが寝室のドアをノックして、焼きたてのクロワッサンとフルーツと熱いお茶を持ってきてくれることです。実現はしていません――いまのところはまだ）。

Coach Yourself
to Success

第二章

行動を整理する

Clean Up Your Act

宇宙はほぼ無限だ。実際問題として、わたしたちは無限だと考えている。
——ダン・クエール

第一章では、エネルギーが無駄に消耗される原因を排除し、エネルギーを高めるものを加えることによって、あなたのナチュラルパワーを増やしました。今度は、あなたが望むものごとのために、スペースをつくる番です。成功を手にすればするほど、引きつけるものが多くなります。だからそのための余地をつくっておいたほうがよいのです。つくらないならいったいどこに入れるつもりですか？　ある超多忙のエグゼクティブが、自分の人生に女性が欲しいと言いました。わたしは尋ねました——あなたにいつ女性と会う時間があるのですか？　スケジュールはすでにぎっしりだというのに。

新しい恋愛を望むなら、まずは古いものを手放す必要があるでしょう。新しいクライアントが欲しいなら、職場のファイルを整理するときかもしれません。新しい服が欲しいなら、クローゼットを片づけましょう。何か新しいものを自分の人生に呼び込みたいときは、そのためのスペースをつくってください。実際のところ、取り除くものはなんでもかまいません。どんな物質でも、つきつめればその実体はエネルギーなので、なんでもいいから捨てることであなたに余地ができるのです。ガレージを片づけて、新しい顧客を得てもよし。クローゼットを片づけたあとは、気分がとてもいいことに気づきませんか？　これはまやかしやはったりではありません。この原理は、自然は真空を嫌うという物理の法則に基づいています。真空をつくれば、あなたの空っぽのスペースを満たそうと、森羅万象がたちまち新しいものを送り込んでくるのです。

Tip 11 身のまわりを整頓する

装身具であれ子どもであれ——あるいは書物、チェスの駒、郵便切手であれ——所有することの喜びは、そう

いうものをどうしても見たいとは思っていない友人に見せることにある。

——アグネス・レプリア

何か新しくてすばらしいものを、自分の人生に招き入れたくはありませんか？　新しい仕事、新しい友人、絶好の機会？　すてきな恋愛？　あなたの人生に新しいものを引きつける、最も簡単で効果的な方法は、スペースをつくることです。もし行き詰まったような気がしたら、行動準備にかかりましょう。オフィスでファイルに目を通し、いつか必要になるときのためにとっておいた、古いメモや報告書や記事などを捨ててください。無情になる最も簡単な方法は、自分が昇進して他の部署に移ると想像することです。わたしはかつて、銀行で一緒に働いていたセールス・マネージャーのひとりに、たいへん驚かされました。彼女が他のチームを束ねるポストを得て、自分のデスクを片づけたときのことです。彼女が持ち出したものは、なんと小さなマニラ紙のフォルダー一つだけでした。どうしてそんなことができるのかと尋ねると、新しい部署で必要な情報は全部向こうにあるからとの答えでした。もちろん彼女の言うとおりなのですが、わたしはとても感心しました。たいていの人は、バインダーや報告書やファイルやメモや、おそらくは一度も使わない私物の箱を、二つから六つも持ち出すことになります。がらくたを片づけるだけで一週間のあいだ毎日三十分から一時間も費やすはめになり、自分が不要な書類をどれだけためてきたかびっくりするでしょう。昇進のときこそ、行動に移るときです。

オフィスが終わったら、今度は家です。あなたの家は、リラックスしたり、仕事に取り組むエネルギーを回復したりするための大切な場所です。雑然とした居心地の悪い場所に帰ってきても、あなたのバッテリーが十分に充電されるとは思えません。あなたがわたしと同じで、がらくたをため込む習性があるなら、このプロセスでは助けを借りる必要があるかもしれません。まずはジェフ・キャンベルの『気持ちのいい生活空間のつくり方―アメリカ流モノの捨て方・残すこだわり』*Clutter Control*（ジャパンタイムズ）を読むことから始めましょう。そして、友人に援助を頼むか、プロを雇いましょう。いちばん良いのは自分にこう問いかけることです――「過去半年のあいだ、これを使った？」。答えがノーで、それがクリスマスの飾りのような季節物でなければ、外へポイ、です。これはたやすいことではありませんが、練習すれば上手になります。情け容赦のない頼もしい友人と一緒に始めるのがよいでしょう。こう言ってそそのかしてもらうのです――「あのハンドバッグ、あなたの最近のスタイルに合わないわねえ」「化粧ポーチがいったいいくつ必要だっていうの？」「へえ、あなたがテニスをやるなんて知らなかったわ。あのラケットを最後に持ってから何年たつ？」。ガレージにしまい込んだりすると、夜中に再び忍び込んで、袋の中から何か取り出したい誘惑にかられるかもしれません。わたしは古いラブレターの束を捨てたとき、夜遅くそっと階下に降りてゴミ箱から取り返したことがあります。わかっています、わたしはちょっと感傷的なたちなんです。あなたもそういった思い出の品を手放すのが耐えられないなら、わたしのセミナーに参加した人のアイデアを試してみてはどうでしょう。〝バンドエイド・ボックス〟をつくって、気分がよくなる特別な物を詰め込んでおくのです。落ち込んだり気が滅入ったりしたときはいつでも、この箱の中を眺めて元気をもらいます（古いラブレターは、自分が人に愛される人間だということを思い出させてくれます）。片づけにどこから手を付ければよいかわからない場合は、寝室の左側の隅から始めて、一度に一部屋ずつ片づけていきましょう。がらくたを片づけることには想像以上に癒やしの効果があり、エネルギーがみなぎるのが感じられることでしょう。コーチング・プログラムをここから始めるのはそれが理由です。真の目標に取り組むための、新しいエネルギーを手に入れるのです。

行き詰まりを感じてわたしのところにやってくる多くのクライアントは、たいてい力尽きていて溝からはい上がることができません。彼らはがらくたにエネルギーを吸い取られていることに気づいていません。十中八九彼らは日々の暮らしにがらくたを抱えています――たとえ見えていなくても。わたしが海外でセミナーを開いたとき、クライアントのひとりが自宅に泊まるよう招いてくれました。彼女の家はしみひとつなく真っ白で、広々としたモダンな家。うっとりしてしまうくらいすてきでした。見たところ、捨てるべきがらくたがあるなんてまったく思えませんでした。わたしが「とてもきれいにしていらっしゃるのね」と言うと、じつはクローゼットの扉の奥に、新聞や雑誌や本が山のように積んであるのだと打ち明けてくれました。彼女はそれからの数週間、古い雑誌を捨て、新聞を整理し、二度と読まないだろう本を友人に譲ったり地元の図書館に寄贈したりして過ごしました。一ヶ月もしないうちに、彼女は二つの違った仕事をオファーされ、そのうえ友人とビジネスを始める機会を手に入れました。彼女は急に行き詰まりから解放されたのです。わたしが何に驚いたかと言えば、彼女があの美しい家を売り、海辺へ引っ越す決意をしたことです。家のがらくたを片づけたことで、新しいものとより良い仕事の機会を引き寄せるエネルギー、それに反応するエネルギーが得られ、家自体も手放すこととなったのです。その美しい家のローンのせいで、彼女は好きではない仕事に縛りつけられていたのでした。

スペースをつくれば、自然の摂理がそこを埋めようとします。やってきたものが本当に欲しいものでないならば、慎重に「いいえ、要りません」と言いましょう。たとえば、友人や家族のために物を保管しようという場合には、十分に注意して。引き受けるときは必ず期限を設け、期日になったらその品物をどうするか、あらかじめ決めておきましょう。

スペースをふんだんにつくると、人生に良いものごとを呼び込む余地ができます。これをふだんの手順にしてしまいましょう。サイズが合わなくなったり、流行遅れになった服や、あまり自分に似合わない服は、袋に詰めて慈善施設に持っていきます。その袋をどさりと置いて内心でこう言います――「わたしは新しくてもっと良いものを人生に呼び込むために、古い物を手放すのよ」。単純な話のようですが、わたしが大掃除をすると必ず新しいクライアントを得ることができます。それはすべてエネルギーがもとになっています。持ち物に執着するエネルギーを解放して、新しいもののための余地を用意しているのです。

Tip 12 整頓を保つ

がらくたがあなたの人生に及ぼす影響を、決して過小評価してはならない。

――カレン・キングストン、"CREATING SACRED SPACE WITH FENG SHUI"

がらくたをため込む習性がある人なら、たったの一日か二日ではオフィスや自宅を片づけるのは無理というもの。日頃から自分にこう訊くようにしてください――「家や倉庫の中に、要らないものはない？」。それを厳格な基準にするのです。長年かけて肉体がため込む脂肪の量には驚かされるものですが、減量と同じように、すべてが一夜ですっきり解消するはずはありません。*Living a Beautiful Life*（すてきな人生を生きる）の著者、アレグザンドラ・ストッダードが、月に一度のペースで片づけをすると読んだとき、わたしはとても励まされました。これは終わりのないプロセスなのです。他のことと同じように、練習によって簡単になります。すぐに危険信号がキャッチできるようになって、「あら、これはいつか役に立つかもしれないわ」とか「これを見ると愛した人を思い出すの」などと言っている自分に気づき、それがゴミ箱行きでしかないと自然と判断できるようになるでしょう。

片づけるというプロセスは、きりがないように思えます。でも物がなくても生きていけるとわかってしまえば、二度三度と片づけを試みて、以前は捨てるなんて思いもしなかった物を再評価するのが楽になるでしょう。わたしのクライアントのエドは、最初の試みで、一年間使わなかった物を捨てました。いまは半年使わなかった物について検討中です。蒸し焼き鍋は妹のひとりに、フードプロセッサーは別の妹に譲ることになりました。彼のキッチンはたいへん狭いので、こういったキッチン用品をコート用のクローゼットにしまっていたのです。それがおもしろい現象につながりました——彼は物よりもスペースに価値を置くようになったのです。物は大切なスペースを侵略すると感じるようになったほどです。

ガレージセールで十セントの価値しかない物を後生大事にしまっている、筋金入りのため込み屋のエドにとって、これは大きな転換点でした。この時からさらに多くの利益が生じるようになりました。彼の職場のファイルキャビネットに、新しい書類を入れる余地ができました。何かを探すときも、デスクの上に山積みになった書類を何時間も無駄に掘り返すことなく、ものの数分で見つかるようになりました。家では、何かが落ちてきて頭に当たったりせずにクローゼットの扉を開けられます。彼の思考は明瞭になり、以前はとくに意識もしなかった自分のまわりの物に目が留まるようになりました。やがて、好きな女性と出会い、ロマンチックなデートのあと堂々と自宅に招くことができました。エドは、物はただの物にすぎないことを、常に自分に言い聞かせています。この中国のことわざは、ものごとをよくとらえています——「所有によって欲望を満たすまねをするのは、藁を使って火を消すようなものである」。

不必要な物を持たないようにするのに役立った、簡単な秘訣があります。それは、予備は二つだけにすること。とても意外でしょう？　これであれこれ考えずに乱雑をなくすことができます。わたしは、目に見えるがらくたを処分したあとでも、自宅にいると物に圧迫され、息が詰まるような気持がしました。それが美しくてすてきな物であっても息苦しさを感じたのです。あらゆるものを大量に持っているということは、少なすぎるのと同じくらい悪いことです。わたしはもう一度片づけを試みることにしました。わたしのベッドには枕が六つ、それに飾り用の小さなクッションが三つありました。〝予備は二つに限定〟の方式に従えば、自分用に二つ、来客用に予備の二つがあればよいことになります。つまり枕四つです。わたしは残りの二つをすぐに、枕二つしか持っていなかった友人にあげました。同じ原理をリネン類にもあてはめます。うちにあるのはベッド一台。つまり必要なのはシーツセット三組だけ。わたしはただちにそろっていないシーツセットを処分し、お気に入りの三組を手元に置き、残りを慈善施設に持っていきました。するとリネン類のチェストが急に広々となりました。とてもシンプルで簡単なことですね。この〝予備は二つ限定〟の方式を用いれば、あっという間に家の中を能率的にすることができます。キッチンでも試してみてください。わたしは滑稽な文句が書かれたコーヒーマグを山ほど処分しました。スペースを手っ取り早く確保する方法です。オフィスも忘れないで。まったく使っていない電動鉛筆削り器なんかは同僚にあげましょう。安いペンで引き出しをいっぱいにしておかず、本当に好きな三本だけを入れておきましょう。たちまち気分が軽くなること請け合いです。

よく言われる〝少なければより豊か（レス・イズ・モア）〟という言葉の意味は、これでわかると思います。物が少なければ、あなたにとってエネルギーが豊かになるということです。また、腰布だけで過ごすスピリチュアルな人々の傾向も理解できるかもしれません。わたしは物が好きなほうの人間ですし、そういった極端に走れと提案しているのではありません。本当に好きな物だけを手元に置きなさいと言っているのです。もはや自分を表現するわけでもなく、人生の質を高めるわけでもない所有物は、きっぱりと処分するようにしましょう。とても便利な花瓶だとしても、あなたは本当に気に入っていますか？　棚に置かれた一つのすてきな花瓶は、ごちゃっと置かれた五個の花瓶よりずっと印象的だったりします。衣類、家具、本といった小さな物を手放すようにすれば、自分の能力が活かせない仕事や自分に合わない人間関係など、大きな物も手放すのが楽になるでしょう。

Tip 13 とことんシンプルに

シンプルに、シンプルに、シンプルに！　自分の問題は二つか三つにして、百や千にしないこと。百万ではなく半ダースを数え、説明は親指の爪ほどに切り詰めること。

――ヘンリー・デイビッド・ソロー

物という重荷を下ろすのが終わったら、人生をシンプルにする他の方法も考えてみましょう。スケジュールがたて込んでいる、やるべきことや会うべき人が多すぎると感じたら、簡素化するときです。生きていく以上、どんなことでもそれなりの量のエネルギーが必要です――実際に体を動かすことであれ、労働や社会的な義務や家族奉仕であれ。使えるエネルギーが多ければ多いほど、あなたはますます成功し、引きつける力が高まります。超多忙でスケジュールぎっしりが成功のしるしだと考える人は多いものです。そういう人々が気づかないのは、あまりの忙しさに自分のまわりで起こっていることに目が行かず、絶好のチャンスを見逃しているかもしれないということ。そうと聞いたら、自分の時間とエネルギーをどう使うか、よくよく考えなければなりません。成功を手にした人々は、スケジュールに時間の余裕を設けます。何かが予定どおりにいかない場合に融通を利かせるためです（予定どおりにいかないのが世の常で、最初からそれを見越しておくべきです）。

このテーマに関する本で、わたしが見た傑作は、イレイン・セントジェームズ著の『人生を複雑にしない100の方法』*Simplify Your Life*（ジャパンタイムズ）です。銀行口座を一つにまとめる、小さな家に引っ越す、芝生をやめてコケやアイビーなど手のかからない植物に変える、まとめ買いをする、キャッチホンをやめる、爪磨きを捨てる、ワードローブをシンプルにする、一時間早起きするなど、あなたの生き方を隅々までシンプルにするのに役立つアドバイスがたっぷり盛り込まれています。

生き方をシンプルにするために、テクノロジーを利用するのもよいでしょう――でも本当に時間の節約になるかどうか確かめること。クライアントのドナルドは多忙な不動産ブローカーで、車で出かけていることが多く、しょっちゅう車を停めてはオフィスのボイスメールをチェックしていました。彼は携帯電話を購入し、いまはすべての電話をじかに受けています。これで日常がかなり簡素化されたうえ、大事な電話を逃すことがないとわかっているので気持が楽になりました。ところが、やはり携帯電話を持っている別のクライアントは、一瞬たりともプライベートな時間を持つことができず、どこにいようと人に捕まってしまう、と感じています。彼女は携帯電話を手放し、代わりに普通の留守番電話を使うことで、日常をシンプルにしました。最新のテクノロジーが自分の生活の質を改善するかどうか、よく確認してください。製品やサービスがあなた独自のニーズやライフスタイルに合うかどうかを確かめもせず、最新のトレンドに走ってしまうのはじつに簡単です。

別のクライアントで、新人採用の業務をしている人は、週に三日から四日も出張に出ます。彼女は日常をシンプルにするのにオンライン・バンキングが非常に役立つことを発見しました。出張中でも、ノートパソコンを通して請求書の支払いや残高照会などができるのです。かつては帰宅したのちに週末を費やして銀行の用事を済ませていましたが、いまはホテルから同じことができるため、週末は自分の好きなことに使えるようになりました。トーマスは自宅のオフィスで小規模なコンサルタント業を営んでおり、いまだにすべての帳簿管理を人の手でやっていました。四半期ごとに売上税の計算をするのにまる一日かかり、そんなうんざりする仕事で時間が食われるのが苦痛でした。わたしは、性能のいい会計ソフトを買い、数時間ほどコンピューターの専門家に来てもらってプログラムのセットアップを頼み、使い方を教えてもらってはどうかと提案しました。専門家にわかりやすく説明してもらえるというのに、ひとりで何時間もマニュアルを読んで苦労する意味はありません。トーマスはその成果に驚喜しました。いまでは何度かキーを打つだけで売上税がいくらになるか正確にわかり、申告書を五分で入力することができます。それに加え、貸借対照表や損益計算書、ビジネスの成長を逐一記録した報告書も、たちまち作成できます。記録がきちんと整っているため、会計士に払う料金まで安上がりになりました。

あなたはどういうふうにすれば自分の毎日をシンプルにできるでしょう？ 日常を能率的にするために、自動化したり最新テクノロジーを利用したりする方法を考えてみましょう。今日から生き方をシンプルにできる方法を、十個リストにしてください。

Tip 14 家政婦を雇う

目につかない、反復的、骨の折れる、非生産的、非創造的——これらの形容詞は、家事の本質を最も的確にとらえている。

——アンジェラ・デービス

自分のやり方を変える最も手早くて楽な方法は、誰か他の人にやってもらうことです。家の掃除が大好きな人なら、この提案は参考になりません。でも、あなたがわたしと同じで、たとえ時間に余裕があってもトイレ磨きをする気にならない人なら、家政婦を雇いましょう。わたしも一回四〇ドルを払って家政婦に来てもらう余裕がまさか自分にできるとは思っていませんでした。わたしは大学卒業後、クレジットカードの負債と学資ローンを返済しつつ、マンハッタンの寝室一つの小さなアパートメントに住んでいました。子どものころから家の雑用をやっていましたし、母が家政婦を頼んだことは一度もありませんでした。家政婦に頼るなどという考えには抵抗があり、自分自身でできるようにしなくてはならないとずっと思ってきました。ある土曜日、わたしはふと思いました――自分にとって週末はたいへん貴重で、自分には土日たっぷりリラックスしたり遊んだりする権利があるのではないかと。また、自分で家を掃除する暇を見つける気はさらさらないことにも気づきました。わたしは抵抗をやめ、家政婦を頼んで月に一度掃除してもらうことにしました。これは自分のためにしたことの中で最高の部類に入ると思います。仕事から帰ってくると、何もかもがピカピカなのです。掃除をしなくてもいいのです！　やがて、家政婦が来る前には自然と少し整頓をするようになり、小さな置物が多すぎることに気づいたので、箱に入れてクローゼットにしまいました。これが片づけの手順となって、その後一年ほど続くことになりました〈Tip 11〉。数ヶ月後、わたしは家政婦に一ヶ月に二回来てくれるよう頼みました。いまわたしの家はいつもきれいで、なんの心配もなくお客を呼ぶことができます。これはわたし自身への贈り物。自分を大切にするわたしなりの方法です。わたしには家政婦を〝雇わない〟ような余裕はない、と思うことにしたのです。そんなお金はないわと思う場合でも、もっと給料の良い仕事を探したり、高給を取るために必要な訓練や教育を受けたりすることは、いつでもできます。

教育も十分で仕事も順調な、子持ちの共稼ぎ夫婦が、いまだに家事を自分たちでやっていることに、わたしはいつも驚かされます。しかも彼らはわたしのところにやってきて、時間がないと不満を漏らすのです。これほどの時間とエネルギーの無駄もありません。マンハッタンに住む独身のウェイターで、家政婦を雇っている男性を知っています。彼の稼ぎは時給にして家政婦よりわずか数ドル上回るだけです。彼には支払うだけの価値があるとわかっているのです。別のクライアントでプロの講演者は、家政婦に来てもらっている三時間のあいだ、積極的に営業の電話をかけることにしました。それが、家政婦費用を正当化できる唯一の方法に思えたのです。翌日、売り込みをした相手から電話がかかってきて、彼は一、二〇〇ドルの講演契約を取り付けました――家政婦に五十ドル投資した見返りとしては悪くありません。

何もかも自分でやろうとするのはやめて、可能なかぎり人に委託しましょう。安らいだ気持と、大事にされているという感覚には、お金を出す価値が十分にあります。さて、家をきれいにするのは楽しいという人々がいますね。じつは、自分の家を掃除することには、危険があるのです――本当は大きな目標や夢に向かって自分の時間を費やすべきであるときに、何かやりがいのあることをしているという幻想が生じかねません。脚本を執筆したり、ヨットのレッスンを受けたり、友人や家族と密に過ごしたりできるというのに、それをせずに、家の掃除に全人生を費やすこともできるというわけです。

Tip 15 ためらわずに人を雇う

富者と貧者の違いは、貧者はなにもかも自分の手でやるが、富者は人手を雇ってやらせるという点にある。

――ベティ・スミス

わたしは人を雇って手伝ってもらうことにためらいを感じません。つまり、人に委託しなければならない作業もあるということです。男性は、人に委託するのが女性よりも上手な傾向があります。男性は家政婦や個人指導トレーナーや秘書を雇うことに罪悪感を感じない場合が多いのです。対照的に、女性はすべて自分でやらなければならないと考えがちです。ある日わたしのクライアントがすっかり取り乱していました。なぜなら十分間のプレゼンをしなければならず、新しいソフトウェアの説明会に出席しなければならず、飼い猫を獣医に連れていかなければならなかったからです――すべて昼休みのうちに！　わたしはなぜ猫を獣医に連れていくのか尋ねました――深刻な病気？「いいえ、年に一度の注射を受けなきゃいけないんだけど、夫の都合がつかなくて」。言っておきますが、この女性は非常に聡明で、収入の額は国内で上位十パーセントに入るほどです。フルタイムで働くかたわら、副業でビジネスを始めたところで、夫と二人の幼い子どもたちがいます。彼女は有能会社員、妻、母、主婦、女性経営者、グルメシェフ――全部自分がやらなければならないように感じています。彼女はこれまですべてをこなしてきましたが、ストレスが増加し、頻繁に風邪を引き、疲れはたまり、いらいらはつのるという、多大な負担が伴っていました。

わたしは彼女に、自分のために働くようスケジュールを調整し、その週にやらなければならないと思っていることを十件減らすよう言いました。獣医の予約を取り直し、プレゼンを別の日に移すと、彼女の日常はたちまち楽になりました。何かをしっかりとやるには、そのための時間とスペースが必要です。家政婦やベビーシッターを雇ったり、クリーニングに頼んだりしましょう。本当にやりたいことをやるために、サポートシステムの手を借りて、自分の体を空けるのです。新しいソフトウェアの使い方を自力で覚えようとしないで、講師を雇いましょう。そう、初期投資は必要ですが、時間もいらいらもセーブできるので、長い目で見ればその価値は十分にあります。

自分の苦労や欲求不満に気づいたとき、自分自身に問いかけてください。この仕事はどうやったら人に委託できるか、または、どうやったら楽々やれるようになる訓練が受けられるか。わたしは髪の毛をかきむしるようにして納税申告書の記入をしていたとき、この不愉快な仕事は誰か好きでやってくれる人に頼むべきだと気づきました（信じられないことですが、納税申告書の記入が楽しいという人が本当にいるのです）。わたしは経理係と会計士を雇いました。どれほど肩の荷が下りたことか。自分の好きではない、得意ではない仕事を、どんなものでも喜んで上手にやってくれる専門家がいます。わたしの経理係は帳簿つけが大好きで、じつに熱心に取り組んでくれます。わたしには同じようにはできません。申告書の記入が好きな人に、あなたの納税をやってもらうのは理にかなったことです。これであなたには、あなたが好きなことをやるための時間とエネルギーができます。

Tip 16 現在を完璧にする

楽園とは、わたしが今いるところ。

――ボルテール

過去の時と未来の時　起こり得たことと起こってしまったこと
すべては一つの結末、永遠の現在を指し示す。

――T・S・エリオット

もしもあなたの会話に〝足りない〟話（お金が足りない、時間が足りない、スペースが足りない）が出るのなら、あなたには何か学ぶべきことが一つあります。人生は最高の教師です。ふと「わたしには〜が足りない」と言ってしまうようなら、あなたの現状には不完全な部分があります。ところがわたしたちがコーチングで用いる原則の一つは「現在は完璧である」。どちらかの主張を引っ込めないとつじつまが合わない場合、原則を引っ込めるわけにはいきません。たとえば、わたしは借金で首が回らなくなっていたとき、自分にはお金が足りないと思っていました。お金が足りないことが問題なら、お金をもっと稼ぐのが解決策のように思えます。でも稼ぐのは使うのに追いつきませんでした。そしてある日、借金は良いことだと思うようになりました――借金から抜け出そうとすれば、自分のお金の扱い方を変えなければなりません。わたしはここで何かを〝学ぶ〟わけです。課題は、お金を節約して、湯水のように使うのをやめる方法を学ぶこと。実際にまとまったお金が入ってきたとき、わたしは、あれこれ無意味なものに浪費せず、責任を持って扱う方法がわかっていることでしょう。三年後、わたしは借金から抜け出し、一年分の生活費を貯金として持つまでになりました〈Tip 24〉。わたしはお金のレッスンを学んだのです。

それから、自宅であるニューヨークのしゃれたアパートメントでくつろいでいたときのことです。三つの部屋を所有物で埋め尽くしておきながら、わたしはどんな話をしていたと思います？　スペースが足りないという話です。ここで一つのパターンが浮上します。現在が完璧であるのなら、こんなことになるはずはありません。どう見てもわたしはもっと少ない物で暮らす方法を覚える必要があったのです。書類が山積みのわたしのオフィスはどうでしょう? 問題は、スペース不足ではありません。わたしが書類の扱い方をしっかり覚えることが必要だったのです。この問題は努力目標であると同時にゲームとなります。おもしろいのは、このゲームに習熟してしまうと、たいていほうびがもらえることです。わたしが少ない物で暮らす方法を覚えたとき、ゆったりとした家に暮らせる結果が得られました。どうしてわたしがこういうことを学ばなければならなかったのかわかりませんが、収納スペースがないことを嘆かずに、現在を完璧にしようと必死に捨てまくりました。あなたの〝足りない〟話はどんなものでしょう? あなたが身につけなければならない新しいスキルや習慣はなんでしょう? いまから、自分の現在を完璧にしはじめませんか。

Tip 17 引っかきまわすのをやめて整理整頓を始める

人は自ら考えた道を生きなくてはならない。さもないと、生きてきた道を考えるはめになる。

――ポール・ブールジェ

毎日をもっと楽にしてくれるシステム導入に、投資をしてみませんか。わたしのクライアントの多くが、整理整頓なんてしている暇がないと感じています。あまりにも忙しすぎるのです。結果として、彼らはごちゃごちゃと散らかった場所で、書類の山にはさまれて仕事をしています。これは大きな誤りです。彼らは、片づいた環境が手に入れば生産性が二倍になることに、気がついていません。現代の労働者は、勤務日の半分近くも書類を引っかきまわして過ごすと報告されています。七つの異なる業種の一四社で調査を行った結果、上級管理職は勤務時間の四六パーセントを、中間管理職は四五パーセントを、事務職は五一パーセントを、不要な書類仕事に費やしていることが明らかとなりました。なんという時間の無駄でしょう。がさがさ引っかきまわすのはおしまいにして、整理整頓を始めるときです。

まずは、週に一時間をきっかり確保して、実際の仕事ではなく整頓、分類、自動化の時間とします。作業手順をシステム化するためにこの時間を使ってもよいでしょう。たとえば、自分がずっとやってきた仕事をアシスタントに教えたり、手計算してきたものを自動的に計算してくれる表計算ソフトを設定したりするのです。システムを立ち上げるために費やした時間は、将来の時間節約となって実を結びます。ファイリングや古い書類の処分、デスクの片づけなどには、一五分の時間をかけてください。自動化、システム化、整理整頓をすればするほど、有意義なプロジェクトに割く時間が増えていきます。

コーチングの同僚から教わった秘訣をご紹介しましょう。彼女はたまる一方の書類を扱いかね、とうとう未決書類の箱を撤廃してしまいました。なんと過激な考え方！　書類を詰め込む箱がなければ、書類一つ一つにどうしてもその場で対応しなければならないわけです。彼女が利用したのはＴＲＡＦメソッド。捨てる（*Toss it*）、誰かに任せる（*Refer it to someone else*）、対処する（*Act on it*）、ファイルする（*File it*）の四つを実行するのです。当日のうちに処理できそうにないものは、未決定ファイルか、そのプロジェクト専用のファイルに入れます。しかも、箱の中の書類の山をかき分ける必要がなくなったので、必要なものが一瞬で見つけられるようになりました。彼女は仕事が終わったときに、デスクの上を空っぽにする主義を持つことにしました。それでその日一日の達成感が味わえ、翌朝書類の山を見て憂鬱になることもなくなりました。平均的なオフィスワーカーは、約四十時間分の書類仕事の在庫を抱えており、毎日二十分はその山から何かを探すことに費やしています。その二十分をファイリングと整理整頓に使えば、一年にまるまる十日分の勤務時間が浮くことになります。

あるクライアントは、毎朝アシスタントと一緒に一時間かけて、その日のうちに持ち上がりそうな件をくまなく検討します。そうすればあとは問題も中断もなく、夢のように一日が過ぎるのです。仕事の整理整頓に毎日一時間を費やしてください。これでどれだけの時間が解放されることでしょう。気分が良くなるだけでなく、その日やその週の生産性が倍になります。整理整頓のための時間を別に設けることは、成功を手にするための必須事項です。

Tip 18 頻繁にノーと言う

間違っていてもいいのです、何か決断すればきっと安らかになります。

——リタ・メイ・ブラウン

あれこれすっきり片づけることで真空空間が生まれ〈Tip 11〉、余分な時間を手にしたいま、どうぞくれぐれも気をつけてください。あらゆる種類の人間、誘い、機会が、あなたの人生にどっとなだれ込んできます。だからといってそのすべてにイエスと言わなければならないわけではありません。自分の好きなように選びましょう。新しいチャンスがやってこなくなるかもしれないと考え、「いいえ、お断りします」と言うのを恐れる人がいます。実際にはそれは逆なのです。望みどおりの機会と人間関係がやってくるときのために、常にスペースを維持しておいてください。

ノーと言えずにイエスと言ってしまうせいで、余分な仕事や社会的義務に縛られている人は、わたしのクライアントにも大勢います。とくに女性は、人を喜ばせたい、人に好かれたいと思う傾向があります。これは文化的な現象です――女性はやさしくあれと育てられ、いっぽう男性は正しくあれと育てられるからです。結果として、女性はノーと言いづらくなります。それに、男性が人に道を訊きたがらない理由もこれでわかります（男性はすでに道を知っているのが当然とされる）。わたしが「慢性イエス病」をわずらうクライアントに出す課題は、一週間のあいだ極端に走り、どんなオファーやリクエストにもノーと言うことです。最初にノーと言ったとしても、あとになって気が変われば、あらためてイエスと言えばいいのです。とにかく最初の返事はノー。「いいえ、けっこうよ」「やめておくわ。訊いてくれてありがとう」など。どんなに出世した女性でもこの課題には苦労するものですが、これでイエス癖を断つことができます。ノーと言っても、足下で地面が崩れたりはしないことがだんだんわかってきます。友だちに見捨てられたりはしないし、飼い犬には相変わらず愛されるでしょう。

ノーと言えそうにない場合は、こんなふうに言って時間を稼いでみてください――「お誘いありがとう。ちょっと考えてみて、明日お返事するわね」。自分が本当に望んでいることかどうか、その場で判断するのはなかなか難しいものです。それにわたしたちはたいてい、とっさに他人を喜ばせようと思うため、本当ならノーと言いたいところでイエスと言ってしまったりします。少し考える時間を確保すれば、翌日相手に電話をして、応じる、断る、他の提案をする、いずれの返事でもすることができます。結婚式の招待状や、何か特別な行事の招待状を受け取った場合でも、絶対に行かなければならないわけではありません。一日か二日ほど考えて、本当に楽しめそうなら行きましょう。もちろん、行きたくてたまらない場合は即座にイエスと言ってください。

ジャネットは慢性イエス病の患者でした。上司から何かをするよう言われたら、必ずイエスと言わなければならない、さもなければ能力のない部下だと見なされる、と思っていました。結果として、彼女は手に余る数のプロジェクトを任され、仕事に忙殺されていました。ジャネットがわたしにコーチングを依頼してきたとき、彼女はある大切なプロジェクトを数日遅れでようやく仕上げたところでした。上司はそれをたいへん不満に思い、締め切りをしっかり守るよう、彼女に強く言い渡しました。ジャネットは、もっと重要だと思う別のプロジェクトで忙しく、こちらのプロジェクトに取りかかる時間がなかったことを説明しました。上司は言い訳をやめて仕事に戻れと言いました。当然、ジャネットは憤慨しました。わたしは彼女に、いま抱えているプロジェクトをリストにして上司のところへ出向き、優先順位を決めてほしいと頼みなさい、と言いました。それから他の仕事を誰に頼まれようと、ただこういうふうに言うこと――「いいえ。いまはお引き受けできません。いまはXYZプロジェクトを進めている途中ですので」。上司が別の任務を持ってきたら、こう尋ねます――「ＸＹＺプロジェクトよりこちらが優先ですか？　これを引き受ければXYZのほうを延期しなければなりませんが」。上司は、あなたがあれこれと抱えている仕事をすべて把握していないのかもしれません。その事実を指摘し、優先順位を決めてもらうのはとても有益です。新しいプロジェクトに熱心に取り組むチームの一員として見られたい気持ちはわかりますが、仕事を引き受けすぎないようにしてください。おそまつな仕事をすれば困った立場に陥るのはあなたです。

職場でなかなかノーと言えないクライアントたちは、たいてい私生活でもノーと言うのに苦労しています。ジーンは、数人の古い友人たち以外に、人づきあいが少ないのが悩みでした。わたしは彼女に、社交のための時間はあるかどうか尋ねました。ジーンは自分にその時間がないことに気づき、夕方以降の時間帯に体を空けるために、ボランティアの依頼を断るようにしました。彼女は人に何かを頼まれたとき、とくに忙しくなかったり、予定が入っていない場合には、必ず引き受けるべきだと感じていたのです。いつでも他の人々のために走りまわるジーンには、とても頼りになる良い人だという評判ができあがりましたが、彼女自身の生活に当てる時間はまったく残りませんでした。またジーンは、友人や知人にノーと言ってはいけないような気がしていました。わたしたちは返事のサンプルをいくつか考え出しました。誰かから電話がかかってきたとき、ジーンはそれを言えばいいのです。「わたしのことを思い出してくださってありがとうございます。わたしに［地元の小児病院で委員を務める／手芸フェアで慈善コーナーを仕切る／などなど］をやってほしいなんて光栄です。でもお断りしなければならないんです。たぶん誰それさんなら関心をお持ちになると思いますわ」。ジーンはちゃんと理由を言わなければならないと思っていました。友人に嘘をつきたくもありません。わたしは、嘘はつかなくてもいいし、理由や根拠を言う必要もないのだと言いました。やりたくないというだけで十分な理由なのです。もし友人にどうしてもと言われたら、あっさりとこう言えばいいのです——「そのプロジェクトに興味がないの」。または「いまのところ別のプロジェクトをやってるから」。

わたしたちはマニュエル・J・スミスの名著 *When I Say No, I Feel Guilty*（ノーと言うと、胸が痛む）から得たアイデア、「壊れたレコード」のテクニックをもとに練習しました。相手がどんな反応をしようと、こちらはニュートラルな落ち着いた口調で、自分の言葉を繰り返すのです。たとえば「あらあ、でもほんとにあなたが必要なのよ。去年はとっても活躍してくれたじゃないの」と言われたら、ジーンはただこう返事をします——「ありがとう。去年は役に立ってよかったわ。でも今年はお断りしなきゃならないのよ」。「そんなこと言わないで。あなたがいなかったらわたしたちどうなるの？」（相手はジーンに罪悪感という罠を仕掛けています）。「わたしを高く買ってくれてうれしいわ。でもほんとにお断りしなきゃいけないの」。ジーンはこのノーの言い方にほっとしました。友人の面目をつぶしたくはない、でも自分の人生に振り向ける時間も欲しいのです。翌日、ジーンは友人のひとりから電話を受け、娘の結婚式の計画を立てる手伝いをしてくれないかと頼まれました。ジーンはやんわりと断りました。友人は傷つかなかったし、ジーンは新たな重荷を背負わずに済みました。

思いがけないことに、一年以上会っていなかった友人二人から、ジーンに電話がかかってきました――「あなたと一緒にいるときはほんとに楽しかったわ。旧交をあたためる気はない？」。ジーンはぜひそうしたいと答え、一緒に計画を立てました。不可解に思えるでしょうが、本当に効くのです。自分自身で試し、あなたの人生に誰がやってくるか確かめてください。望まない人や物であれば、「いいえ、けっこう」と言えばいいだけです。

わたしはボランティアやチャリティ活動をしてはいけないと言っているわけではありません。日々の仕事に欠けている充足感を得るために、ボランティアに参加するようクライアントに勧めることもしばしばです。純粋な喜びを求めて他人の手助けをするのは良いことですし、意外なほどやりがいを感じるものです。ただし、ボランティアをすることによって、自分の人生を損ねないようにしてください。クライアントのテレサは、フルタイムでボランティア活動に従事し、ビジネスは片手間にやっていました。そうしているあいだに、クレジットカードの負債が一万ドルにも増えてしまいました。わたしは、他人のために時間を割くより、自分自身の面倒を見る必要がありますね、と指摘しました。彼女にはボランティアをする余裕はなく、ビジネスが軌道に乗るまでは勤めに出る必要がありました。負債の返済が終わり、ビジネスが好調になれば、またボランティアを始めることができます。このコーチング・プログラムを活用して、時間、スペース、お金の制限をなくし、あなたが支援したいと思う慈善事業や組織への寄付が無理なくできるようにしてください。

Tip 19 アドレス帳を更新する

まるで永遠を傷つけることなく時間を殺せるかのように。

――ヘンリー・デイビッド・ソロー、『著作集』

ただの暇つぶしに、もしくは他に友人がいないというだけの理由で、人とぶらぶら過ごしてはいけません。とことん楽しむか、一緒に過ごすのはやめるかのどちらかにしてください。それ以下のつきあいを受け入れてはいけません。そのためには友人関係をいくつか解消する必要があるかもしれません――たやすくできるとは限りませんが。一時は一緒にいて楽しかった友人が、いまはそうではなくなっているということは、あなたが成長し、変わったのだと言えるでしょう。単なる習慣から誰かと一緒にいたり、腐れ縁がだらだらと続いたりすることもよくあります。そのせいであなたのバイタリティが犠牲になり、一緒にいて本当に楽しい人を引きつけにくくなってしまいます。別に大騒ぎして手を切る必要はなく、すうっと離れて、彼らとうろつくのをやめればいいのです。たとえ、しばらくはひとりで行動することになっても。

クライアントのジョーには、一緒に出歩いてとても楽しい友人がいたのですが、彼女は一年ほど前からなんとなく常識はずれな人になってしまいました。土壇場で予定をキャンセルしたり、来ると言ったディナーに来なかったりするのです。ジョーはこんな友人は必要ではないと意を決し、四ステップモデルを用いて〈Tip 06〉、きみのふるまいは目に余ると本人に告げました。残念ながらその友人は変わってくれず、ジョーは一緒に出かけたり電話をしたりするのをやめました。ときどき偶然に会ったりしますが、気まずいことも何もなく、ジョーは普通に通り過ぎています。数ヶ月後、ジョーにはすばらしい友人ができました。それに、大学時代の旧友二人が近くに引っ越してきました。ジョーは魅力ある最高の友人たちに囲まれています。

もしあなたがこのコーチングという方法を積極的に取り入れたいと思うなら、古い友人に別れを告げ、新しい友人をつくることになる可能性が非常に高くなります。人生は短く、愛と尊敬を持って接しようとしない人々と過ごして無駄にするのはもったいないと思います。あなたを励まし、愛してくれる新しい友人や同僚のために、広いスペースをつくりましょう。

Tip 20 風水

家を満足にするための支出より良い金の使い途はない。

――サミュエル・ジョンソン

風水とは、あなたの体や経済の状態が最も好ましくなるよう生活環境を整える、古代中国の術です。風水に関する噂は西洋にもしだいに広まってきていますが、東洋では、何千年も前から実践されてきました。風水師は、あなたのエネルギーを増やして成功をもたらす、調和の取れた生活環境をつくるために、あなたがする必要のあることを知っています。

わたしは風水の講座に参加したあと、オフィスのデスクを部屋の反対側へ移さなければならないことがわかりました。北西の壁はビジネスの運勢が最もいい方角です。デスクを移動させて以来、わたしのビジネスは急成長しています。それに加え、この家具配列がたいへん具合が良いことがわかりました。家具が増えているにもかかわらず、部屋が以前より広々と感じられるのです。これは風水の持つ不思議な力です。

精神科医のアンは、自分のビジネスが不安でしかたなく、いつもお金に困っているような感じがしていました。ビジネスを拡張してもっとお金を稼ぎたいと、わたしにコーチングを依頼してきました。彼女は最近新しい家に引っ越したばかりだったので、わたしは風水師に頼んで家を最高の状態にしてもらっては、と提案しました。風水師を呼んだ翌週、アンは有頂天になってわたしに電話をかけてきました。自宅を少しリフォームしたら、感じがずいぶん変わったそうです。一週間後には、セラピーを受ける患者が新しく三人増え、全員が集中治療プログラムを受けるので、患者ひとりにつき週に三時間から五時間ずつ面接することになりました。これは彼女のビジネスが一夜にして大きな飛躍を遂げたも同然です。アンは軌道に乗って順調に進む幸福な感覚を味わいました。その新しい感覚を味わったことでエネルギーがどっとみなぎり、いまはそのエネルギーをビジネスのマーケティングプラン作成に使っています。

風水を元にした、実践的なアドバイスをご紹介しましょう。

1　どのドアもスムーズに開け閉めができるよう、邪魔なものを置かないこと。クローゼットの扉もです。つり下げた衣類のせいで十分に開かないことはありませんか？（わたしはバスルームの棚を動かさなければなりませんでした。バスルームのドアが棚にぶつかってしまうため、半分しか開かなかったのです。いまバスルームはずっとゆったりして見えます）。

2　窓から墓地や病院が見える場合は、ブラインドやカーテンで覆いましょう。

3　バスルームに窓がない場合は、化粧台の鏡と向かい合うようにして、壁に鏡をかけましょう。これで気の循環がよくなると言われています。

4　バスルームが家の中心にある家を設計したり買ったりしてはいけません。気がすべて排出されてしまいます。

5　玄関のドアを開けるとすぐにバスルームがあるような造りの家はいけません。もしそういう家なら、バスルームのドアを必ず閉めておくようにして、外側に鏡をかけましょう。バスルームがどこにあろうと、いつもトイレのふたを閉じ、バスルームのドアを閉めておくのもいいアイデアです。

6　ベッドの真上の天井にひび割れがないのを確認しましょう。むき出しになった天井のはりの下で寝てはいけません。

7　家、オフィス、ガレージにあるがらくたをすべて処分しましょう〈Tip 11〉。いつでも必ず予備のスペースを確保すること――本棚には新しい本のための場所を、クローゼットやドレッサーには新しい服や靴のための場所を、冷蔵庫には食品を追加するための場所を。

8　家やオフィスにある、壊れたり傷ついたりしている物を、修理、交換、処分しましょう。紙詰まりを起こすファックス、壊れた電気製品、しみや破れのある服などに我慢をして、貴重なエネルギーを無駄にしてはいけません。

これらは古来の風水術のほんの一端にすぎない基本的アドバイスです。自宅やオフィスを徹底的に評価したい場合には、風水師を探してください。正しい生活環境は、あなたにエネルギーを与え、好機や成功を引きつける力を増やしてくれます。

クライアントのジョンは有名なプロの講演者です。本を執筆すると何年も公言しているのに、集中力がなくて困っているとわたしに相談してきました。アイデアは山ほどあるのに、どうにも手をつけることができないのです。わたしたちはまず、いらだちの種をすべて排除し、身のまわりからがらくたを一掃することから始めました。毎週彼は、少なくとも書類の山一つを片づけます。古い本や服まで処分しました。彼は一歩前進して、風水コンサルタントを自宅に呼び、模様替えをすることにしました。風水師はすでにある家具を動かし、いくつか簡単な指示をしただけでした。その結果たちまち現れた変化に、ジョンは目を疑いました。オフィスは居心地がよくなったし、デスクを運勢のいい位置に動かして書類の山をなくしたせいで、気が散らなくなりました。彼は数年ぶりにようやく執筆に集中することができ、半年後には本の半分が書き上がりました。

別のクライアントは、小さなアパートメントでコンサルタント業を営み、なかなか繁盛しています。彼女がわたしに依頼をしてきたのは、ビジネスを次のレベルへ引き上げたいというのもありましたが、男性とのつきあいを再開したいと考えてのことでした。彼女は快活で魅力的な若い女性で、男性を惹きつけるのはたやすいはずです。わたしは彼女に、ベッドの下に何があるか尋ねました。果たして彼女は、アパートメントのありとあらゆる場所を収納に使っていて、ベッドの下にはビジネス用の備品と封筒がぎっしりでした。彼女は文字どおり仕事とベッドをともにしていたのです。これに気づいた彼女は、すぐに仕事の備品をオフィスのクローゼットに移しました。そして翌週には再び男性とおつきあいをするようになったのです。風水の驚くべきパワーです――説明しろとは言わないでくださいね。わたしは効果があるから実行しているだけです。あなたもぜひ自分で試してみてください。

Coach Yourself
to Success

第三章

お金を自分のために働かせる

Making Money Work for You

世の中には、お金持ちと、豊かな人がいます。
——ココ・シャネル

余分なお金がたくさんあれば成功しやすくなるというのは、きわめて当然のように思えます。お金を所有しているかどうかというより、お金に支配されていないかどうか——ついでに言えば、お金のないことに支配されていないかどうかが肝心です。お金がないことを人生の中心にしてしまうのは、お金があり余っていることを中心にしてしまうのと同じくらい、魅力に欠けています。ここでの目標は、お金を人生の重要問題ではなく、微々たる問題にすることです。言うは易く行うは難しですが。

お金がないというのは、なぜ自分はもっと幸せになれないのか、なぜやりたいことをやっていないのかに対する最も一般的な理由です（正確に言えば言い訳です）。わたしはそれを何度耳にしたことでしょう。「もっとお金があれば、ぼくはXYZをやってもっと幸せになっているのに」。まさにそう言っていた人が、いざお金を手にしたとき、やりたいと思っていたこともせずに相変わらず窮々としている姿を、わたしは見てきました。つまりこれは真実ではないのです。お金が多いことが幸せになる秘訣ではないことは明らかです。そのいっぽうで、お金が少ないことも幸せになる秘訣ではありません。要はお金を管理する方法を身につけること。十分なお金を手に入れて、お金の心配をしなくてもいいようにしましょう。そうすれば、お金と気楽につきあえるようになります。

余分なお金をつくるには、基本的に二つの方法があります——支出を減らすことと、収入を増やすことです。この章で紹介するアイデアと提案に従えば、財政的自立へ向かうのもまもなくでしょう〈Tip 29〉。自分の生活費を自分で払えるようになる、という話ではありません。貯蓄と投資にたっぷりとお金をまわすとか、生計を立てるために働く必要がないくらいにどんどんお金が入ってくるようにするといった話です。生計を立てるために働くことを選んでもかまいませんが、働きたくなければ働かなくてもいいのです。

クレジットカードの負債、家や車のローンで身動きがとれないあなたには、いまの時点ではまったく不可能なことに思えるかもしれません。もしそうであれば、お金に関するこの章を飛ばし読みしないで、順を追ってアドバイスを実行してください。ウェイトリフティングと同じように、不可能に思えることでも、少しずつ量を増やしていくうちに簡単になったりするものです。財政的な自立は、誰でも——あなたでも——可能です。

Tip 21 お金について正直に言う

金は、結局、セックスとそっくりなものだった。持っていないときには別のことが何も考えられず、手に入れたら別のことを考えた。

——ジェームズ・ボールドウィン

ところで、お金とはなんでしょう？ 魔法の万能薬ではないことはわかっています。幸せや愛や健康を買うことはできません。世の中にあまり出回っていないのではないかと思う人もいますが、そんなことはありません。あなたの聡明さや才能を計るものでもありません——貧しい天才、裕福な愚か者、どちらも大勢います。お金は単なる道具です。他の道具と同じように、良いことにも悪いことにも使われます。お金の話はたいていの場合、緊張をはらみます。まだタブーな話題と考えている人も多く、お金の話をするだけで居心地が悪くなる人もいます。あなたのお金の扱い方で、あなた自身がよくわかります。支出のパターンによって、あなたの価値感が明らかになることもしばしばです。

まず、お金に関するあなた自身の信念をはっきりさせましょう。信念は行動の源となり、行動によって人生に表れる結果が変わります。お金の分野で違った結果を望むならば、自分自身とお金の関係をじっと見つめてみても損はありません。考えるためのヒントとなる、穴埋め式の質問をいくつか用意しました。

わたしはお金を［　　］だと思っている。
目下のところ、お金に関する最大の悩みや問題は［　　］である。
お金をうまく扱う方法の一つは［　　］である。
経済的に成功するということは［　　］ということである。
お金と自分の関係について、一つだけ変えられるとしたら、それは［　　］である。
もしも欲しいだけのお金が手に入ったら、わたしは［　　］になると思う。
お金の管理に関して、いちばん変えたいところは［　　］。
わたしの両親は、お金は［　　］だと教えてくれた。

信念が限られていれば、金まわりも限られます。お金を稼ぐために一生懸命働かなければならないと信じているなら、お金持ちになるにはおそらく苦労することでしょう。ミランダは、お金は悪だと信じていました。はっきり言いはしませんでしたが、大金を持つことと、アメリカについて嫌いな点――強欲、買収、高給取りの官僚、右翼政治家――をすべて結びつけて考えていました。彼女は貯金がゼロというだけでなく、借金がかなりかさんでいてしばしば不渡りの小切手を出していると知っても、わたしは驚きませんでした。お金を本来邪悪なものと考える彼女は、お金とかかわることを自然に避けていたのです。ミランダは、お金に関する自分の秘められた信念が明らかとなると、それを変えようと決めました。お金は単なる道具であり、世の中の良いものごとに使えばいいのです。自分の行動もあらためるようになりました。借金の返済を始め、積立口座を開設し、小切手帳の管理も覚えました。

お金に関する一般的な信念は、こんな表現に表れています。「腐るほどの金がある」「金を稼ぐには金が要る」「金は諸悪の根元だ」「お金では愛は買えない」「金をあの世へは持っていけない」「人生で最も大切なのは自由だ」「金がすべてではない」。あなたが抱いている、お金に関する信念をすべて書き出してみましょう。そして、それらと置き換えたい新しい信念もすべて書き出してください。たとえば「お金は楽しい。お金はありがたい。わたしは夢をかなえるためにお金を使う。わたしは気前よくすばらしいことをするのに十分なお金を持っている」など。底の浅い信念を、豊かに広がる信念に置き換えることが、財政的自立に向けての第一歩です。

お金に関して本音を言うのはなかなか簡単ではありませんが、なんとか正直にならなければいけません。クライアントのジェフは、大きな金融会社の人事課担当重役で、お金を引きつけるために月に一度わたしの電話セミナーを受けることになりました。たいていの人々と同様に、もっとお金を稼げば悩みもクレジットカードの負債も解決すると、彼も考えていました。この三時間のプログラムのあいだに、ジェフが自分の仕事で妻を養うのが当然だと思い込んでいることがわかりました。わたしはジェフに、奥さんに現在の財政状況を正直に話し、夫婦として財政的な目標を決めてみては、と言いました。簡単なことではありませんでしたが、ジェフは妻のミンディとじっくり話をし、そして真実が現れました。計算した結果、二人は月に二千から四千ドルを使っていることがわかりました。これはジェフの給料以上の金額です。一年にすると五万ドル以上の赤字。この調子では首が回らなくなるのもまもなくでしょう。クレジットカードの負債は相当な額になり、それでも身の丈に合わない暮らしをしていたのです。

夫婦の財政状況を立て直すプログラムの実験台として、彼らは無料でファイナンシャル・プランナーのアドバイスを受けることになりました。二人はクレジットカードをすべて切り刻み、友人や親戚にやたらと気前のいいところを見せるのをやめ、外食もやめ、クリーニング代を切り詰め、大枚をはたいて休暇を過ごすのもやめ、すべてを現金で支払うようにしました。驚いたことに、二人とも苦しいとは感じていないと、ジェフが報告してきました。彼らにとっては、どれほど少ない出費で暮らせるかを試すゲームに思えるそうです。毎日の出費をグラフにして、経費を三つのカテゴリーに分けていきます。

1　必須
2　任意
3　できればお金を取り戻したいもの

ミンディは一八〇度の転換を果たし、いまでは経費節減におけるジェフの最大のサポーターです。彼女はクーポン券をクリップで留め、最も安い食料品を買うためにあちこちの店に出かけます。毎回外食するよりも、家で食べるほうがずっと健康的で気分も落ち着くとわかりました。二人とも楽しみをすべて我慢しているわけではありません。五回目の結婚記念日には高級レストランへ出かけ、食事に二〇〇ドル使いました。でもクレジットカードでは支払わず、現金をすっと出したことに、二人は大きな満足感をおぼえました。それに、毎晩出かけているわけではないので、その日は本当に特別な夜となりました。

やがて、二人は思いがけず伯父から二千ドルの遺産を受け取りました。彼らはすでにお金を引きつけはじめていたのです。ファイナンシャル・プランナーにそのたなぼた話を黙っておいて、旅行に出かけてぱーっと使ってしまいたい誘惑にかられましたが、目標に本気で取り組む決意を新たにし、そのお金をクレジットカードの返済に充てました。これがすべて一ヶ月以内の出来事です。その熱意からすれば、二人は近いうちに借金をすべて返済し終えるでしょう。彼らは財政的に自立する途上にいるのです。

Tip 22 にわか億万長者になる

所有することは、欲しがることほど楽しくはないということが、そのうちにわかるでしょう。論理的ではありませんが、しばしばそうなるものです。

――「スタートレック」のスポック

ときどき億万長者ごっこをしてみるのは、なかなかいいアイデアです。友人や家族にこう尋ねてみてください――「もしも十億ドルあったらどうする？」。そして、部屋をぐるりとめぐりながら、みんながどう言うか聞きましょう。これはいい運動になります。いますぐペンと紙を用意して、十億ドルあったらやりたいことを少なくとも一〇〇項目は書き出してください。自分を抑えてはいけません。どんなにお金がかかることでもよいのです。頭の中に浮かんだことをどんどん書いていきましょう。いまは何も修正しないでください。修正はあとでできます。浜辺に家を持ちたいとずっと思っていたなら、それを書きます。メルセデス・ベンツやロレックスの腕時計が欲しかったなら、それを書きます。ダンスの個人レッスンを受ける、ハワイへ行く、スキューバ・ダイビングを習う？　どんなことでもかまいません、自分の願い、欲求、空想、夢、希望を思いつくかぎり書いてください。たいていの人は、メモ帳を手にして書きはじめても、すぐに詰まってしまい、やりたいことや欲しいものが一〇〇も出てこないものです。自分の限界を押し広げて、もっといろいろなことを考え出してみましょう。心配しなくて大丈夫。そのすべてをやる必要はありません。

リストができあがったら、じっくり検討してみましょう。何よりもまず、そのリストの中に本当に望んでいることはいくつありますか？　本当にベンツが欲しい？　ベンツを所有することはあなたにとってどういうことでしょう？　ちゃんと維持する気はありますか？　わたしたちは、何かを所有することの真の価格は維持費だということを忘れがちです。クライアントのリチャードは、ある夏イーストハンプトンあたりでベンツに乗って過ごしたのですが、夏の終わりには「これは要らない」と思ったそうです。一つ目には加速が遅かった。二つ目には、ディーゼル燃料のため遠くまで給油の場所を探しに行かなければならなかった。三つ目に、電動式の窓がいつも動かなくなってしまうため頻繁にショップに預ける必要があり、しかも修理費やパーツ代にとんでもない料金を請求された。四つ目に、ぶつけたり傷つけたりするのが恐ろしくてたまらなかった。もうごめんです。こんなに悩んだり騒いだりするのはまっぴら。リチャードは古ぼけたホンダ車を運転するほうがずっと気分が良いことに気づきました。「この車に何かあったらどうしよう」とか「盗まれたらどうしよう」などと思わずに済むからです。今度はそれを活動に置き換えてみましょう。本当に有名なオペラ歌手になりたいですか？　時間をかけて練習を積まなければいけないことを考えれば、シャワーを浴びながら歌っているだけで十分に満足ではありませんか？

このリストから、あなたが本当にやりたいこと、欲しい物、一生のうちになりたいものの、上位十項目を抜き出してください。いま臨終を迎え、自分の一生を振り返っているとして、やらなかったことを後悔するようなものごとです。「ギリシャのアクロポリスをひと目見たかったのに、行かずに終わってしまったわ」とか。ところで、わたしはいままで、死の床でロレックスの腕時計を買いたかったと言った人の話は聞いたことがありません。通常、わたしたちは〝しなかった〟ことや〝言わなかった〟ことを後悔するものです――人を許さなかった、謝罪しなかった、愛する者と一緒に時間を過ごさなかった、一生に一度の機会を逃してしまった、など。そうとわかれば、山のようなお金を節約することができます。残った項目をすべて、あなたにとって価値が高い順番に並べ直しましょう。道徳的な価値の高さではなく、あなたにとって本当に重要なものということです。さあこれで、あなたが本当に望んでいるものがわかりました。それを一生の目標にして、今日から実現に向けて取り組みましょう。

自分が本当に必要とするものをはっきりさせて、それらを互いにすりあわせれば〈Tip 43〉、欲しいと思うものは以前よりぐっと少なくなることがわかると思います。わたしはこの本を書いているときに、これをちょっと違った形で試してみました。手近にあるものをあれこれ放り投げたいような気分のとき、気持を奮い立たせるために、この本の印税の前渡し金で買いたいものをすべてリストにしたのです（版元はおろかエージェントも見つかっていない時点でした）。かつての買い物中毒人間にしては、驚くほど控えめなリストができあがりました。美しい冬物のコート、茶色のカシミアセーターのアンサンブル、パティオ用のラウンジチェアと植物、デザイナーズブランドの眼鏡、リビング用の新しいラグマット。それぞれの品物にだいたいの価格も書き添えると、実際に出版社から引き合いがあるまで、リストのことは全部忘れました。再びそのリストを引っ張り出して、自分の欲しかったものを見たとき、わたしは驚きました。払うつもりだった金額よりもかなり低い対価で、そのほとんどをすでに手に入れていたからです。パティオのプランターは友人が、花は叔母が、新しいラグマットはいとこがプレゼントしてくれていました。茶色のカシミアのアンサンブルは、バーゲンで見つけました。でもあとになってカシミアはあまり好きでないことがわかりました。ちくちくするからです（思っていたほどすばらしいものではなかった、というのはままあることです）。キャメルの冬用コートは文句なしでした。まだ手に入れていないのはデザイナーズブランドの眼鏡ですが、いま持っているものもけっこう良いものだし、めったに使わないので、それほど欲しいと思わなくなりました。印税の前渡し金で買うものについては、あらためてリストを作ることにしました。

ちょっと時間をとって億万長者ゲームで遊び、自分の欲しいもののリストを書いてみましょう。

Tip 23 お金の流れ出す口をふさぐ

不足しないかぎりは、金がすべてではない。

――マルコム・フォーブズ

お金のことでコーチングをするとき、最もよく見かける誤解は、経済的な問題を解決するためのいちばん手早くて簡単な方法はもっとたくさんお金を稼ぐ方法を見つけ出すことである、ということ。だから来る日も来る日もだまされやすい人が「手早く儲かる」詐欺に引っかかるわけです。宝くじを買うのも同じ理由です。今度こそ大当たりが来てぼくの悩みは全部解決するぞ。こんな考え方がいけないのは、お金はたいていの問題の解決にはならないということです。宝くじ当選者を調査した研究では、当選の半年後に本人の人生に衝撃が来るそうです。同じ研究者は、たいへん興味深い別の集団を調査しています。最近事故に遭って下半身不随となった人々の集団です。宝くじ当選の半年後、もしくは下半身不随となった半年後、どちらの集団も幸福感のレベルが同じだったのです。つまりは宝くじに当選しても、幸福度は下半身麻痺になるのと変わりないということです。そう考えると、あなたの金銭的問題を解決するいちばん手っ取り早い方法は、あなたの金銭的問題を解決することなのです。何を言いたいかというと、なぜあなたがお金を使いすぎるのか、なぜお金に困る事態に陥るのか、その原因をつかむということです。それがわからなければ、余分にお金を稼いだところで、同じところから流れ出ていってしまうだけです。出口に栓をすれば、余分に稼いだお金はたちまちたまり、あなたの役に立ちはじめるでしょう。

典型的なお金の出口とはなんでしょう？　おもしろいことに、満たされない感情的欲求は、人に浪費をさせる典型的な原因です。わたしたちの文化では、もしも何かが必要なら、さあどんどん買いましょう、それで万事OK気分もよし、とメディアによってすり込まれています。残念ながらこれは幻想です。広告は、わたしたちの現実の欲求より感情的欲求に訴えかけています。ところが、感情的欲求を満たす唯一の方法は、その欲求とは本当はなんなのか究明し、それをかなえてやることだけです。お金がどれだけあっても、あなたの感情的欲求を満たすことはできません。これを回避する道はないのです。

例を一つご紹介します。リンダはシカゴに住む広告会社の重役で、とても野心的な女性です。標準から見ればかなりの高給取りでした。彼女がコーチングを受けはじめたころ、クレジットカードの借金は一万九千ドルを超え、給料が出ても毎回当座預金の借り越しを支払うだけで終わっていました。広く美しいアパートメントにひとりで暮らし、家賃は月に一、一〇〇ドル。高級品の趣味があって有名デザイナーの服や靴を身につけ、流行の先端を行っているところを顧客に見せるのが大事だと正当化していました。三四歳のリンダは、貯金といえば会社の退職金積み立てだけで、利息の高いクレジットカードの利用残高を減らすために、最近そこから借り入れをしました。彼女は綱渡りの生活をしており、そのため仕事に縛りつけられ、ストレスは最大になっていました。にっちもさっちもいかず、何か行動を起こさなければならないことは自分でもわかっていました。コーチングを受けはじめたとき、彼女は自分が浪費しているとはまったく思っていませんでした。自分に手をかける必要があると思っていたからです。美しいセーターや靴を新調するたびに、ほんのひととき、自分は特別だと感じていました。あいにく、高いお金を払って買った物も短命に終わってしまいます。リンダは買った物を一度も身につけないことさえありました。自分の物にするよりも、お金を使うことのほうに意味があったのです。

リンダは、自分が本当に必要としているのは大事にされていると感じることだと気づき、大金をかけずに大事にされている感覚を得られる方法を考えるようになりました。彼女に出したコーチングの課題は、喜んで彼女を大事にしてくれる人を五人見つけることでした。「わたしを大事にして」と人に頼むことを思うだけで、彼女は気後れしましたが、それが自分のかなえられていない欲求なのだと確信できました（自分の欲求を満たすために他人に頼みごとをするとき、気後れや心地悪さを感じなければ、その欲求はおそらくあなたに問題行動を起こさせる本当の原因ではないのです）。少し励ますと、リンダは母親に、この先一～二ヶ月間、週に一度電話をかけてわたしをどんなに愛しているか言ってほしいと頼みました。弟には、姉をほめるような言葉を入れて毎週ポストカードを送ってほしいと頼みました。恋人にも、週に一度は連絡をちょうだいと言いました。この課題のポイントは、極端に走ることです。大事にされたいという彼女の欲求を思いきってたっぷり満たすことで、もう買い物に走らないようにするのです。ご心配なく――一生こんなことを続けなければならないわけではありません。六～八週間ほど、自分の欲求が消えていくのを感じはじめるまでのことです。リンダはとことん大事にされているのを実感するようになると、おもしろいことに気がつきました。お店に入っても、どうしても何か買わなきゃという気持を感じなくなったのです。買い物したいという欲望は自然と消えていきました。リンダは、度を越した買い物は、もっと深い欲求が現れているだけだったのだと理解しました（たいていの異常な行動パターンには、その原因として感情的欲求があります）。大事にされたいという欲求をかなえるためには、いくら新しい靴やブラウスを買っても足りないと悟りました。本当に欲しいわけではないものが、いくらあっても十分ではないのです。

いまリンダは、ライフスタイルを少し変えようとしています。一ヶ月間、どんなに小さな買い物ももらさずに、お金を使った記録を詳細に残すことにしました。自分のお金の行き先を把握するためです。毎月決まってかかる費用（家賃、電気料金、ガス料金、食料品代、保険料）をすべて書き出し、不定の費用（外食、観劇、衣服購入、爪の手入れ代など）をすべて足してみました。リンダは、自分が服や靴に年間一万ドルも使っていることを知り、ショックを受けました。毎日の細かい出費がどんなふうに積もっていくかも理解しました。ランチ一回で五ドルから十ドル。サンドイッチと炭酸水をテイクアウトするだけでも、最低五ドルはかかります。一年にすると一、二〇〇ドル！　朝のコーヒーとベーグルは、一日にわずか一ドル五十セントですが、一年分となると三六〇ドルにもなります。リンダはライフスタイルを少しだけ変えることに決めました。昼食にはお弁当を持っていく、朝食は家でとる、季節ごとに一、二着だけ新調してワードローブを更新する。そして、もう少し狭い家を探すことも考えましたが、いまのアパートメントが好きなので、ルームメイトを募集することにしました。見つかったのはしょっちゅう旅に出る人で、こころよく家賃を分担してくれることになりました。多少の小さな変化だけで、リンダはいきなり毎月一、四〇〇ドルも浮かすことができました。一、一〇〇ドルは借金返済に充て、残りの三〇

○ドルは貯金します。リンダはこれまでになく自分の人生をきちんとコントロールしている気分になりました。彼女はもう一つおもしろいことを発見しました。以前は、彼女を救い出しにきて借金を全部返済してくれるような男性を待っていたのですが、借金を自分で返せるようになったいま、裕福で有能な男性をどんどん惹きつけるようになりました。人は、こちらが必要としなければかえって寄ってくるものです。輝く甲冑を身につけた騎士やお金持ちのお姫様が、人生を楽にしてくれるのを待っているあなた――まずは自分の財政状態を立て直してください。

Tip 24 借金を片づける

だから、あなたがたが俗世の富を任せられるほど誠実でなければ、だれがあなたがたに本当の富を委ねるだろうか。

――ルカの福音書、一六章一一節

過去二十年のあいだに、借金をすることが社会的に受け入れられるようになってきました。かつては、お金をためてから欲しい物を買っていたものでしたが、いまはそうではなくなっています。いま何かが欲しいから、つけで買って法外な利子をつけて返すのです。わたしたちの「いますぐ手に入れなきゃ」文化のコストは高くつきます。これは利子の話をしているのではありません。問題の根はずっと深いところにあるのです。借金を背負うとストレスがたまります。借金をすることや、買い物にクレジットカードを使うことにあまりにも慣れてしまって、どんなにきついストレスなのか気づきもしないのです。借金から完全に抜け出すまでは、それがどれほど肩の荷が下りることか実感できないと思います。いまはただすてきな夢想のように思えるだけでしょう。

わたしが大学を卒業して最初の仕事を始めたとき、すでに両親よりも大金を稼いでいて、生まれて初めてリッチな気分になりました。わたしはすぐに五種類のクレジットカードをつくりました。毎週のようにクレジットカードの請求書が届くようになり、わたしはびくびくしながら封筒を開けたものでした。いくらになっているか正確にはわからず、いつも思っていたより多いので少しショックでした。そういうことすべてがどれほどのストレスか、借金をすべて返済するまでまったくわかっていませんでした。この多額の負債をすべて返済するのに二年かかりました。いまはクレジットカードを使うときは、必ず月ごとに全額返済しています。

借金というものは、ストレスがたまりエネルギーを無駄に使ってしまうため、自分がベストな状態でいることも、欲しい人や機会を引きつけることも、たいへん難しくなってしまいます。借金がないときには、のんきで明るいのが自然な状態です。しかし、借金の重荷を背負ってしまうと、リラックスしたり楽しんだりするのが簡単ではなくなります。金銭に関する経験では右に出るものがいない、とある銀行の副頭取は、常に数千ドルのクレジットカードの負債を抱えていながら、そのことが念頭にのぼることはありませんでした。彼女はわたしのセミナーを受けて初めて、負債は思っていたよりも自分に負担をかけているのかもしれないと思うようになりました。彼女はただちに投資していたお金を引き上げて、借金をすべて返済しました。あとになってわたしに電話をかけてきて、気分がずっと軽くなり、自由になったと感謝してくれました。この小さな行動で拍車がかかり、彼女は何年もやりたかったのに延び延びになっていた別件にも手をつけました。ずっと欲しくてたまらなかった、桜材の寝室用家具セットをついに購入し、家のリフォームに取りかかったのです。普通であればクレジット払いにするところですが、彼女は新しく借金を背負い込まないように、貯金を使いました。もちろん、誰もが借金を即座に返せる貯金を持っているわけではありません。わたしも持っていませんでした。時間はかかるかもしれませんが、返済スケジュールをきっちり守っていれば、やがて必ず借金から解放されます。

わたしのクライアント、バーバラの例を引いて、わたしが言いたいことを説明しましょう。バーバラは買い物が大好きでした。もしもお金持ちだったら、気兼ねなく買い物ができるし、二度とお金の心配をしなくて済むし、幸せになれるのにと思っていました。そこでバーバラはもっとお金を稼ぐことに時間を費やし、そこそこの給料がもらえるという理由で好きでもない仕事にしがみつき、稼いだお金をあれこれ買い物したせいで高額になったクレジットカードの支払いに充てていました。すべてのカードを限度額まで使い、当座預金もすべて使ってしまったとき、バーバラはこれはちょっと問題だと思いはじめました。彼女はどこかの裕福な男性と恋に落ち、借金すべてを一挙に支払ってくれる夢を見ていました。やがてとうとう地元の銀行から融資を受けることもできなくなって、いい加減に夢を見るのはやめ、この悲惨な状態から抜け出す方法を考えなければと思いました。

わたしたちはバーバラに合った借金返済プランを立てましたが、彼女はすっかりやる気をなくしていました。いまのカード返済のペースでは、利子だけで何千ドルも払うことになり、しかも七年もの期間がかかるからです。わたしは彼女に、心配しなくてもいい、このプランをきっちり守っていれば、そんなに長くはかからない、と言いました。まずは借金返済ではなく、問題の根元をつかむことでした。バーバラが買い物で満たそうとしている、いまだかなえられない欲求とはなんでしょう？　その正体をつかみ、欲求をかなえる方法を見つけ出せば、もう買い物に行く必要はないとわかったのです。その欲求とは、人に認められたいということでした。バーバラは高校時代以来久しぶりに、お店に入っても何か買わなきゃいけないという気分になりませんでした。これは大きな進展です。以前なら、メモ帳一冊、マニキュア一瓶といった小さな品物であっても必ず何かしら買っていました。もし自分が本当に必要とするものが何か、ちゃんと考える時間を取らなかったら、彼女はいまだに買い物と借金を繰り返していたことでしょう。自分が何を必要としているか、どうすればそれらを満たせるかをはっきりさせましょう。そうすればあなたの人生は変わります。

借金の返済は、財政的クッションをつくるための基本です。返済するうちに身につくスキルと習慣は、蓄えをつくるために必要なものとまったく同じものです。やる気をなくさないでください。必ず自分が望むものを楽に引きつけられるようになります。

Tip 25 マネー・ダイエット

豊かさは、所有することではなく、多くを求めないことにある。

――エスター・ド・ワール

お金で幸せを買うことはできない――この消費社会では忘れてしまいがちなことです。でも、最新の研究で、わたしたちが考えていたよりも事態は悪いかもしれないことがわかりました。《ニューヨーク・タイムズ》掲載の、アルフィー・コーンによる記事「豊かさの追求――その代償は高い」によれば、「より多くの物を所有しても満たされないことが証明されているだけでなく、豊かさが人生において優先事項になっている人々は、著しい不安と憂鬱を感じ、全般的に幸福度が低い傾向がある」そうです。その記事に名前をあげられていた心理学者たちは、「他人とのつながりを感じていたいというような、真の人間の欲求を反映した目的を追い求めることは、自分を他人に印象づけようとしたり、最新流行の衣服や高級ガジェット、それらを買い続けるためのお金をため込もうとしたりして人生を過ごすより、心理的な面で有益である。後者の追求は、より有意義な何かを埋め合わせようとして代償を用いているということかもしれない」ということを発見しました。ドクター・リチャード・ライアンは「形ある物に満足を求めようとすればするほど、そこにはないことがわかってくる……。満足はつかの間の繁栄であり、はかないものである」と結論づけています。ここで強く主張されているのは、本質をはずれた物質的な目標を捨て、より良い人間関係を築くことと、より良い人間になることに集中しようということです――それがこのコーチング・プログラムの核心です。さらには、あなたが自分の感情的欲求を見極め、満たしていくうちに、浪費の欲求は減少するでしょう〈Tip 43〉〈Tip 44〉。しかしながら、コマーシャリズムの誘惑は否定の余地なく強力なので、浪費癖を断ち切り、もっと深い人生の楽しみを発見するためには、何か思い切った行動をとる必要があるかもしれません。

浪費癖を断ち切る最も手早い方法に、マネー・ダイエットがあります。三十日間、お金を使うのをやめるのです。トイレットペーパーや歯磨き粉や食料品などの生活必需品以外、絶対に何も買わないことにします。他の買い物はすべて延期してください。買いたい物のリストをつくるのはかまいませんが、三十日間は**絶対に何も買わないで。**食料品を買いに出かけるのはせいぜい週に一度にします。レジの横でガムや雑誌を買ったりしてはいけません。いちばん良いのは、マネー・ダイエットを始める前に、当面の生活必需品をすべて購入しておくことです。もしも誰かの結婚式や誕生日が近づいてきて、贈り物を用意することになりそうなら、それも前もって買っておきます。そうやって、お店に入る誘惑を減らします。お金に困っていないかぎりは、家政婦やアシスタントなどを雇っておくのはかまいません。金銭的な原因によるストレスの最初のサインを感じたら、あまり必要ではない費用をすべてカットしましょう。そうすればずっと気分がよくなります。財政状況が好転したときに、いつでも再開すればいいのです。

レベッカは三人の子どもがいる専業主婦で、かなりの買い物好きでした。けれどもマネー・ダイエットの話には興味をそそられました。かなりの難題です――本当に一ヶ月間余計なお金を使わずに暮らしていける？　定期的に買い物をせずにはいられない人にとっては大きな進展となるでしょう。彼女はマネー・ダイエットを試してみて、浪費は、手早いけれどまったく創造的ではない、問題解決策なのだと気づきました。浪費は中毒に転じやすい習慣です。レベッカは上手に無駄使いせずに過ごし、これまで気がつかなかった豊富なリソースをいろいろ見つけています。本を買えないので公共の図書館へ行きました。彼女は本を借り出し、家で読み、返却しました――まったくの無料で。これで問題が二つ解決しました。本を買っていた分、月に八十ドル浮かすことができました。それに、買った本をしまう場所を探さなくてもよくなりました。娯楽の面では、一回八ドルの映画に行けなくなりましたが、図書館から無料でビデオを借りることができます。ＣＤやレコードまで借りられます。図書館では一五ドルで売られていたキャンバス地のバッグを危うく買いそうになりましたが、本を運ぶのはスーパーのビニール袋で十分と思い、お金を使わずに済みました。

それに、子どもたちの朝食に手軽にベーグルやマフィンを買ってくることもできなくなったので、家で手作りすることにしました。しかもずっと健康的な、そば粉のパンケーキと生の果物です。これが楽しい家族の習慣になり、レベッカはわが子たちが健康的な朝食をとっていると思うといい気分でした。彼女はなんでもかんでもお金を使えばいいわけではないのだと、だんだんわかってきました。

エクササイズはどうでしょう？　ヨガの講座を受けたいと思ったレベッカは、ジムで週に一度開催される無料のクラスを発見しました。図書館で無料でヨガのビデオを借り、子どもたちも巻き込んでしまいました。外食して映画を観る代わりに、サンドイッチをつくって、夫と一緒に浜辺をゆっくり散歩します。人生についてたっぷり話し、プランを立てる時間ができて、夫婦関係も良くなりました。やはり子どものいる友人と、週に一度お互いに相手の家のベビーシッターをして、シッターを頼む費用を浮かしました。

レベッカは家にペットがいたらいいなと思いました。ペットショップで買う代わりに、ご近所さんの飼い猫と仲良くなりました。猫は甘えたい気分のときに戸口にやってきてにゃあと鳴きます。レベッカは一五分ほど猫の耳のあたりをかいてやり、お互い満足です。何よりも、猫のトイレの後始末をする必要がありません。同じご近所さんの家には犬も二匹いて、レベッカの子どもたちが犬を散歩に連れ出したり、一緒に遊んだりするのを喜んでくれます。たとえペットをただで手に入れたとしても、飼うための費用は、予防接種、えさ、鑑札、シャンプーなどで、年に二千ドルにもなります。

マネー・ダイエットを続けることで、レベッカは人生のシンプルな喜びと触れ合うことができました。マネー・ダイエットをやっていなければ出会えなかった、あらゆる種類の自由ですばらしい活動を見いだしました。それに、クリエイティブな解決策を思いつくのは楽しいことだと知りました。最初の月、あまりにも楽しかったので、もう一ヶ月続けて他に何が身につくか見てみようと思ったほどでした。ああ、忘れていました――レベッカはこのダイエットで五〇〇ドルを節約したのです。食事のダイエットをしたことのある人には、マネー・ダイエットはたやすいことでしょう。

浪費癖を断ち切ってしまえば、節約の喜びに出会えます。余分なお金は、持っていてとても良いものです。やりたいことをするための自由や自立の感覚とともに、安心感も得られます。そういう感覚を望まない人はいませんよね。

Tip 26 得るに値するものを得る

わたしは一ペニーのために「人生」と取り引きした
「人生」はちょうどそれだけしか支払おうとしなかった
わたしはごくわずかな貯えを数えて
夕暮れに物乞いをした

「人生」は公平な雇い主なので
あなたが求めたものを与えてくれる
だがいったん賃金を取り決めたら
もちろんあなたは務めを果たさなくてはならない

わたしは奴隷なみの給料で働いた
そして真実を知って愕然とした
わたしが「人生」にどれほど高い賃金を求めたとしても
「人生」はそれを支払ってくれるはずだったのだ

――ジェシー・ベル・リッテンハウス

出費の切り詰めを終えたいま、今度はお金の方程式の後半に取り組みます――収入を増やすのです。誰かに雇われて、もしくは会社に勤めているのなら、昇給を願い出てみましょう。自営業ならば、自分の給料や報酬を引き上げるか、新しい製品やサービスを追加することも可能でしょう。すでに標準よりも多い稼ぎのある人なら、夜間のアルバイトで収入を増やす方法もあります。

昇給を願い出る方法からスタートです。まずは少々調査をして、同種の会社であなたと同じ仕事をしている人がどれほど稼いでいるかを調べましょう。国内の平均給与についてはは多くのビジネス雑誌に掲載されています。町の図書館でそういう雑誌を見てもいいし、別の会社にいる友人に電話をして尋ねてもいいでしょう。もしかしたら自分の給料が相場に届いていないことがわかって驚くかもしれません。平均以上の金額を稼いでいるとわかっても、昇給の申請を思いとどまることはありません。優秀な社員は、雇っておく価値があるのですから。

二番目に、過去半年〜一年間の自分の実績をすべて書き出し、リストにして清書しましょう――〝現在までの実績〟として。なぜ昇給に値するのか、十分な論拠を用意する必要があります。できるだけ多くの具体的な数字を使って、自分の仕事によってどれほど業績が改善したか示しましょう。自分がかかわったプロジェクトや委員会、それにその結果を引き合いに出します。あなたがしたことを何もかも上司が覚えていてくれるわけではありません。自分がしたことでさえしょっちゅう忘れることを思えば、複数の従業員を監督する立場にある上司が、あなたのしたことをすべて思い出せないのも想像できるでしょう。多くの従業員にとって、四半期ごとに自分の実績を書き留め、そのコピーを自分のファイルに保存しておくのは道理にかなっていることです。そうすれば、上司があなたの評価を書くときに、あなたのメモをすべて直接参照できます。失敗は決してメモに含めないこと。上司はあなたに責任があることを忘れてしまっているかもしれませんし、わざわざ思い出させることはありません。あくまでポジティブな事実のみにとどめてください。

多くの企業は、従業員に自己評価を書かせる方針を持っています。改善事項に関する部分では、十分に注意してください。誰も気がついていないかもしれない欠点をわざわざ教えてあげなくてもよいのです。あいにく、現実の成果ではなく、主観による成果に基づいて給与が決められることがほとんどです。何も墓穴を掘ることはありません。いっぽうで、向上を心がけていないように見られてはいけません。間違いないのは、さらに自分を高めたいと思う分野を話に出すことです。たとえば、総務系の仕事をしていて、今度はセールスの仕事を覚えたいなら、その部分を改善を要する点として書き、研修を受けてセールスのスキルを伸ばす機会をリクエストします。これであなたはたいへん進取の気性に富む社員に見えます。大企業ではかなり早い時期に給与計画を立てます。これはつまり、あなたが給与を受け取る時点より九ヶ月〜一年前に、上司があなたの昇給を判断するということです。自分の成果を少しでも早く上司に告げたほうがいい、何よりの理由です。

三番目に、上司向けのメモを書き上げたあと、あなたの実績についてじかに話し合う機会をリクエストしましょう。会社がすでに四半期の実績再評価を終えているならしかたありませんが、上司からフィードバックをもらわずに四半期を過ごしてはいけません。自分が確かな方向を向いていること、会社の期待に応えていることを確認してください。それを尋ねずして知るすべはありません。もしも期待に応えていないのなら、コース修正ができるように、一刻も早くそれを知るべきです。その場合は、自分の問題のある分野における改善点をできるだけ早く文書にして、そのことについて上司と話し合う機会を持ち、今後はしっかりやりますと断言しましょう。

四番目です。自分の欲しいものを要求しましょう。優秀な社員であれば、業界平均より多く稼いでしかるべきです。欲しいものは手に入らないかもしれませんが、せめて要求はするべきです。たいていの人は昇給を求めるなんて怖くてできませんから、これであなたは特別なカテゴリーに入ることになります。上司が部下たちに分配するお金の量を検討しているとき、大きめのパイの切れ端を手に入れる可能性が高いのは誰だと思いますか？自ら求め、具体的に主張をする人は、同じように一生懸命働いてはいても自分の主張をしない人よりも、ずっと昇給を受けやすいのです。

これらが昇給を求めるときのちょっとしたこつです。今度は、あなたが自営業だったらどうなるでしょう？収入を増やす方法はいろいろあるかもしれません。最も簡単で、なおかつ真っ先にやるのは費用を切り詰めることですが、それはすでに済んでいるので、あなたのビジネスにおける価格や料金を引き上げるのが妥当と言えるでしょう。わたしはクライアントたちに、市場性のある範囲で高い料金を請求し、業種によって毎年もしくは半年ごとに、その料金を引き上げるよう勧めています。そのためには、たびたびサービスの価値を高める必要があるでしょう。または既存の顧客は旧料金のまま、新しい客には新料金を請求する方法もあります。それはやはりビジネスのタイプ、市場相場、サービスのレベルによって変わります。

副業を持つのはどうでしょう？　余分なお金を稼ぐには良い方法ですし、しかもふだんと違った分野で経験を積むことができます。現在の仕事に満足してはいないけれど、かといって自分は何を楽しいと思うのかよくわからないという人は大勢います。副業は、ビジネスのアイデアを試したり、興味のある分野で一時的に働いたりするには安全な方法と言えるでしょう。ただし、やりすぎないように注意してください。副業に時間とエネルギーをたくさん費やしてしまい、本業に差しつかえる人を見かけます。人事課に電話をかけて、社員の副業に関する社則を確認し、必要であれば許可を得ましょう。複数の会社で働くことは利害の衝突になるかもしれず、無意識のうちに現在の職を危険にさらす可能性もあります。副業の時間をどうひねり出すか考えている人は、まずテレビのスイッチを切ってみてください。平均的なアメリカ人は週に二十時間以上テレビを見ています——副業をするには十分な時間です。

収入を増やすための独創的な方法は他にないでしょうか。創造力を働かせれば、趣味で多少の副収入を得られる可能性があります。ダンスが大の得意で、夜になると出かけてダンスを楽しんでいる？　ダンス講座を開くとか、個人レッスンをすることなどから始めれば、対価を得ることができるかもしれません。あなたに生まれつき備わっている力の一つを応用してみてはどうでしょう。散らかったものを片づけるのが大好きという人は、プロのお掃除アドバイザーとして収入が得られます。セールスに関して天性の才能を持ち、訪問販売が好きで広いネットワークを持っている人でないかぎり、マルチ商法には近づかないでおきましょう。たいていの人は、まともにお金を稼げるだけのセールス手腕など持たないものですし、せいぜい二〇〇人ほどの友人や同僚を利用してしまえばもう見込みはありません。あなたも自分の収入が増やせそうな方法を、十通り書き出してみましょう。

Tip 27 予備金の口座をつくる

金の欠乏は諸悪の根源。

——サミュエル・バトラー

金はあなたを幸福にはしないが、神経を鎮めてくれる。

——ショーン・オケーシー

わたしの以前の考えでは、予備金の口座とは、まだ利用残高に余裕があるクレジットカードのことでした。会社の給与天引き退職金積立金の他にはまったく貯金がなく、その積立金からローンを引き出すほどでした。貯金をするということの利点がまったくわからなかったのです。利息など微々たるもの。貯金するより何かに使ったほうがずっと楽しい。だったらなぜわざわざ貯金なんかするの？

現金で予備金を持つのは、なかなか不思議な感じがします――実際に持ってみなければその感じはわからないでしょう。一度体験してしまうと、二度と古いやり方には戻れない、そういうことです。わたしの場合、最初の貯金の目標は、半年間の生活費を金融口座に持つことでした。マンハッタンの場合、だいたい一万五千ドルです。ずいぶん大金で何年も貯金しないと不可能な額に思えますが、わたしは一年で達成しました。お金は予測していないところから入ってきたのです。会計士が税金還付を発見したことと、わたしの販売チームが毎四半期に目標額を達成したためボーナスがもらえたことです。それに加え、わたしは自動積立預金を契約し、毎月給料を手にする前に五〇〇ドルが自動的に天引きされました。さて、予備金口座の目的は、新しい車を買うことでも、ヨーロッパ旅行でも、デパートで思い切り散財することでもありません。そういうもののためには、別の口座を用意してください。予備金口座とは、人生という道での思いがけない衝突から、自分を守るための蓄えです。

ヨーロッパ旅行に使えないのなら、このお金はいったいなんの役に立つのかと思う人もいるでしょう。それは、四つのタイヤが一度にパンクしたときのためです。滑って転んで腰の骨を折ったおばあちゃんに会いに行くとき、航空券を買うため。お金の心配をせずに必要なことができれば、つらい時期を切り抜ける助けになってくれます。

半年から二年分の生活費を蓄えておけば、自営業でも会社員でも、仕事においてたいへん有利です。貯金を持っている人は、困った客と仕事をしなくて済む確率が高くなるのです。わたしは自分のクライアントを全員調べて、理想的なクライアントのプロフィールをつくりました。これで仕事の相手として最適なクライアント候補者を見極めることができます。蓄えをたっぷりと持つ自営業者は、理想のプロフィールに合わないクライアントにお引き取りを願い、その人の個性やニーズにもっと適した誰かを紹介することができます。もしもお金に困っていたら、どうしても自分の基準に妥協をしてしまい、来る人を拒まずという状態になりがちです。

もしあなたが会社員なら、境界線〈Tip 05〉を強化して自分の基準を維持することができるでしょう。最悪の場合、いつでも会社を辞めて他の仕事を探せるとわかっているわけですから。お金の蓄えは、あなたの自信の鍵です。クレジットカードの負債のせいで、仕事の囚われの身となった気分を感じているクライアントを、これまで大勢見てきました。たいてい、上司が境界線を越えてきても何も言えないクライアントと同じ人です。皮肉なことに、昇給をアピールすることもできません。もうおびえながら生きるのはやめて、貯金を始めましょう。

現金を蓄えれば、心に平安と安心感がもたらされ、成功を引きつけやすくなります。肩の力が抜けて自信がみなぎり、不安や気がかりが減ります。せっぱ詰まった状態でも品良くふるまうのは魅力的なこと。貯蓄があると、品良くふるまうのが楽になるのです。わたしの話を信じなくてもかまいません――わたしの話を理解するには身をもって体験する必要があるからです。

Tip 28 収入の二十パーセントを貯金する

わたしは金持ちになりたいと思うが、そうなるためにするべきことを、したいと思わない。

――ガートルード・スタイン

たいていの人は生まれつき、倹約家か浪費家か、どちらかの傾向があるものです。安心してください、生まれついての性質がどちらであっても、それを変えることができます。しかし、そうするにはそれなりの理由が必要になるでしょう。わたしのクライアントのルーはたいへんな浪費家でした。アンティークを買うのとバーゲンで掘り出し物をあさるのが大好きでした。彼は貯蓄の要点がよくわかっていませんでした。あとで何か買えるように貯金するんじゃないのかい？　倹約家はここのところで唇をわなわなと震わせるでしょうが、これは当時の彼の基本的な見解でした。行動は考えにならいますから、ルーにクレジットカードの負債があり、蓄えがまったくなかったことも驚きには値しません。彼は当座貸越枠を使い切っており、給料が出てもその返済に吸い取られるだけでした。

これが変わったのは、わたしが財政的自立の概念を彼に説明したときでした――生活のためにあくせく働かなくてもいいように、十分なお金か滞りない収入を持とうという話です〈Tip 29〉。なんと魅力的なアイデアなんだろう！　ルーはそんなことが可能だなんて考えたこともありませんでした。もともと彼は裕福な家の出身ではなく、事業やお金を相続する予定もありません。そこそこの給料をもらっていますが、それ以上にお金を使っていました。ルーは財政的自立とは〝別な世界の人々〟の話だとずっと思っていました。それに対し、彼はいつでも生活のために働かなければなりません。ルーのものの見方が大きく変わりました。彼は生まれて初めて、心に訴えかけてくる貯金の理由ができたのです。生活のために働かなくてもいいという、自由と安心が欲しいと強く思うようになりました。

財政的自立へ至る鍵は、まず現在の純所得の二十パーセントを貯蓄することです。給料か当座預金口座から自動的に引いて、投資信託会社か安全な投資にまわします。あなたはいま財政的自立に向かっています。それこそ貯金をする甲斐がある目標です。費用を二十パーセント切り詰めるか、収入を二十パーセント増やすか。それよりも、そのどちらも実行すれば、二倍の速さでゴールへ到達できます（手始めは費用を切り詰めることです）。

わたしの同僚のひとりで、いま五十代後半の男性は、一八で初めて仕事についたとき、収入の八十パーセントで十分に暮らしていける、残りの二十パーセントは貯蓄すべきだと考えたそうです。彼はその二十パーセントをこつこつとため続け、その結果なんの苦労もなく、副業もせずに、いまや億万長者となっています。必要だったのはたったそれだけ。純所得の二十パーセントを貯蓄にまわしただけなのです。

安全に、自由に、確実に、高額の支払いを受けられるのですから、二十パーセントを貯金するためにライフスタイルを少し変化させるだけの甲斐は十分あります。二十パーセントを貯蓄にまわすなんて無理という人は、まず十パーセントから始め、だんだん二十パーセントに近づけていきましょう。利率がいちばん良いところを探して、細かいことは気にしなくても済むように、銀行に自動積立預金口座を開設します。そうしたらそのことは忘れて肩の力を抜きましょう。自らの将来に対してきちんと備えをしているわけですから。

Tip 29 財政的自立を賭けて勝負する

豊かさも知った、貧しさも知った。信じて、あなた、豊かなほうがいい。

――ソフィー・タッカー

半年分の蓄えができあがり〈Tip 27〉、純所得の二十パーセントを貯蓄にまわす〈Tip 28〉習慣が身についたら、財政的自立を賭けて勝負をしましょう。これをゲームと考えて、様子を見るのです。もしもこれまでのステップを完了させていないなら、そんなことはとてもできないと感じるかもしれません。その場合はこれは飛ばして、あとでまた試してください。財政的自立とは、もう働かなくてもいいくらいのお金を持っている、またはなんらかの収入源があるということを意味します。利子でゆったり生活できます。働くとしたら、それはあなたの選択です――純粋に楽しみのために働くのです。これはやりがいのあるゲームです。失うものは何一つないかもしれません――借金の山以外に。

第一歩は、誰でもこのゲームができると理解することです。このゲームをするために収入を増やしたり、遺産を相続したり、お金持ちの家に生まれたり、宝くじで大当たりする必要はありません。第二に、財政的に自立するためには実際にどれほどのお金が必要なのかはっきりさせます。たいていの人はこの数字を高く見積もりすぎて、何百万ドルの単位で考えます。でもわたしはぜいたくに暮らす話をしているわけではありません。

財政的自立への途上にいるだけで、より良い機会を引きつけられるようになります。まもなく他の蓄財プランで投資できるほどお金が手に入ったりするでしょう。わたしは録音テープのプログラム *Irresistible Attraction: A Way of Life*（否応なく引きつける力――一つの生き方）をつくりました。もしも予備金がきちんと用意できていなければ、そんな投資をする気にはならなかったと思います。仕事は一度やっただけですが、いまはテープを売るたびに利益が出ます。お金がもうかるというだけでなく、他の点でもいいことがあります。テープを気に入ってくれた人は、たいていワークショップに参加したい、コーチングを受けたい、と考えるようになるのです。このオーディオ・プログラムはクライアントになる可能性のある人々に、わたしの会社が何をオファーするのか、だいたいのところを安価に伝える方法になっています。

余分なお金を持つことのもう一つの利点は、これまでより大きなことを考えられるようになるという点です。

考えたことは行動につながりますから、何か思い切ったことができるかもしれません（一攫千金をうたうプログラムや、マルチ商法には手を出さないこと。こういった話に巻き込まれる人のほとんどは、高額な借金を抱えていたり、しばしば低所得者であったりします。そういったプログラムの多くが、そこ――絶望と強欲の絶妙なコンビネーション――につけ込んでいます）。

財政的自立に必要な金額が二五万ドルと仮定します。どうやったらそこに到達できるでしょう？　一日一〇〇ドルを余分に稼ぐか節約するかの方法を編み出せば、十年で達成できますし、しかも週末は休めます。副業や夜間アルバイトを始めたり、給料の良い仕事につくための教育や訓練を受けたり、諸経費を五十パーセント切り詰めて、貯金を運用したりする手もあります。もしくはいま挙げたものをすべて実行すれば新記録で達成できるでしょう。これは最先端のテクノロジーではなく、ねばり強くこつこつと節約をして積み重ねていく話です。キーワードは〝着実〟です。

単独の預金口座か投資信託の口座を開設して、それを財政的自立の口座と呼ぶことにします。一日に貯蓄にまわせるのがせいぜい十ドルだとしても、財政的自立ゲームを始めましょう。始めてしまえば、いろいろなアイデアが湧いてきます。それから、お金をためるための最短の近道は、費用の削減だということを覚えておいてください。単に無駄な出費を抑えるほうが早いし簡単なのに、たいていの人はお金を稼ぐほうに執着しがちです。家賃、住宅ローン、自動車ローンなどの高額な固定費に注目してください。わたしのクライアントである六十代前半の女性とその夫は、子どもたちが成長して巣立ったいま、大きな家を売って、夫婦の暮らしにちょうどよい小さめの家を建てています。住宅ローンを精算し、新しい小さな家を細かく注文して建てても、まだ貯蓄にまわせるお金が残ります。すばらしいアイデアですね。規模の縮小は苦難だという考え方にとらわれないようにしてください——コストの削減であなたの生活の質が改善することも多々あるのです。そのクライアントと夫は、新しい家は維持がとても楽になりそうだと、たいへん喜んでいます。

一日に一〇〇ドル浮かすことができなくても、心配しないでください。小さく始めることに不都合はまったくありません。ランチに外食して五ドルを使う人なら、お弁当を持っていって、その五ドルを財政的自立の口座に入れましょう。塵も積もれば山となります。

もう一つ良いことがあります。財政的自立の目標額に到達する以前から、成果は出はじめています。自分が着実にゴールに向かって行動している、財政的自立を目指す計画を実行中である、と意識するだけで、お金に関するストレスと不安は激減するでしょう。老後の自分の世話を家族に頼る必要がなくなるので、年を取るのが怖くなくなります。いつでも使える予備金があるとわかっていれば、危機に直面してもあわてず安心していられます。これは人生に望むものを自分に引きつけるためには不可欠なことです。住宅ローンの支払いを気にせずに「こんな仕事、誰がやるもんか」と言えるおかげで、自信は増すでしょう。あなたは雇用者の目にいっそう魅力的に映ります——あなたはその仕事をする必要はないのに、その仕事が好きだからやっているということだからです。このゲームをすることで、失う物は何もなく、得る物は多大です。

Tip 30 自分のものを守る

嵐が迫っているとき、神に祈る必要はないが、保険はどうしても必要だ。

——ベルトルト・ブレヒト

マーフィーの法則によれば、保険に入るとそれが必要となることはなく、入らなければ災害に見舞われます。わたしは、しっかりした医療保険に加入していない人の数に、いつも驚いています。保険料が高いことは知っていますが、バスに轢かれるのも高くつくのです。冗談を言っているのではありません。わたしの友人は最近バスに轢かれ、命は助かりましたが、ひざの骨を折り、前歯を失いました。彼女は幸運でした。厄災に見舞われたけれど、保険に入っていたからです。また、厄災は保険と保険の合間をついて襲ってくるものです。あるクライアントはアパートメントを移ったときに、借家人保険の契約をする時間がありませんでした。彼は押し込み強盗に入られ、何千ドルもの電気製品と、先祖から伝わるかけがえのない宝石を失いました。

借家人保険と住宅所有者総合保険は必須です。手厚い医療保険も必須です。生命保険は必須ではありません。あなたが思いがけず亡くなったときにまとまった大金が必要な子どもや配偶者がいたり、共同経営者のいるビジネスをしていてその人の資産に頼っていたりする場合は別ですが。その人が亡くなった場合、ビジネスを買い取ることができますか？　共同経営者がビジネス投資をカバーする生命保険に入っていることを確認しましょう。終身保険、ユニバーサル保険、変額保険はたいていはお金の無駄です——定期（掛け捨て）にしましょう。定期生命保険は死亡保障のみで、解約返戻金の蓄積はありません。解約返戻金付きの保険だと、たいていのケースでは初期の保険料の大部分が販売代理店と諸経費につぎ込まれるので、保険料の差額を自分で投資に充てるほうがよいでしょう。貯蓄に関する自分の能力に自信がなく、死んだときに確実に家族にお金を遺したいのなら、終身保険などが必要になるかもしれません。しかしながら、ケミカルバンクの頭取でプリンストン大学の経済学教授であるバートン・G・マルキールは、投資に関する傑作『ウォール街のランダム・ウォーカー』*A Random Walk Down Wall Street*（日本経済新聞社）の中で、もし貯蓄する規律正しさをお持ちであれば、一年ごとの健康診断をしなくても保険が更新し続けられるように、更新可能な定期保険を契約しなさい、と勧めています。「いわゆる逓減定期保険は、保険金額をしだいに低くして更新できる商品で、多くの家族に最も適している。というのも時間がすぎるにつれ（子どもたちが成長し、家族の財産が増えると）通常は保護の必要が減るからである」。マルキールは注意を促しています。「定期保険の保険料は六十歳か七十歳を越えると急激に上昇する。その時点でまだ保険が必要な場合、定期保険が法外に高額になっていることがわかるだろう。しかし、その時点での大きなリスクは、早死にではない。長生きしすぎて財産を使い果たしてしまうことだ」。もちろん、保険料は会社によってまちまちなので、時間をかけて商品を検討し、いちばん良い条件を探しましょう。

保険のどういうところが、あなたの求めるものを引きつけることと関係があるのでしょうか。それは、心の平安です。それに、懸命にためた予備金を不必要に失いたくはないですし。

アリゾナ州フェニックスで単発機が墜落し、保険がかけられている美しい家々がたくさんある中、よりによって一軒の無保険の家に落ちました。パイロットは緊急脱出し、その家は留守だったので誰ひとり怪我をせずに済みました。しかし、住宅ローンにもともと付属していた住宅所有者総合保険は無効になっていました。住宅ローンの支払いが終わっていたからです。小型飛行機の所有者も保険に入っていませんでした。家は黒こげ状態で何年も放置されました。家の所有者はまったくついていませんでした。惨事を招かないための最も良い方法は、保険に入ることです。

何よりも大切な保険のことを忘れてはいけません――それはあなたの子どもや財産を遺言書で、もしくは取り消し可能な生前信託で守ることです。万が一あなたと配偶者がともに亡くなった場合には、自分の子の後見人を法的に指名していますか？　考え得る最悪の惨事に備えましょう。わが子がちゃんと面倒を見てもらえるとわかっていれば、よりリラックスできます。信託や遺言書についてのあれこれは、良い代理人かＣＦＰが助けになってくれるでしょう。たとえあなたが独身でも、万が一植物状態になってしまったときに、永遠に生命維持装置をつながれて生かされ続け、財産を使い果たすことのないように、生前遺言を書くべきです。

また、大切な書類を守ることも忘れないでください。わたしたちはたいてい、大切な書類や貴重品を保管する方法を独自に持っています。家の権利書は書き物机の引き出しに。金貨はセーター類の下の飾り箱に。パスポートはファイル用の引き出しに。これでもよいのですが、水道管が破裂して、段ボール箱に書類がすべて保管してある地下室が水浸しになったり、火事になったり、大木が倒れてきて家が壊れたりしたら……。貴重な書類はどうなってしまうでしょう。雷が落ちてくるまで待たないで。カレンダーにしるしをつけて、貴重品を守るために土曜日の午前中を確保しましょう。もし在宅でビジネスをやっているなら、仕事の書類や大切な記録をすべて同じように保管します。あるクライアントは、賢明にもディスクにバックアップコピーをつくっておいたおかげで、コンピューターがクラッシュしたときに七〇〇〇人分の名前、住所、電話番号などが載った顧客データベースを失わずに済みました。そういった死活にかかわる情報は保存されていたのです。バックアップして、さらに予備のバックアップをとり、万が一あなたの家が全焼したときなどに備えて、貸金庫など安全な場所に保管しましょう。

最初のステップは、貴重な書類の写しをつくることです。車の権利書、不動産権利書、賃貸借契約書、法的書類、遺言書。財政関係書類としては、銀行預金口座の番号、クレジットカード、投資関係、ローンの書類、損害保険証書、生命保険証書、パスポートなど。これらすべてのコピーをつくって、原本とは別な場所に保管します。原本は家庭用の耐火金庫か、銀行の貸金庫（小さいものなら年間二五〜三五ドル程度で借りられます）に保管しましょう。頻繁に旅をする人なら、パスポートは家に置いて、コピーを金庫に入れる必要があるでしょう。

ものはついでに、貴重な所持品の全目録をつくりましょう。金貨、アンティークの衣装だんす、おばあちゃんのダイヤモンドの結婚指輪、コンピューターやテレビやステレオなどの電気製品でシリアルナンバーがついているもの、などなど。それぞれの品物のおおよその価格をリストにし、証拠としてレシートを取っておきます。もしレシートがなければ、または現在はレシートの額面以上の価値があると思う場合は、保険にかけたい芸術品やアンティークや宝石類などの鑑定書を手に入れましょう。物がいったん消滅してしまうと、その価値を証明するのはたいへん難しくなります。最後の仕上げとして、貴重品をビデオや写真に記録しましょう。所有品のリストとレシート、鑑定書、写真を整理してバインダーに綴じ、銀行か自宅の金庫に保管します。家庭用の金庫を使っているなら、壁に組み込むか、床にボルトでしっかり留めて、泥棒に持ち去られないようにするのを忘れずに。銀行は必ずしもあなたが預けた貴重品に保険をかけてくれるわけではありません。住宅所有者総合保険が貸金庫に預けた品物にも適用されるかどうかを確認してください。

次のステップはあなたのコンピューターです。誰かがあなたの家やオフィスに入り込んで、紙の書類をすべて盗んでいくなんてことは考えられません。しかし、コンピューターを盗むことなら十分にあり得ます。たとえコンピューターに保険がかかっていたとしても、データは取り返しがつきません。大切なファイルをすべて別のディスクなどに定期的にバックアップしましょう。コピーの一つを銀行に、もう一つを自宅に置いて、毎週もしくは必要に応じてアップデートします。コンピューターを盗まれにくくするために、セキュリティ・ケーブルを使ってデスクにつなぎ止めておく方法もあります。ポータブル・コンピューターは、文字どおりポータブルで非常に持ち去られやすいため注意しましょう。やることが山のようにあるかに思えますが、いったんきちんと整理してしまえば、事故や不幸に見舞われたときに頭を痛めずに済みます。わたしはこれを身をもって学びました——コンピューターが落雷の一撃で壊れてしまったのです（雷のときには必ずすべてのプラグを抜いてください。直撃からはサージ・プロテクターでは守れません）。わたしはコンピューターを修理してもらおうとショップに持ち込みました。新しいコンピューターは買えはしても、バックアップしていたわずかなファイル以外、ハードディスクにあったデータはすべて失ってしまいました。友人のコンピューターがクラッシュしたとか、何か恐ろしいことが起こったと聞いたら、ただちにバックアップを取ってください——隣の世界からの警告サインである微妙なメッセージには、常に注意を怠りなく。

最後にもう一つ念を押します。誰かあなたが信頼している親しい人に、貴重な書類の保管場所と、雷など災害に見舞われた場合にその書類をどうやって入手するかを知らせておきましょう。このすべてをやるには数時間しかかかりませんし、一度済ませてしまえば、新しい貴重品や遺言書の変更なども含めるための年に一度の更新が簡単にできます。こういった予防策を取れば、マーフィーの法則を考えると、厄災に見舞われる可能性は減るでしょう。どんなに貯金をしても、何かの異常事態のせいでお金がなくなってしまったのでは、まったく無意味です。

Coach Yourself
to Success

第四章

人生にもっと多くの時間をつくる

Make Time When There Isn't Any

問題は、時間があると思い込むことだ。

——仏陀

時間がない――誰もがそう不平を言います。わたしたちはまるで時間は量が決まっているかのようにふるまいますが、そうではありません。時間はわたしたちが何をしているかによって、広がったり縮んだりするのです。皮肉なことに、超多忙なときは時間がいっそう速く進むような気がします。時間がたっぷりあるという気分になりたければ、することを減らしましょう。カンザスシティでセミナーを開いたとき、ひとりのミュージシャンに会いました。彼は世界を旅している途中でパスポートと財布をなくし、ハワイのビーチで地元の人と、果物を摘んだり魚や貝をとったりして暮らすことになってしまいました。彼はこの世の時間がすべて自分のものになったような気がしたそうです。カレンダーもなく、腕時計もなく、お天気はいつも最高――。数年にも思えた期間を過ごしたあと、彼は文明が恋しくなり、なんとかアメリカ本土に戻ってきました。旅に出ていたのはたった四ヶ月だったと知って、彼は驚きました。

クライアントのリチャードは、死を恐れていました。いま彼は四六歳ですが、父親が四五歳で亡くなったため、無理もないことです。彼は年を取れば取るほど、ますます猛烈に飛び歩くようになり、すでにぎっしりのスケジュールに、これでもかというくらいに予定を詰め込んでいました。

リチャードは何もかも順調に見えました。背が高く、髪はブロンド、引き締まった体をしていて、南カリフォルニアのサーファーと言っても十分に通用する風貌でした――事実、かつてはサーファーだったのです。彼はビジネス・コンサルティング業界でエネルギッシュに働いていました。愛車はＢＭＷ。地元のスポーツクラブではテニスでトップの地位におり、ゴルフの腕前もなかなかでした。ただしリチャードの目に映る景色は、それほどすばらしくありませんでした。といっても多忙な彼が景色を眺めることなどめったにないのですが。忙しく過ごすのが好きであるにもかかわらず、気は散ってばかり。いろいろ成し遂げているいっぽうで、経済的な基盤を失いつつあることが、自分でわかっていました。二つの家族を支えるうちに借金が巨額にふくれ上がってしまい、それがリチャードを苦しめていたのです。彼の新しいビジネスのアイデアには大きな可能性がありましたが、実際に利益が生じるようになるのはとうぶん先の話でした。彼は間に合わせの手段として、法人顧客向けにフリーランスで仕事をしました。建築家である兄が、パートタイムで人事系の仕事をやらないかと言ってきましたが、それを受ければ自分のビジネスのアイデアをあきらめることになりそうです。また、他にも問題がありました。妻が家を出て以来、娘がよそよそしい態度をとり続けているのです。リチャードは自分に対する気持すらわからなくなっていました。自分が傲慢に感じたかと思えば、翌日には絶望していたりします。「ぼくは神を締め出してしまったんだ」――彼はそうわたしに言いました。

わたしは「深呼吸をして」と言いました――「リチャード、あなたは自分の人生を自由に生きるために、過去と決別しなくてはいけないわ」。長い沈黙のあと、彼は口を開きました。妻が、家も車も何もかも、同居していたときのままにしておくことを望んだそうです。まるで何ごとも起こらず、別居もなかったかのように。「そんな状態でどれくらい暮らしているの？」。わたしは尋ねました。「七年以上になる」との答え。「もう、その関係をきっちりおしまいにするべきよ」。翌週、リチャードは、代理人を頼んで離婚の手続きを始めたと報告してきました。ビジネスの面では、すぐに収入に結びつくことが保証されているプロジェクト一つか二つに集中するよう言いました。また、家計の予算を立てて生活費を五十パーセント削減するように言いました。

話をしているあいだ、時間のことが何度も何度も問題になりました。リチャードはいつも遅刻します。たいていはもっともな理由があります。クライアントのところへ出かけようとしていたときに、別の有望な客から電話がかかってきたとか。「目の前の重要な案件を放り出すのがなかなかできなくて」と彼は言います。その結果、約束の時刻に遅れて到着します。彼はそれでいいかもしれません。どんなに多忙な人間でどんなに成功しているか証明することになりますし？　でもオーバーブッキングしているのは自分でわかっているはずです。いちばん打撃が大きかったのは、客先を次々と訪問するのに忙しくて疲れてしまい、一時的にテニスの地位でトップを奪われたことかもしれませんが。

わたしはシンプルな忠告を二つしました。毎朝二十分の時間をかけて、その日の予定を立て、じっくり考えること〈Tip 35〉。それから、約束の時刻の十分前には必ず到着するという決まりをつくること。わたしはこういう言い方をしました――気づいたことあるかしら、本当のエグゼクティブって、常に時間がたっぷりあるように見えるじゃない？　そういう人とランチの待ち合わせをすると、必ず相手が先に着いていて、席に座って待っているでしょう――ゆったりと落ち着いた態度で、飲み物を口に運びながら。優位に立っているのは誰かしらね？

成果はたちまち現れました。翌週リチャードは、大口の新しい顧客を獲得したのです。商談の場に早めに出向き、オフィスに通されて待っていたとき、そのエグゼクティブがテニスとゴルフをやっている写真に目が留まりました。お互いすぐにうち解けて、大好きなスポーツの話で盛り上がり、近いうちにテニスの手合わせをすることになりました。長期の利益がそうとう期待できそうです。二十分間という短い時間、じっくりと考えることで、リチャードはそれまでの自分に欠けていた視点を手に入れたのです。彼はその時間を瞑想に使うようになりました――「前の日に起こったことを神に感謝するんですよ」。その結果、「その日に起こることを受け入れられるようになる」そうです。リチャードは兄のオファーしてくれた仕事を受け、いま順調に借金を清算しているところです。元妻ともきっぱり手を切りました――正式に離婚したのです。彼は新しい恋人と一緒に教会へ通うようになり、最近ふたりは婚約しました。いま彼は新しく自分の会社を立ち上げる準備をしています。娘も態度を和らげ、再び父娘で言葉を交わすようになりました。何よりも、リチャードはもはや気分が乱高下することがなくなりました。「あなたはぼくを救ってくれた」――彼はわたしにそう言います。でも、彼が本当にしなければならなかったのは、人生について考える時間をとることだけだったのです。

これから、あなたの人生にもっと多くの時間をつくるための、簡単な方法をいくつかご紹介しましょう。

Tip 31 自分の時間を追跡する

自分の人生を意識的に方向付けられる人ほど、建設的な目的に時間を使うことができる。

――ロロ・メイ、『失われし自己をもとめて』

わたしたちは、とくに好きでもない人や楽しくもないものごとのために、間違いなく時間の半分を費やしている。そのため、本当に大切な人やものごとに振り向ける時間がない。

――アレック・ウォー、"ON DOING WHAT ONE LIKES"

お金がどこへ行ってしまったのか把握できないとき、一ヶ月間支出の記録をつけると、お金の使い途が正確にわかります。同じことは時間についても言えます。朝早くから夜遅くまでしゃにむに働いて、やるべきことをあれこれやる時間がない？　一日にすべてを済ませるには時間が足りない気がする？　毎日決まった雑事をこなすのに時間がかかりすぎて、仕事や家庭での大事なプロジェクトに割く時間がない？　時間があまりにも速くすぎていくような気がして、いったいどこに消えてしまったのか不思議でしかたないなら、いまこそじっくりと検証してみるときです。一週間のあいだ、一五分刻みで、自分の時間を追跡してみましょう。朝起きてから夜寝るまで、電話からコーヒーブレイクやトイレまで、自分のやっていることを逐一書き留めてください。これが非常にめんどくさい課題ということはわかっていますが、一週間だけ実行してください。そうしたらそのデータに基づいて自分の生活をしかるべく再編することができます。この課題を楽にするために、行動を書き入れるだけで済むようにすでに一五分刻みで記入できるようになっている、安価な日記帳を手に入れましょう。それから、休暇の週などではなく普通の週を選び、自分のふだんの日課が反映されるようにします。さあこれで追跡の準備は整いました。

この時間の記録を見るのは自分だけです。だから外聞を気にして日課を変更してはいけません。普通の週に実際にやっていることを、できるだけ正確に記録してください。シャワーを浴びる、服を着る、髪をブローして乾かす、家族のために朝食の用意をする、朝食をとる、新聞を読む、車に乗って出勤、同僚とおしゃべり、その日の予定を立てる、電子メールに返事をする、顧客と打ち合わせ、ランチをとりに外出、メモを読む、報告書を書く、折り返しの電話をする、ファックスを送るなどなど。すべてもらさずに書き留めてください。その週の終わりには、自分の時間の使途について厳密な記録ができあがっています。そうすれば、現実に即した聡明な決断を下すことができるでしょう。たいていの人は、一見重要に見えて結局は大したことがない事柄や、簡単に人に任せられるような事柄に、自分の時間がどれほど費やされているかがわかってびっくりするものです。

人事部長をしているクライアントのマイケルは、自分の時間の記録を見直してみて、ある発見をしました。彼は妻と子ども二人とともに、ロンドン郊外の美しい家に住んでおり、毎日片道一時間四十分かけて通勤していました。週に合計一六・六時間を通勤だけに費やしていたのです——もう一つパートタイムで仕事ができるくらいの時間です。マイケルはその無駄な時間のことを上司に話し、週に二日は在宅で仕事ができないかどうか交渉しました。週に六・六時間の節約です。車での通勤時間を最大限に活用するために、本の内容が録音されたテープや自己改善のためのテープを、地元の図書館から借りて聴いています。

もう一つの大きな時間の無駄は、電話でした。マイケルは週に一一時間も電話に費やしていたのです。彼の仕事の大部分は電話で話すことが欠かせないわけですが、同じ情報を部下たちに繰り返し伝えていたことも判明しました。他愛のないおしゃべりや私用電話にもたっぷり時間を費やしていました。マイケルは、電話での二分の会話は二十分の会話よりもしばしば生産的であることに気づきました。彼は電話の相手に、あまり時間がないんですと最初に断ることにしました。これで雑談が省かれ、即座に要点に入ってもらえます。

それからマイケルは、書類をファックスで送るとき、間違いなく送られているか確かめるためその間ずっとファックスのまわりをうろうろしているせいで、優に二時間一五分を費やしていると気づいて驚きました。彼のコンピューターにはファックス機能がついていますが、これまではその使い方を覚える時間がありませんでした。彼は同僚に頼んで使い方を教えてもらい（十分で済みました）、便利な技術を有効活用できるようになりました。

マイケルは、メモなどデスクの上で必要なものを探すのに、週にたっぷり三時間も使っていることを知って屈辱を覚えました。デスクやコンピューターのそこらじゅうに付箋紙が貼られているし、書類の山が林立していて、作業のためのスペースはほんのわずかしかありません。彼は欲しいものはわりとすぐに見つかるので自分を整理上手だと思っていましたが、時間の記録によってそれほどでもないことが暴露されました。マイケルはその三時間を有効利用することに決め、毎日一時間かけてデスクの上の山を片づけました。仕掛かりのプロジェクトを入れる吊り下げ型のファイルを導入し、古い書類は書庫へ入れるか処分しました〈Tip 17〉。付箋紙を全部はがして、やることリストはコンピューターで管理することにしました。

他にかなりの量となっていた無駄な時間は、上司や同僚に仕事をさえぎられることに起因するものでした。彼はみんなに好かれていて、オープンドア・ポリシーを持っているのが自慢でした。そこで彼の部下たちは、日中いつでも彼のところに立ち寄る習慣がありました。これが一週間に合計四時間一五分にもなったのです。オープンドア・ポリシーを続けたいのはやまやまですが、クローズド・ドア・ポリシーも実施することにしました。集中力が必要な仕事に取り組んでいるときには、ドアを閉めて〝作業中〟のサインを出します。彼は部下たちに、ドアが閉まっているときは緊急事項でないかぎり声をかけないでほしいと頼みました。オフィスのドアを閉めて作業した二時間、非常に仕事がはかどったことから、彼は部下たちにも同じことを勧めました。彼の部署の生産性は二五パーセント向上しました。

上司に関しては、マイケルは〝ボスに相談〟と名付けたファイルをつくりました。話し合うべき質問や問題をその中にどんどん書き留めていくのです。メモに書かれたことで何か疑問があれば、そのメモに疑問点を直接書き込み、ファイルにはさみ、ミーティングのときにファイルごと持っていきます。彼は週に一度、三十分の電話会議を要請し、その間にファイルの中のすべてを話題に出します。それによって週に二時間半を節約できました。

家では、マイケルはくたくたになって帰宅してテレビのスイッチを入れ、夕食の前に約三十分、後で二時間半、テレビを見ると、週に合計で一五時間になることに気づきました〈Tip 32〉。なんという時間の無駄！　彼は何かもっと実があって満足できることをやろうと決めました。夕食のあとは運動のために妻と子どもたちと散歩をすることにしました。子どもたちの宿題が終わったら、テレビを見る代わりに本を読んだりチェスをしたりスクラブルで遊んだりします。これで、家族全員がのんびりと楽しく過ごせるようになりました。

自分の時間を追跡して、実際に何をやっているのか確かめましょう。こんなふうに人生を過ごしたいのかどうか、自分自身に問いかけるのです。そうしたらできるだけ自動化したり人に任せたりして、時間の無駄をなくすようにしてください。その時間をあなたの大きな人生の夢に向けての努力に使いましょう。

Tip 32 テレビを消す

テレビを見るという一方通行の関係では、どんな内容であろうと、特定の感覚情報を特定の方法で取り込むことが強制される。人の暮らしで、これほど自分から何もせずに多くの情報を受け入れるという経験は、他にない。

——マリー・ウィン

ミハリー・チクセントミハイは、著書『フロー体験——喜びの現象学』*Flow: The Psychology of Optimal Experience*（世界思想社）で、何十年にも及ぶ〝最適経験〟についての研究を紹介しています。あらゆる人生が生きがいがあるものとなる、人々が最も幸せを感じる時間のことです。彼の研究によって、心から満足のいく体験は、〝フロー〟と呼ばれる意識の状態で起こるとわかりました。チクセントミハイは多岐にわたるたくさんの活動の概要を述べ、それらが〝ハイ・フロー〟なのか〝ロー・フロー〟なのかを決定しています。ハイ・フローの活動は注目と集中を要します。あなたのしていることに、頭脳が積極的にかかわっているのです。驚くには値しませんが、テレビを見ることはロー・フロー活動の中でも最低に位置するものの一つです。

この研究で、わたしがずっと疑っていたことが確実となりました。テレビは人のエネルギーを吸い取るのです。番組を見終わり、テレビのスイッチを切ってこう言ったことはありますか？「さて、懸案の長編小説の執筆に取りかかるとするか」。というより、テレビを見たあとに何かをする気になりますか？　知らず知らずのうちにわたしたちの人生を乗っ取るかもしれない、他のテレビ系の時間食いたち――コンピューターゲームやビデオなど――も同じことです。時間の追跡を終えたら〈Tip 31〉、自分の人生がいかにテレビに食われているかがわかるでしょう。

テレビは、食べ物、カフェイン、ギャンブル、アルコールなどと同じように、乱用すると依存症になります。テレビを見ることは、カフェイン同様、社会的に受け入れられている依存症というだけでなく、社会的に奨励されています。たとえテレビを楽しいと思わなくても、ただ他のみんなが見ているからという理由で、いつの間にかテレビを見ている自分に気づいたりします。典型的なアメリカ人は一日に六時間以上テレビを見ています。一週間にすると四二時間、フルタイムの仕事ができるくらいの時間です！　それなのにあなたは時間が足りないと思っていたわけです。自宅のテレビを一週間友だちに預けてみてください。それだけで、どれほどの時間ができるかわかることでしょう。

あるクライアントは、朝、出勤の用意をしながらニュースを見るのを習慣にしていました。彼はそれを時間の有効利用だと考えていました。その番組が好きだし、ニュースや天気予報を知ることもできて、一日の始まりにはぴったりです。わたしは、単なる実験として、一週間のあいだ朝テレビを見るのをやめてみてはどうかと提案しました。その結果に彼は驚きました。とても安らかで落ち着いた気持になったのです。きっとニュースを知りたくなるだろうと思っていましたが、そんなことはありませんでした。いま彼は静かな朝を楽しみ、一日中ずっとストレスが減ったように感じています。

別のクライアントで一人暮らしをしている女性は、自分が長時間テレビを見ていることを恥ずかしいと感じていました。テレビ断ちをすることに決めた彼女は、テレビを友人の家に運びました。するとテレビに代わり、別な中毒に陥ってしまいました――殺人ミステリー小説です。大した進歩に思えませんでしたが、小説を読んだときには、テレビを見たときと違ってエネルギーが吸い取られないことに気づきました。コマーシャルもありません。いつでも本を置いて、芝生を刈ったり夕食をつくったりすることができます。振り返ってみると、テレビにどれほどエネルギーを吸い取られていたか、実感できました。

最近離婚をした四十代のジョーアンは、デートの相手がいないのが不満でした。彼女に夜はどんなことをしますかと尋ね、テレビを見ていると答えが返ってきても、わたしは大して驚きませんでした。家でぶらぶらしているだけのときも、家が静かになりすぎないように、テレビはつけっぱなし。テレビを見ることの危険は、テレビの中の人々と一緒にいるかのような幻想が生まれかねないということです。実際はテレビがあなたの相手をしてくれているわけです。誰かと交流しているわけではないので、満足感が得られないのは明らかです。わたしはジョーアンに一週間テレビを断つよう勧めました。彼女にはできませんでした。明らかに依存症です。わたしたちは別のプランを考えました。ジョーアンに、ずっとやってみたいと思っていたけれどする暇がなかった、おもしろそうな活動や講座などをすべて書き出してもらいました。彼女がやってみたいのは、ボランティア活動、ダンスを習う、マラソンをする、でした。彼女は、スポンサーから慈善の寄付金を集める、マラソン・トレーニング・プログラムに参加しました。これで彼女の目標三つがかないました（彼女はシェープアップもしたかったのです）。それから地域のダンス講座に入会しました（そこの男性たちに魅力的な人はまったくいませんでしたが）。いまジョーアンはテレビをまったく恋しいと思いません。それに人とのつきあいも活発になりました。以前よりも気力が湧き、交際相手を求める個人広告を見て、思い切って手紙を出したりするほどでした。その男性に会うためにレストランへ向かう途中、ソーホーで道に迷い二人の魅力的なイタリア人に行き先の場所を教えてもらいました。それがきっかけで翌日、ハンプトンズで行われるパーティーに誘われました。そこで彼女はとてもハンサムな映画プロデューサーに出会ったのです。二人は意気投合し、ジョーアンはいま最高の恋愛を楽しんでいます。

テレビを見るのは意識的に選んだ番組だけに制限して、その番組が終わったらスイッチを切りましょう。一週間に何時間テレビを見るかを決めて、それをきっちり守ります。テレビがついているからというだけの理由で、だらだらと次の番組まで見る癖をつけないようにしてください。気をつけて！　テレビは思いのほか高くつきます。あなたが人生に望むものを引きつける能力を、弱めてしまうのです。

Tip 33 十分前に到着する

時間厳守は王の礼節。

――ルイ十八世の座右の銘

もしすでにこれを実行しているなら、それは幸いです。実行していない人にお教えしましょう。時間の蓄えをつくる最も簡単で手早い方法は、ビジネスでも私生活でも、約束の時刻より十分早く待ち合わせ場所に現れることです。時間の無駄のように思えるかもしれません。十分あったら、もう一本電話をかけられますものね。

この場合、何かを控えめにすることで、より多くのもの――より多くの時間、落ち着き、意識などを手に入れるというコンセプトです。十分早く到着すれば、考えをまとめる時間ができ、まわりの様子を観察してリラックスできます。実験としてとりあえず一週間、十分早く到着するようにしてみましょう。

わたしはこれをデクスターというクライアントに勧めました。一日にどれほど仕事をこなせるかといつも走りまわっている、とても忙しいビジネスマンです。デクスターは、打ち合わせの前にもう一本電話をねじ込める自分は、能率的で有能だと思っていました。約束の時刻に数分遅れて駆け込んできて、車が混んでいたとかなんとか困り顔で言い訳するのが普通というのも、驚くには値しません。わたしが十分早く到着するよう勧めると、彼は乗り気を見せませんでした。自分の貴重な時間が無駄になると感じたのです。わたしは、一週間のあいだ試してみて、何がどうなるか見てみなさいと食い下がりました。いままでのやり方に戻りたければ、いつでも戻ればいいのです。彼は同意しました。

わたしは、確実に早めに到着するために、その場所に着く時刻ではなく、出かける時刻をカレンダーに書き込むよう指示をしました。スケジュールを見たら、電話が鳴っていてもそれはアシスタントに任せ、腰を上げること。デクスターにとって簡単なことではありませんでしたが、顧客候補者とランチをとりながら商談するという約束に、首尾よく十分早く到着することができました。相手のエグゼクティブはまだ来ておらず、レストランのボーイ長がデクスターを予約席へ案内してくれました。デクスターは余裕をもって腰を下ろし、あたりを見まわして、考えをまとめることができました。すでに優位に立っているのは誰でしょう？　デクスターが五分待っただけで、未来の顧客が到着しました。そのわずかな時間で彼は気が落ち着き、リラックスして相手に集中することができました。ビジネスランチは成功を収め、デクスターはこのシンプルな戦略の効果を目の当たりにしました。彼はこれまで待ち合わせの場所に向かう時間を、商談の目的について考えることにではなく、遅刻をどう言い訳しようかと気をもむことに費やしていたと気づきました。時間の蓄えがあれば気を落ち着かせる機会が得られ、これから誰と話をするのか、自分は何を言えばよいのかを考えられるようになります。それこそ真のプロフェッショナルのしるしです。

デクスターのような頑固な遅刻魔は、十分前に待ち合わせ場所に着くために、家やオフィスを「出発」しなければならない時刻をカレンダーに書いてください。距離の見当がつかなければ、万が一迷ったときのために余分な時間をみておきましょう。待ち合わせの時刻ばかり頭にある人は、その時刻になってから動きはじめます。だからいつも遅れてばかりいるわけです。

約束するときにあらかじめ余裕をみておくのも、十分早く到着しやすくなるもう一つの方法です。「二十分後に行きます」と言うところを、三十分後と言うのです。そうすれば道が混んでもクライアントはいらいら待たなくて済みます。何ごともなく早めに到着したら、その十分をリラックスして深呼吸したり、ただ座って何もせずにいたりするために使います。あるクライアントはいつもポストカードの束を持ち歩き、思いがけず手が空いたときにせっせと手紙を書いています。

もちろん文化によって時間の観念はまったく違います。ラテンアメリカ諸国では、言われた時刻きっかりにパーティーに顔を出してはいけません。そんなことをすれば女主人がシャワーを浴びているところに出くわすおそれがあります。その国の習慣に合わせてうまく調整してください。

Tip 34 半分の時間で片づける

仕事は、締め切りまでの時間を使い果たすまでふくれあがる。

――ノースコート・パーキンソン、『パーキンソンの法則』

仕事が増えて自由時間まで余裕がなくなってきたら、仕事にかかる時間を短くするのが一つの解決策です。たいていの人は、追い込まれると、いま使っている時間の半分で仕事をやり終えることができます。冗談を言っているわけではありません。一週間の休暇に入る前日はいつも、何週間も満杯だった未決書類の箱をきれいに片づけたりしませんか？　体を動かしてくれるのはなんといっても動機です。仕事を半分の時間で終わらせるにはどうしたらいいのでしょう？　かなりの想像力を働かせて考えなければならないかもしれませんが、そうする価値は十分にあります。自分自身のやりたいことに取り組んだり、人生やビジネスの将来を思い描いたり、手紙の返事を書いたり、お礼状を書いたりするために、余暇が欲しいところです。ここで注意をひと言。あらゆる職場でこの方法が実現できるとはかぎりません。社員が綿密に監督されている場合もあります。これは職場で許される場合のみ試してください。

この原理を家でしなければならない仕事に応用することもできます。どうやったら家事を半分の時間で終わらせることができるでしょう？（ジェフ・キャンベル著『スピード・クリーニング―すばやいおそうじ』*Speed Cleaning*（ジャパンタイムズ）をご参考に。役に立つヒントがいろいろあります）。デスクの上に書類仕事が山積みになっていたら、タイマーを一時間にセットして、時間内に片づけられるかどうか挑戦してみましょう。整理しなければならないファイルがたっぷり？　午前中を確保し、やはり何かやりたいことのある友人を見つけてください。一時間ごとに互いに電話をし合って、進捗状況を二分間で報告します。わたしのクライアントのひとりが、「オフィスの書類の山を全部片づける」と、三週間のあいだ言い続けていました。ちっとも終わる様子がないので、わたしたちは土曜の午前九時から一二時までを確保し、やっつけてしまうことにしました。わたしはわたしの未決書類の箱を、彼女は彼女の書類を片づけます。彼女は一時間おきに電話してきて進捗状況を報告してくれ、わたしはがんばって続けようと檄（げき）を飛ばしました。三時間後、彼女はデスクの上とファイルの引き出し二つ分をすっかりきれいに片づけました。最高の気分！　これでまっさらな状態に戻り、あとは毎日数分のファイリング作業でこの状態が維持できます。わたしは、家の模様替えをやりたがっていた別のクライアントにも同じことをしました。わたしはニューヨークでファイルを整理し、彼女はアリゾナでキッチンのペンキ塗りをしたのです。

どういうわけかこの方法は、憂鬱な仕事を楽しいゲームに変えてくれます。あなたもきっと自分の成果に驚くことでしょう。やることをやってしまえば気分は最高だし、本当に好きなことをやる時間も増えます。究極のゴールは、自分自身のための時間、人生の楽しみのために使える時間を、できるだけたくさん持つことです。良質の時間を過ごしている人々はやすやすと成功を引きつけます。機会のほうから彼らを訪れるのです。さあ、あなたも自分の仕事を半分の時間で終わらせてしまいましょう。

Tip 35 「今日の大事なことは何？」と自分に問う

現在こそパワーの集中点。

——ケイト・グリーン

忙しさに取り紛れ、本当に大切なことを忘れてしまうのは簡単です。株式界のスーパーヒーロー、ファンドマネージャーのピーター・リンチは、なぜ影響力の大きなフィデリティの職を去ったのかと記者に訊かれたとき、こう答えました――「臨終を迎えたとき、オフィスでもっと時間を過ごしたかったなんて言うつもりはないしね」。彼は娘二人のためにお弁当を詰めることを望みました。成長する娘たちのそばにいたかったのです。

仕事時間を半分に切り詰めるため、毎朝仕事に取り紛れてしまわないうちに、自分自身にこれらの三つの質問を問いかけ、答えを書き留めてみましょう。

1　今日のことで大事なのは何？
2　今日やり終えてしまわなければならないことは何？
3　未来のことで大事なのは何？

「今日の大事なことは何？」と自分自身に問いかけることによって、今日の大事なイベントが息子の三歳の誕生日だということを思い出すかもしれません。そしたら午後三時には職場を出てパーティーに行くことになるでしょう。一時間かけて準備をしなければならない、重要な営業の電話を思い出すかもしれません。この質問に答えることで、一日の予定が立ちやすくなり、他のさまざまなことに気を取られずに、その大切な用事に集中できます。次にこう尋ねます――「今日中にやらなければならないことは何？」。午後一時に部長と会って案件の相談をしなければならない。あの顧客に電話しなければならない。たいていの場合、本当に今日中にやらなければならないことは、わりと少ないとわかってくるでしょう。これはじつに解放された気分です。もしも〝やらなければならないこと〟がたくさんあるならば、三番目の質問「未来のことで大事なのは何？」を問いかけるのがまだ習慣になっていないのです。この質問をされるとどうしても計画を立てることになります。今日〝やらなければならないこと〟が終わったら、今日のうちに準備ができることは何がある？　来週締め切りの報告書？　二週間後にやってくる、祖父母の五十回目の結婚記念日？　これらの三つの質問を常に問いかけていれば、〝やらなければならないこと〟をため込まずに済みます。

時間の管理について取り扱った本はたくさん書かれています。しかしこれら三つの質問に意識を集中させれば、人生がずっと楽になるだけでなく、そういった本を読む時間も節約できるでしょう。時間の管理というのは矛盾した言葉です。時間を管理することなどできません。できるのは自分の行動の管理です。三つの質問のリストに載らない項目は、たいてい時間の無駄ですから飛ばしてください。

わたしがすべての企業や実業関係のクライアントに強く勧めるのは、デスクの引き出しに吊り下げ型の〝読むもの〟と名付けたファイルフォルダーを設け、長文メモ、報告書、記事の切り抜きなどを、あとで読むためにふだんから放り込んでおくことです。クライアントのひとりがこれを試したところ、デスクを横切るもののうち九割は、読まなくてもいいものだとわかりました。長ったらしいメモをファイルすると、読む機会がないうちに、内容が更新された新しいメモが届いて古いメモと入れ替えられたりします。珍しく誰かがメモの話を実際に持ち出したら、「それ見たはずなんだけど、ちょっと待ってて」と言います。ファイルの中を探してそのメモを引っぱり出せば、それで間に合います。一ヶ月くらいたったら、ちょっとファイルをあさって、おもしろそうなものを拾い上げ、残りは全部まとめて捨ててしまいます。

Tip 36 一度にやるのは一つだけ

二兎を追う者は一兎をも得ず。

――古いことわざ

一度に十のことをやろうとあたふたするのは、能率的ではありません。一度にやるのは一つだけでいい、そう自分に言い聞かせましょう。現実には一つしかできないのです。それを受け入れて、意識的に一つのことだけに集中するべきです。「いっぺんにいろんなことができるし、そうしなきゃいけないのよ。忙しくてぴりぴりしたオフィスで働いているんだから」と言い返してくる声が聞こえるようです。典型的な忙しい日をちょっと見てみましょう。あなたは報告書を書いています。電話が鳴りました。あなたは報告書に目を向けたまま受話器を取ります。電話で話をしながら報告書を見ていると、誰かがやってきて声をかけてきました。いまあなたは一度に三つのことをしています――ごく普通の日の職場です。一日の終わりにどっと疲れるのも無理はありません。

同じ状況を、スローモーションで想像してみましょう。報告書を書いている。電話が鳴る。あなたは報告書を書くのを**やめて**、受話器を取る。電話で話を**始める**。そこに誰かが質問をしに来ました。あなたは選択をします。「ごめんなさい、ちょっと待ってて」と電話での会話を**やめ**、新しい会話を**始める**。もしくは、手で合図をして質問者を**制止し**、電話での話を済ませて、受話器を置いてから、新しい会話を**始める**。その会話が**終わる**と、再び報告書書きを**始める**。あなたの毎日は、開始、変更、停止の繰り返しです。実際には一度に一つのことしかできない以上、一度に三つのことができるようなふりはやめて、じっくりと意識的に一度に一つのことをやりましょう。じつにすっきりします。わたしがオフィスで意識的に一度に一つのことをやってみたところ、急かされたりこき使われたりしている感じがせず、ちゃんと自分が主導権を握っている気分でした。一度に二つ以上のことをやろうとするのはどう考えてもストレスがたまります。そんな人に魅力はまったくありません。絶好の機会がめぐってきても、忙しすぎたら見逃してしまいます。今週は、一度に一つのことを集中してやるというのを目標にしましょう。

成績優秀な営業部員でいつも多忙なローレンは、食事、携帯電話での会話、お化粧を、職場へ向かう車の中で済ませるのが習慣でした――すべて運転しながらです。いつもいつも、いっときにできるだけたくさんのことを器用に詰め込んでいました。そういうのが時間の節約だと思っていたのです。わたしはローレンに、一週間のあいだ運転以外のことは何もせずに通勤する実験をしてみなさいと言いました。彼女は化粧をするために十分早く起きなければならず、朝食は職場に持っていってデスクで食べることにしました。電話をかけたくなるのをこらえるのにたいへん苦労しましたが、数日たつと、平安と静寂の感覚に目覚めました。時間を節約していた以上に、自分に思いきりストレスをかけていたことに気づいたのです。車で出勤するとき（わたしはラジオも禁じました）、彼女の思考は自由に駆けめぐり、新しい客を獲得するための新しいアイデアを思いついたりしました。主導権を握っている感覚と落ち着きが一日中続き、朝の十分の早起きは十分に甲斐があるものでした。

Tip 37 いますぐにやる！

ためらう男は、あとまわし。

――メイ・ウェスト

即座に反応するということは魅力的です。当然のことなのにめったに見られないことだからです。なぜめったに見られないかというと、たいていの人がいろいろなことをぐずぐず引き延ばすからです。実際、即座に反応で

郵便はがき

料金受取人払郵便

落合局承認

4302

差出有効期間
2022年8月31日
（期限後は切手をおはりください）

161－8780

東京都新宿区下落合2-5-13

㈱ 税務経理協会

社長室行

お名前	フリガナ	性別	男・女
		年齢	歳
ご住所	□□□-□□□□ TEL （ ）		
E-mail			
ご職業	1. 会社経営者・役員 2. 会社員 3. 教員 4. 公務員 5. 自営業 6. 自由業 7. 学生 8. 主婦 9. 無職 10. 公認会計士 11. 税理士 12. 行政書士 13. 弁護士 14. 社労士 15. その他（ ）		
ご勤務先・学校名			
部署		役職	

ご記入の感想等は，匿名で書籍のＰＲ等に使用させていただくことがございます。
使用許可をいただけない場合は，右の□内にレをご記入ください。 □許可しない

ご購入ありがとうございました。ぜひ、ご意見・ご感想などをお聞かせください。
また、正誤表やリコール情報等をお送りさせて頂く場合もございますので、
E-mail アドレスとご購入書名をご記入ください。

この本の タイトル	

Q１ お買い上げ日　　　　年　　月　　日
ご購入方法　１．書店･ネット書店で購入（書店名　　　　　　　　　）
２．当社から直接購入　　３．その他（　　　　　　　　　）

Q２ 本書のご購入になった動機はなんですか？（複数回答可）
１．タイトルにひかれたから　　２．内容にひかれたから
３．店頭で目立っていたから　　４．著者のファンだから
５．新聞・雑誌で紹介されていたから（誌名　　　　　　　　　）
６．人から薦められたから　　７．その他（　　　　　　　　　）

Q３ 本書をお読み頂いてのご意見・ご感想をお聞かせください。

Q４ ご興味のある分野をお聞かせください。
１．税務　　２．会計・経理　　３．経営・マーケティング
４．経済・金融　　５．株式・資産運用　　６．法律・法務
７．情報･コンピュータ　　８．その他（　　　　　　　　　）

Q５ カバーやデザイン、値段についてお聞かせください
①タイトル　　１良い　２目立つ　３普通　４悪い
②カバーデザイン　　１良い　２目立つ　３普通　４悪い
③本文レイアウト　　１良い　２目立つ　３普通　４悪い
④値段　　１安い　２普通　３高い

Q６ 今後、どのようなテーマ・内容の本をお読みになりたいですか？

ご回答いただいた情報は、弊社発売の刊行物やサービスのご案内と今後の出版企画立案の参考のみに使用し、他のいかなる目的にも利用いたしません。なお、皆様より頂いた個人情報は、弊社のプライバシーポリシーに則り細心の注意を払い管理し、第三者への提供、開示等は一切いたしません。

きるようにするには、システムを改良し、合理化し、人に対する自分の反応のしかたをすっかり変える必要があるかもしれません。

あなたはどんなふうに即座の反応をしますか？　わたしの呪文は「いますぐやる」です。書類を一枚手に持って「あとで見よう……」と思っている自分に気づいたら、すかさず「いいえ、いますぐ見なさい」と言います。そうしなければ、書類を探しまわって多くの時間を無駄にすることになります。同僚の恋人が亡くなったという通知を電子メールで受け取りました。わたしはお悔やみのカードを送ることを考えました。そのときその行動をあとまわしにしようとしている自分に気づき、言いました――「いますぐやりなさい！」。わたしはその時点でカードを書きました。書き終わったら電子メールは削除。別な日に処理しようとメールを保存することはしません。下手すれば忘れてしまいますから。

クライアントのレベッカは、最近マンハッタンに引っ越してきて、ブティックで店員として働いていました。昇進の見込みはあまりないので、ファッション界で仕事を探しはじめました。求人広告をくまなく見て、ジョルジョ・アルマーニの募集記事を発見。応募締め切りはまさにその日でした。彼女は即座に履歴書を書き上げ、ファックスで送付しました。そして、受け取ってくれたかどうかちゃんと確かめることにしました。彼女は電話をかけたのでしょうか？　いいえ、マディソン・アベニューにあるショップまで歩いていき、たったいま履歴書を送ったのですがと、ごく丁寧に人事部長に取り次ぎを頼んだそうです。レベッカは自分のルックスのよさと愛想のいいふるまいが、自分の最大の強みだと知っていました――履歴書には表れない特性です。きっと彼女の迅速な反応と行動が、良い印象を与えたのだと思います。アルマーニの上得意客が要求する、個人に対する細やかな気遣いに通じることです。ニューヨークでの販売経験が三ヶ月しかないにもかかわらず、レベッカにはチャンスが与えられました。求められている人材は三年以上の経験者です。何度も面接を受けた結果、彼女はみごとに採用されて、時給七ドル五十セントで将来のない仕事から、年に五万ドル以上を稼ぐ仕事へ一足飛びしたのです。

あなたはどういうところで手間取るのでしょうか。そのせいで不必要な時間とエネルギーが失われているかもしれません。いまやらなくても、いずれやらなければならないのです。延期しているあいだ、その用事をするために必要な知識が貴重な頭のスペースを食いますし、あとでやることを忘れてはならないと思うことで、気持に負担がかかります。もしいますぐやるのが本当に無理なら、それを「懸案ファイル」に入れて、実行する日と時刻を、カレンダーか覚え書きファイルに記入しましょう。即座に反応できるよう生活を改革するには、あなたの場合どんな変化が必要でしょう？　デスクの奥に小さなサインを掲げてみては——「いますぐやる！」。

Tip 38 完全に仕上げる

本当の罪は一つだけだ。それは、次善のものが次善でないと、自分を言いくるめること。

——ドリス・レッシング

わたしたちが最善を尽くしたら、わたしたちの人生や、他の人の人生にどんな奇蹟が起こるかわかりません。

——ヘレン・ケラー

時間を節約するには、仕事をできるだけ早く済ませてしまうのが良いと思うかもしれません。短期的にはそれで時間が節約できるでしょうが、長い目で見れば作業を完全に仕上げてしまうことが時間の節約になり、頭のスペースも空くし、すっきりと次のプロジェクトに取り組めます。完全な作業とは、二度と手をつけなくていい状態まで、徹底的にきっちり仕上げることです。仕事で言えば、どんな感じになるでしょうか。顧客から電話が入り、間違った料金が請求されたと苦情を言われたとします。カスタマー・サービス係が、丁寧に返事をします――「どうぞご安心ください。ただちに処理をいたします」。顧客はサービスに満足して電話を切ります。サービス係は実際に課金の取り消しを行い、次回の明細書でその額が差し引かれます。しかし、その月の明細書には新しい請求もあります。サービス係は確かにその料金の処理をしましたが、時間に追われていたので、問題の原因までは手がまわりませんでした。そもそも、なぜその料金が課されたのでしょう？　もうちょっと調べれば、原因がわかったはずです――口座が正しくコード化されなかったのです。しかし原因は突き止められることなく、例の客が今度は怒って電話をしてきて、マネージャーと話したいと言います。その後、客は社長室宛てにクレームの手紙を書き、この件に社長以下十人の社員がかかわることになり、一騒動になってしまいます。解決策は、最初から完全な仕事をすること。それを会社のポリシーにすれば、問題はなくなります。

家庭ではどうでしょうか。あなたは車を洗うことにしたとします。石けん水の入ったバケツは使わず、車の塗装を守るためにつくられた、効果長持ちのつや出し剤を買ってあります。グローブボックスの中を掃除機できれいにし、雨をはじく特別なガラスクリーナーを窓に塗ります。完全な作業です。プロジェクトに全力を尽くし、みごとな仕事を成し遂げれば、自分としても満足できます。自分の成果が誇らしくなることでしょう。これだけでも、完全な作業をするだけの価値があります。

人間関係においても同じことができます。言う必要のあることを余さず言い、宙ぶらりんなことを残さないようにしていたら、人間関係はどうなるでしょう？　わたしの友人のひとりは、両親がちょっとおしゃべりに立ち寄って帰るときに、必ずさよならを言ってぎゅっと抱きしめていました。ある日彼女がパーティーを主催したとき、両親は早めに帰っていきました。彼女は食前酒を配るので手が離せず、両親にさよならを言うチャンスがありませんでした。その夜、母親が心臓まひで急死してしまいました。悲嘆に暮れた友人は、そのことが頭から離れませんでした。家族や友人に愛情を示すより大切なことはない――彼女はつくづく思いました。ほんの少し時間をとって両親にさよならを言い、またパーティーに戻ることは、そんなに難しくなかったはずです。もちろん彼女は、長いことずっと両親に愛と感謝を伝えてきた点では、ラッキーと言えます。わたしは、この世に自分を送り出してくれた両親に感謝の念や愛を示したことのない、たくさんの人々と話をしてきました。クライアントたちには、そうするようにいつも言っています。

サムは五十代後半の離婚経験者で、成長した三人の子どもがいますが、いまだに実父との未解決の問題がありました。父親はもういい年になった息子に対して非常に批判的で、サムは何をしても父親を喜ばせられないと感じていました――何をしても十分ではないのです（サムはこの時点でかなり出世したビジネスマンであり、多くの企業の理事を務めていました）。わたしはサムに「お父さんが批判的なのはあなたをとても愛しているからであり、あなたに最高のものだけを望んでいるのよ」と言いました。そして、いまや八十代にさしかかった父親ときちんと話をするよう、サムを励ましました。手遅れになって、愛していることを伝えられなくなる前に。サムはあまり乗り気ではなく、「すでに手遅れなんだ。父は理解してくれないよ」と言いました。お父さんが何をしようとどうでもいいのです。大切なのはサムがすること。両親がまだ生きているうちに、愛と許しを表現することはとても大切です。サムはついに父親に、愛していると言いました。父親は相変わらずぶっきらぼうで、まるで取り合ってくれませんでしたが、ともかくサムはいい気分でした。あれだけ長いあいだ憤りを感じていた父親を、とうとう許すことができたのです。完全な作業をする、人生のあらゆる分野で中途半端になっていることを締めくくる、それを自分の基準にすれば、あなたの心に自由な空間が広がることでしょう。

Tip 39 意図をもって引き延ばす

明日は、週でいちばん忙しい日にあたることが多い。

——スペインのことわざ

「今日できることを明日に延ばしてはならない。」この有害な道徳律のせいで、わたしはいつになっても明日の仕事を今日にあふれさせ、明日になればすばやく楽に片づけられることを、汲々としてやっている。

——J・A・スペンダー、"THE COMMENTS OF BAGSHOT"

〈Tip 37〉（「いますぐにやる！」）はさておき、ぐずぐずと引き延ばすことには悪評がついていますが、それは不当です。いつまでもやることをやらずに引き延ばす癖を、自分の欠点の一つと考えている人は大勢いて、自分をひどく責め、自分の意志の弱さにぞっとしています。おそらく彼らは間違った理解をしています。もし引き延ばしが悪玉でなく、善玉だったらどうします？　引き延ばしが、自分の夢の実現や、目標達成への道を示してくれるものだったら？　普通はあまり聞かない話ですけどね。

何よりもまず、引き延ばしのさまざまなタイプを区別しましょう。大きなカテゴリーに何もかもひっくるめてつっこまれてしまっているからです。引き延ばしの理由としては、その仕事が楽しくない、情報や知識が不足している、その仕事がとても手に負えないと感じる、そもそも正しい目標がない、などがあります。これらはすべて、引き延ばしの正当で立派な理由です。引き延ばしは一見したところよりずっと複雑なのです。なぜ自分が引き延ばしをするのかわかってしまえば、あとは簡単。引き延ばしはとても良いことだという前提で始めましょう。

なぜあなたは引き延ばすのですか？

1　その作業、仕事、任務が好きではないから、できるだけ長く延期する。

もし何かをするのが好きでなければ、それはたぶん自分がやるべきことではないのです——わたしは固くそう信じています。楽しめないことをあれもこれもやっていたら、どうやってすばらしい人生を送れるというのでしょう。それはもっともなことです。たとえばあなたは経費報告書を書くのが嫌いだとします。そこで、会社用クレジットカードの締め日になってようやく、払い戻しを受けるために領収書を集めて報告書に記入をします。その精神的なエネルギーを無駄にせず、顧客といつ厄介なことになるかわからないような状況に陥らないためには、あなたはこの作業が嫌いで誰かに任せたいと思っていることを、認めなければなりません。アシスタントにやり方を教えて任せるか、アシスタントがいなければ、経理係を雇って任せましょう。そうする価値があることです。ほうら、その件は解決しました。他にどんないやな作業をあとまわしにしていますか？　たいていの場合、そういったことで自分の貴重な時間を費やすべきではありません。人に任せるか、自動化してください。

または、好きではないプロジェクトの一部を切り離し、人に任せたり自動化したりする、という手もあります。あるクライアントは週ごとの活動報告書を書くのが嫌いでした。どんなところが嫌いかというと、その週に自分がやったことをすべて振り返って思い出すところだと気づきました。自分自身の考えをまとめなければならないため、人に頼むわけにもいきません。そこで、ミニサイズのテープレコーダーを使い、一日の終わりに今日の成果を録音しておくことにしました。そしてそのテープをアシスタントに渡して書き起こしてもらい、その後五分ほどかけて手直ししておしまいです。すっかり肩の荷が下りました。

家庭においてはこんな感じです。あるクライアントが家の掃除をずるずると引き延ばしていました。埃を払うのが嫌いだからです。他の作業は苦にならないので、埃を払うためだけに家政婦を雇うことにしました。これは彼にとって無理なくできる解決策で、とても満足しています。

たとえばあなたが会議を主催するのが嫌いで、セールスマネージャーとして毎週会議を開くことになっているのに、ずっと延期しているとしましょう。おそらくあなたのチームは主体性が強く、毎週の会議は必要なくて、誰にとってもただの時間の無駄かもしれません。それなら、主催を他の誰かに委ねてみてはどうでしょう。必ずマネージャーが会議を開かなければならないなんて、誰か言っていますか？　わたしがコーチングをしたあるセールスマネージャーは、結局は営業会議の主催を、週ごとの持ち回りで営業部員たちに任せました。それがかなり有効な方法であることがわかり、営業部員ひとりひとりが、チームの成績にいっそう責任感を抱くようになりました。どうしても他人に任せられない管理職業務は数が少ないので、あなたの仕事をあらゆる側面から手伝ってもらえるよう、チームを鍛えましょう。チームがなくていやな任務がある場合は？　同僚と交換してみてはどうでしょう。あなたが売り上げの計算をしてくれたら、わたしは経費報告書の記入をするわ。または誰もが好きではない本当にいやな仕事は定期的にローテーションするべきだと、上司に進言しましょう。そうすればひとりの人間が汚れ仕事に縛りつけられることがないし、上司はチーム全員にまんべんなく訓練をさせることができます。これですべてが丸くおさまります。

2　どう扱えばいいかわからないから、引き延ばす。

仕事で厄介な問題が持ち上がり、あなたはどうすればいいかわかりません。何もしないまま、過ぎ去ってくれるのを望むばかり。あなたは上司か誰かに、考える時間が必要だと言ってください。現実を直視しないこのアプローチがときにうまくいって、問題はひとりでに解決することがあります。ちゃんとかかわらなければならない場合もありますが、一晩寝てみれば、探していた解決策が出てくるかもしれません。または、ベストな決断を下すには、追加の情報か何かが必要なのかもしれません。決断を先送りすることで、決断を下すために何が欠けているのかを考える時間ができます。情報は出し抜けに現れることも多く、そうなってくれたらあなたは前に進めます。もしくは、あなたがぐずぐず引き延ばしをしているのは無知のせいかもしれません。何かをきちんと処理するためにはもっと訓練が必要なのかもしれません。その場合、上司に要請しましょう。または、もうちょっと調査が必要なだけかもしれません。他の人がどう処理しているのかを調べたり、上司にアドバイスをあおいだりしてください。印刷業を営むあるクライアントは、コンピューターの使い方を覚えるのをぐずぐずと引き延ばしていました。電源の入れ方さえ知りませんでしたが、コンピューターで仕事の効率が改善することはわかっていました。彼は無知のせいで引き延ばしていたのです。わたしは専門家を雇うことを勧めました。出張してコンピューターをセットアップし、電源の入れ方から使い方まで教えてくれる人を頼むのです。彼は地元のビジネススクールのコンピューター基礎講座にも申し込みました。

別のクライアントは仕事の帳簿つけをずっとあとまわしにしていました。入力する数字がまる一年分あり、やるのがいやでいやでしかたなかったのです。彼女は一年以上前に会計ソフトを購入したのですが、箱の透明なラップをはがしてもいませんでした。どうやってセットアップすればいいのかまったくわかりません。わたしは彼女に経理係を頼んでみればと言いました。その会計ソフトに精通していて、彼女の自宅オフィスまで出張してくれて、ソフトをセットアップし、データをすべて入力し、使い方を教えてくれる人です。それで問題は解決しました。

3　時間がないから、引き延ばしている。

今度は、その仕事が嫌いなわけでもなく、やり方がわからないわけでもなく、ただ時間が見つからないという場合です。プロの講演者で、何年も前から本を書きたいと思っていましたが、なかなか暇がありませんでした。あるクライアントはプロの講演者で、プロジェクトは圧倒的な量で、どこからどう手をつければいいかわかりません。著書があれば、講演のビジネスを次の段階へ引き上げる足しになり、さらに収入が増えることがわかっていました。彼自身がずっと書きたいと思っていたわけですから、やりたくないことではありません。書きたいことは頭にあり、アイデアも山ほど集めていました。彼の問題は、着手すること、はずみをつけることにありました。その作業の圧倒的な量を前にして、足がすっかり止まってしまっていたのです。その真相は、彼が執筆する時間とスペースを、日常の中に開拓しなかった点にありました。

まずわたしは彼に、書類が山積みになっていたデスクを片づけさせました。それから、執筆に充てるまとまった時間を切り出すことにしました。彼にとってベストな時間はお昼までの三時間。その時間は執筆に専念し、とりあえず出来は気にしない、という目標を決めました。うまく書けていないと思っても、腰を落ち着けて書かなければなりません。目標は三時間の執筆であり、質について気をもむことではないのです。彼のスケジュールは不規則ですが、講習やセミナーを開く予定がないときには、その時間を執筆に充てました。半年後、彼は本の半分を書き上げていました。

4　やりたいとは言ったけれど、本当はやりたくないから引き延ばしている。

これはそもそも間違った目標を抱いています。そうでなければ、戦略が間違っているのです。減量のことを考えてみましょう。なぜみんな体重を落とすために、カロリーを制限し、苦しみながら、あれこれつらいことをやりたがるのでしょうか。「体重を落としてシェープアップする」という目標を口にするだけで、たいていの人は憂鬱になります。やるべきだと頭で考えていても本当はやりたくないから、ずるずると引き延ばすのです。この場合、古い目標を投げ捨て、〝するべき〟を排除する〈Tip 04〉ところまで話が戻ります。

5　行き詰まってしまい、何かに後押しをされないと前進できないし、はずみもつかないから、引き延ばしている。

いったんスタートしてしまえば、その仕事をやりきれるくらいのエネルギーが出てくるものです。あるクライアントは自宅のリフォーム計画でこういうことを経験しました。彼はダイニングルームの照明器具を取り替えたいと思いました。ところが、それをやれば天井の修理とペンキ塗りもやらなければならないのがわかっていました。これはとんでもない大仕事になりそうです。そこで彼は店に行って、道具や材料を買うだけにしようと思いました。買い物を済ませると、古い照明器具を取り外すだけにしようと思い、それも済ませました。「……このあとは、マスキングテープだけ貼っておくか。……漆喰は乾くのに時間がかかるから、いまのうちに塗っておいたほうがいいな。……次は、色が気に入るかどうか確かめないといけないから、一回だけペンキを塗ってみるか——」。彼は一度に少しずつ進めればいいと自分を言いくるめ、結局はすべてをやり終えてしまったのです。何かのほんの一部だけをやって、そこでやめていいという許可を自分に出しましょう。自然な勢いが生まれて、どんどんやってしまうことになりますよ。

6　じっくりものごとを考える時間が必要だから、引き延ばす。

これはわたしが建設的引き延ばしと呼んでいるものです。もしあなたがアーティストや作家や絵描きだったり、または何か厄介な問題について解決策を考えようとしている人ならば、ごく自然に引き延ばしをするかもしれません。これは妥当であるばかりでなく、必要でもあることです。ふだんは尻込みするアイロンがけや芝生刈りなどのつまらない雑用を、いきなりやる気になったりします。目下取り組んでいるプロジェクトよりも、そちらのほうが急に楽しそうに思えたりするからです。これはちっともかまいません。いよいよ取りかかるというときには、その前に考えをまとめる時間が必要なのです。ある時点になれば準備が整い、絵を描くなり執筆なり本来の作業が始まって、何もかもがするするとあふれ出てくるでしょう。

コンピューターのコンサルタントをしている友人が、わたしの調子の悪いデータベースを直しに来てくれたときのことです。どうもうまくいかず、二人でしばらくいらいらと頭をかきむしっていたのですが、やがてわたしは音を上げて言いました――「これちょっと忘れて、映画でも観に行きましょうよ」。果たして、映画の真っ最中に、彼はひじでわたしをつついて、にんまりと笑いました――解決策が頭に浮かんだのです。映画のあと、彼は再びわたしのオフィスに来て、ものの五分ですっかり直してくれました。映画に出かけるということは、引き延ばしや怠惰のように見えるかもしれませんが、頭脳は問題をめぐってかちかちと動いているのです。

意図があってやるならば、引き延ばしは良いことである理由を六つご紹介しました。あなたがいま引き延ばしていることをすべて書き並べて、その理由を考えてみましょう――そうすれば自ずと解決策がわかります。

Tip 40 神聖な夜を確保する

生き延びるためには、神聖さを学びはじめなくてはならない。わたしたちの大半は、暮らしのペースがこれを妨げている。

――クリストス

神聖な夜とは、あなたが本当に好きなことだけをするためにとっておく夜のことです。公園をゆっくり散歩する、バブルバスを楽しむ、マッサージを受ける、読書をする、コンサートへ行く、またはなんにもしない、などいろいろあることでしょう。ひとりきりになって、遊んだり休んだりリラックスしたりするための時間です。計画も予定も立てません。侵してはならない時間として確保するからこそ、神聖な夜なのです。日常の世俗的な営みから切り離し、高尚な目的のために別枠にします。自分から進んでその時間を設けなければ、他のことと同じように予定で埋め立てられてしまうでしょう。

もし子どもがいるのなら、自分に神聖な夜をプレゼントするのは十倍も大切なことです。大人の活動に身を投じる時間、徹底的に自己中心になる時間〈Tip 87〉が必要なのです。そうすると、子どもと一緒にいるときに、一緒にいるのがうれしく感じられます。わたしには一つ年上の姉と一つ年下の妹がいますが、母は家にいてわたしたち姉妹を育ててくれました。幼いころ、母は他の大人と同じ場所に身を置き、大人の会話を聞くためだけに、ときどきひとりで食料品店に出かけていたことを、最近になって知りました。あなたにはそういう神聖な夜が必要です。

カレンダーを見て、黄色のラインマーカーを手にとって、予定のない晩を四角く囲みましょう。少なくとも週に一日は夜を確保してください。夫と子どもがいる？　問題にはなりません。週に一度、配偶者と交代で一晩ずつ子育て休みを取りましょう。これを正規のお休みにしてください。こっそり抜け出したりして気のとがめを感じることはありません。あなたのパートナーに、好きなことをさせてあげてください。そうすれば一緒にいるときに、新鮮でゆったりとした気持になり、いっそう幸せが感じられます。

Coach Yourself
to Success

第五章

パワフルな
人間関係を築く

Build Powerful Relationships

彼は、執着しないことによって、最もうまくそれを引きつける。
——ドナルド・J・ウォルターズ、“MONEY MAGNETISM”

成功を手にしている人々に、どうやってその成功を手に入れたのかと尋ねると、ひとりで成し遂げたことではないという答えが返ってきます。わたしたちには仲間が必要です――支え合い、励まし合うために。アイデアと友情を分かち合うために。愛と思いやりを与え合うために。人と正しい関係を持ち、パワーのある人々と知り合うことで、あなたが成功するチャンスは飛躍的に増えます。あなたが繰り返し耳にしてきた、「ネットワークづくりや適切な集まりに参加することは重要である」といった、月並みな話をするつもりはありません。走りまわって名刺を山ほど集めるなら誰にでもできます。膨大なデータベースを持っている人も大勢いますが、協力的でパワフルな友人たちとの強力なネットワークを持っている人はあまりいません。第五章では、優秀な人々と表面的に知り合うことではなく、長く持続する深い協調関係をつくる方法についてお話しします。問題の核心に直接切り込み、ビジネスおよび私生活において次々と人を引きつけるものはいったいなんなのか、見てみたいと思います。

わたしたちは好きな人、信頼できる人と一緒に仕事をしたいと考えます。たとえ他の誰かがもっと良いサービスを提供しているとしても。わたしたちはがつがつしていない人に惹かれます。したがって、成功を手にするための鍵、優秀な人々と絶好の機会を自分に引きつけるための鍵の一つは、自分の欲求の正体を突き止め、満たすことです。第三章では、金銭的な欲求について取り上げましたが、ここでは感情的欲求を満たし、力強く長続きする人間関係を築いていきます。

まず第一に、予想以上にお金が必要であるのと同様に、友人や愛情ももっとたくさん必要です。わたしたちはそこそこのところでしのぐことに慣れてしまっています。いつもぎりぎりの生活でごまかすことばかりしていると、潜在的にストレスがたまります。成功を引きつけたいのであれば、十分よりさらに多くが、ありあまるほどのやさしい友人と協力的な同僚が、必要になるのです。必要とするより多くを手に入れることは、あなたにできる最も大切なことかもしれません——花に集まる蜂のように、望むものすべてを自分に引きつけ、成功を呼び寄せるために。窮乏感が根絶やしになるまで、十分に求めてください。窮乏感でぎらぎらしている人が、必死に呼び寄せようとしている相手に結局いやがられてしまうという関係を、誰でも見たことがあるでしょう。あなたを必要としない人は、いつでもより魅力があるのです。

〝必要としない〟原則は、人間関係のみならず、人生のあらゆる分野で生きています。もしお金を必要としなければ、お金を引きつけるのは簡単です（これは〝金持ちはより金持ちに、貧しい人はより貧しくなる〟ということわざに通じます）。本当にお金に困っているとき、銀行へ行ってローンを組もうとしてみてください。低金利ローンでクレジットカードの負債を整理統合したいと。おそらく〝過剰債務〟だと断られるでしょう。しかし貯金があれば、ローンを頼みに行けば（必要ないでしょうが）、簡単に貸してくれます。必要としないときには手に入る。必要としているときには、苦境を勘づかれて背を向けられる——人生の大きな不条理です。友人についても同じです。いま以上に友人を必要としなければ、新しい友人をたやすく引きつけることができます。わたしたちは、誰からも好かれる気さくで自信に満ちた人物に自然に惹かれるものです。

自分の欲求を満足させれば、ストレスも劇的に減ります。非常時モードで走りまわるのは、あまり魅力的なふるまいではありません。たいていの人は自分の欲求がなんであるか知りもしませんし、自分の欲求を満たすために行動に移る人はかなり少数です。それでも、このプロセスは成功を引きつけるためには欠かせませんし、あなたの人生を変えるでしょう。時間をかけ、自分の欲求がなんであるかはっきりさせてください。さもないと、自分を幸せにしてくれると思いこんだあげく、結局は満たしてくれずに終わるものを追いかけて、無駄に時間を費やすかもしれません。

幸いなことに、最初に自分のエネルギーを増やしておけば、必要とする以上のものを得るのが楽になります。もしこの章のアドバイスがかなりの難題だと思ったら、第一章「ナチュラルパワーを高める」に戻って、何か見落としていないかどうか確かめてください。自分の欲求を満たしてほしいと他人に頼むことは、コーチングのあらゆる課題の中でも最も困難なものの一つです。それでたいていの人は気まずい思いをするからです。だからといってこの章を避けてはいけません。最初に不満を感じても、やるだけの価値があります。

Tip 41 償いをする

もし、あなた自身を許さなかったら、どうして他人を許せるだろう？

――ドロレス・ヒュエルタ

優秀な人物を自分の人生に引きつけるための最も良い方法は、既存の人間関係を整理することです。これはよく聞く話だと思います。手を広げる前に、すでにあるもののメンテナンスをするというのは、コーチングにおける原則です。はじめに、何より重要で身近な人間関係から始めましょう――自分自身との関係です。望ましいとは言えないあなたの特質はなんですか？　他人に対して目が厳しかったり勝手な決めつけをしたりしてはいませんか？　他人を裁くことに、魅力的な点はひとかけらもありません。まったくその逆です。裁かれるのが好きな人は誰もいないわけですから、成功を手にしたければ、ここが押さえどころかもしれません。

当然のことながら、わたしもこの性格上の難点を取り除きたいと思い、ちょっと調べてみたところ、原因がわかりました——自分です！　他人を批判の目で見る人は、たいてい自分にも厳しい目を向けます。自分を高い基準に合わせようとし、うまくいかないと自分を責めます。あなたはいつでも自分自身を評価し続けるのです。となんでもなく辛辣な批評家です。しかたのないことですが、あなたは愛する人たちをも、同じ高い基準に合わせようとします。彼らがその基準に同意しているかどうか、基準を知っているかどうかもかまわずに。あまりフェアではありませんね。あなたが最も愛する人々に対して批判がちだという印象を持たれるとしたら、これが理由です。単なる知人なら、このほこ先を感じないかもしれません。あまり親しくないからです。この不愉快な特質の特効薬は、まず自分自身を許すことです。自分につらくあたるのをやめれば、他人をも許す余地が心に生まれます。始まりはあなた自身なのです。

別な考え方をしてみましょう。あなたはその時その時にできることの中でベストなことをしているのだと理解してください。職場でてんてこ舞いの一日を過ごし、お昼を食べる時間もなく帰宅すると、子どもたちにアイスクリームをせがまれます。あなたはきつく言ってしまいます——「ママがくたくたなのがわからないの？」。いままでしたことの中ではベストではありませんが、ひどい一日を過ごしたあと、おなかがすいた状態でできることでは、これがベストなのです。まず自分を許しましょう。それから、子どもたちに謝りましょう。つまり、誰かにきつい言葉を投げつけられたり、期待以下のことをされたりしても、あなたにはあらかじめその人を許す用意ができています。なぜなら、その人がその時点でベストのことをしているのが、あなたにはわかっているからです。これは不愉快なことを大目に見るという意味ではなく、誰が悪いという判断をやめるという意味です。あなたは相手に知らせることができます——「いまわたしにひどいこと言ったよね」。ニュートラルな口調で、批判がましさを込めずに。正しいか間違っているか、いいか悪いかではありません。単に、それであなたが困惑しているということです。

人はたいてい、自分を許せずにいることが山ほどあって、そのすべてを心に抱え続け、ことあるごとに自分を責めています。あやまちを犯すのが人の常。ペンと紙を取り出して、自分を許せずにいることをすべてリストにしてみましょう。子どものころ、あなたが犯した〝罪〟のせいで、兄弟や友だちを困った立場に陥れたことから、だんだん現在まで順を追い、職場で同僚を見下すような言葉を吐いてしまった昨日のことまで思い返してください。次にそのリストを眺めて、謝罪のために連絡の取れる人を探しましょう。わたしはまだジェフリーの居場所を突き止めていません。小学校三年生のとき、わたしの青い鉛筆を盗ったと彼を責めたのですが、あとになって自分で家に置きっぱなしにしたことがわかったのです。謝るだけで十分な場合もありますが、償いをしなければならない場合もあるでしょう。わたしがあなたから借りた美しい白のセーターをパーティーに着て出かけ、誰かに赤ワインをこぼされてしまったとします。台無しになったセーターをあなたに返し、心から謝ったとしても、それだけでは済みません。わたしはそのセーターと同じものを、もしくはもっと良いものを、あなたに返さなければなりません。さあ思い切って謝罪をし、適切な償いをしましょう。これで驚くほど心が晴れ、信じられないほど多量のエネルギーが解放されます。謝罪し、償いをし、そして何よりも、自分自身を許しましょう。

Tip 42 あらかじめ許す

弱者は人を許すことができない。許すことは強者の特質だ。

――ガンジー

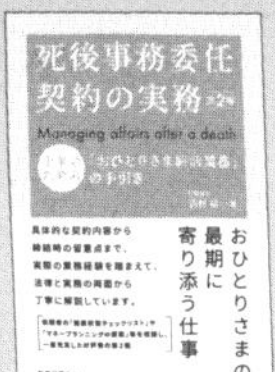

死後事務委任契約の実務〔第2版〕

ー士業のための「おひとりさま終活業務」の手引きー

依頼者からのヒアリング、契約書作成の方法から、遺言執行時の留意点まで、実際の業務経験に基づいて、丁寧に解説。

吉村 信一 著　6751-9 2020/10発売 A5判並製 260頁 2,640円

行政書士合格者のための　実務直結シリーズ・プレBook

開業準備実践講座〔第3版〕

開業20年の行政書士がすべって転びながら培った「失敗」しないための心得と技を惜しみなく開示した好評書の第３版！

竹内　豊 著　6744-1 2020/9発売 A5判並製 336頁 3,080円

事業承継支援マニュアル

事業承継を実践的に研究する大学教員と中小企業診断士が事業承継の課題を整理し、事業承継を支援する人材に向けた支援マニュアル。

玄場 公規・山田 直樹・栗原 浩一・内田　聡 著

6718-2　2020/8発売　A5判並製 172頁 2,640円

試験合格後の仕事を支える

キャリアコンサルタントのための労働法と社会保障の

非正規雇用、がんや精神疾患の治療中、性的マイノリティ
に必要な法的知識をケース毎にまとめた、実務に使え

石井 清香 著　6709-0　2020/9発売

社労士が書いた　**介護「人財」の採用・育成・**

ーコンサルティング

介護事業に強みを持つ社労士が、事業所の抱える
整備が必要な制度設計、企業風土醸成の方法を示し

林　正人 著　6735-9　2020/9発売　A5

グループ・ガバナンスの実践と強化

グループ・ガバナンス実践に向けて実務指針を読み解きながら有効に進めるための実務書。具体的な推進方法についてケースを交え解説。

山田 英司 著　6661-1 2020/3発売 A5判並製 244頁 3,080円

会計基準の考え方〔改訂版〕
～学生と語る23日～

会計基準の重要なテーマを教授と学生の対話形式で解説。各基準設定の目的や問題点を詳らかにし、基準の全体像の把握に役立つ。

西川 郁生 著　6730-4　2020/6発売　A5判並製 236頁 2,970円

メガEPA時代の貿易と関税の基礎知識

貿易実務、わが国の関税、EPAの原産地基準の基礎を解説した書。貿易業の従事者、税理士などの士業での知識を必要とする者に最適。

片山 立志 著　6745-8 2020/10発売 A5判並製 308頁 3,740円

キャリアアップを目指す人のための

…財務」実務マニュアル〔新版〕

…的な内容。「業務の流れ」、「会計上のポイント」、「税務…制上のポイント」の４つの視点から解説。経理・…完全準拠。

… 著

…88頁 3,520円

…0頁 3,520円

…inance" Practices』

…並製 146頁 2,200円

…合手册』

…A5判並製 148頁 2,200円

…しくみ

…等、様々な相談…る一冊。

A5判並製 248頁 2,970円

…定着のための職場作り
…支援の実践―

…問題点のチェック方法、…問題点を解決。

…判並製 192頁 2,530円

価格は10%税込定価です

価格は10%税込定価です

恨みを抱く、腹を立てたり怒ったりする、それはエネルギーの巨大な排出口です。ずっしりとした重荷を下ろして、いますぐ十ポンドほど身軽になりたいなら、する必要のあることはこれだけ——あなたがなんらかの形で傷つけたり衝突したりした相手に電話をして謝りましょう。そう、あなたのせいではなかったことでも、同じことをしてください。さらにワンステップ進めて、あなたを傷つけた人全員に電話をかけ、その人たちを許しましょう。これには自ら進んで許そうという気持と、正義については目をつぶることが必要です（たとえあなたが正しくて相手が間違っていても、これを実行してください）。ここで肝心なのは、誰が正しくて誰が間違っているかという点ではなく、それがあなた自身と、あなたが人生に望むものを引きつける力に、大きく影響するという点です。あなたを憂鬱にしたり元気を奪ったりする、過去の重荷や恨みつらみは必要ありません——いま何かしておかないと、いずれ必ずのしかかってきます。

クライアントのカレンは、三年前に最初の夫と離婚し、現在は再婚して幸せです。元夫もすでに再婚しています。彼女はわたしとのコーチング・プログラムを始めたばかりで、最初に出てきた問題は、彼女が前の結婚生活のあいだに元夫に言われたきつい言葉に、いまだに腹を立てていることでした（過去のわだかまりが残っていると、いざ夢に向かって行動を始めたときに、首をもたげてくるのです）。わたしは、いますぐ元夫に電話をして、彼が以前に言ったことでどれほど傷ついたか、ニュートラルな口調で告げるよう〈Tip 06〉カレンに言いました。粉飾を交えず事実に限って話し、謝ってほしいと彼に頼んで、そして彼を許しなさいと。カレンは、過去を蒸し返したくないからやりたくないと言います。「それはとても残念ね。あなたはもう蒸し返してしまったのよ。もとどおりカーペットの下に隠して、将来また出てくるのを待ってるのもいいけど、いまのうちに片づけて、あとはすっきり生きていくこともできるわ。電話一本でせいぜい五分。どうするかはあなたが決めることだけど、かたをつけずにおくとどういう負担がかかってくるか、はっきりさせておくわね。第一に、人生のいろんな時点でぽこぽこ顔を出してくるわ。勝手に消えてはくれないの。第二に、解決せずにおけば、あなたは彼との人間関係において被害者になってしまう。彼のほうは残酷な鬼。最初の結婚生活をそんなふうに思い出したい？　第三に、解決せずにおけば、あなたは事実上古い関係にしがみついていることになるわ。いまの夫との関係にじわじわと入り込んでくるわよ。それが元夫を許した瞬間にすべて消えるの。たった五分の会話で」。カレンはためらい、そして考えてみると言いました。

翌日、わたしはうれしい報告を受けました。カレンが元夫に電話をかけたのです。二人の会話はすばらしいものでした。カレンは責めたり決めつけたりせずに、ずっと心にひっかかっていたことを話し、そして、彼を許しました。彼女は湧き上がる新しいエネルギーで、飛び跳ねんばかりの勢いでした。ついに過去の重荷から解放され、自分の夢とゴールに向かって進む準備ができたのです。自由への鍵は、許しです。

過去に押しつぶされるままでいてはいけません。あらゆる人を許しましょう。あなた自身を許しましょう。人や出来事から自分を解き放つためには、最後にはどうしても人を許す必要があるわけですから、前もって人を許しておくのがよいかもしれません。これで時間も頭痛もエネルギーも山ほど節約できます。考えてみてください――あなたは、前もって許されたいと思いませんか？　あなたが恨みを抱いている相手、顔も見たくない話もしたくない人々の名前をリストにして、受話器を取るか、手紙を書きはじめましょう。覚えておいてください。ニュートラルな口調なら、あなたは誰に対してもどんなことでも言えます。また、まだかすかな怨恨や憤りが残っているうちから、相手を許したと考えてはいけません。それは誤りです。とんでもなくひどい話であれば、セラピーを受け、怒りをコントロールする方法を身につける必要があります。少しの進歩で、自らのエネルギーと人生の解放に至る、長い道のりを進んでいくことができます。もう一つ――相手を許さなかった場合、傷つくのはあなただけです。相手はおそらく、そもそもあなたがなぜそんなに怒ったのか、覚えてもいないでしょう。今日から償いを始めましょう。

Tip 43 欲求の正体を突き止める

あらゆるものは、それを必要としない人のところにもたらされる。

――フランスのことわざ

そもそも、自分の欲求がどんなものなのか、どうしたらわかるでしょうか。感情的欲求は、あなたが最高の状態になるために必ず持っているものです。欲求がかなえられなければ、いらいらしたり、愛されていない気分や認められていない気分になったり、怒り、恨み、ねたみ、貧しさを感じたりすることでしょう。こういった不愉快な気分は、あなたの欲求がかなえられていないということを示します。人それぞれ、違った欲求を持っています。ミシェルの場合、自立したいという強い欲求があります。この欲求がかなえられるとき、彼女の能力が最大に発揮されます。ミシェルがいちいち細かい指示を下す上司のもとで働いていたとき、彼女はたちまちいらだちがつのって怒りっぽくなり、聞いてくれる人には誰かれかまわず愚痴をこぼすようになりました。好きなようにやらせれば、すばらしい仕事をするミシェルです。それが、自分自身の会社を持ちたいと思うようになった理由の一つです――これで自立したいという欲求がかないます。人によっては、明快さへの欲求を持っていて、何をするか、どうやるかを、事細かに説明してくれる上司のもとで働きたいと思う場合もあるでしょう。良いか悪いか、どちらがましかという話ではなく、ただ違うというだけです。自分がどんなふうに監督されれば最も力を発揮できるかを上司に伝えれば、上司は仕事がやりやすくなります。フィードバックがたくさんあったほうが力を発揮できるなら、上司に言って定期的にフィードバックが得られるシステムをつくりましょう。週に一〇分間、上司とミーティングをするだけでかなうことだと思います。

クライアントのポールは、賛同を得たいという欲求を持っています。友人、同僚、上に立つ人々からいつも同意をもらっていないと、自分と自分の能力を疑ってしまうのです。もともとまったく好きではない会計学を専攻したのも、そこに理由がありました（ポールはにぎやかなことが好きな社交的な人物で、いまはプロの講演者として活躍しています）。ポールの父親が会計士で、息子にも同じ職業を望んだのです。ポールは誰よりも父親に認めてもらいたいと思っていました。欲求というものはたいへんパワフルなので、満たそうとするうちに突飛な行動をしてしまったりもします。明らかに意味をなさないことや、自分の損になるようなことまで。

突飛な行動や依存癖の陰には、満たされない欲求があります。あなたが飢餓状態にあったとしたら、食べ物を求めてゴミ箱をあさったり、物乞いをしたり、盗みをはたらいたりするかもしれません。感情的欲求の点で見ると、わたしたちのほとんどは飢餓状態にあります。男性のみなさんにはとくにこの章が大切です。わたしたちの文化においては、男性には欲求など持ってほしくないという風潮がありますが、男性も女性と同じだけの欲求があるのです。感情的欲求を持つことは人間の一部であり、持っていないふりをしても、持っているという事実は変わりません。クライアントのレイモンドは、支配したいという欲求がありました。彼が判事だというのはちょっとびっくりです。自分の欲求のことを妻に言うと、彼女は少しも驚きませんでした。はっきり口に出して言うことによって、話がオープンになり、彼の欲求をかなえるための、健康的で受け入れられる方法を編み出すことができました。その一つとして、妻はテレビのリモコンを彼に持たせることにしました。

非常に一般的な欲求をいくつかご紹介しましょう。欲求は数も種類もたくさんありますが、もしかしたらあなたの欲求はそれらのうちの一つに似ているかもしれません。たいていの人は、愛されたいという欲求をいろんな形で持っています。〝たいてい〟と言ったのは、この欲求が十分に満たされていて、欲求としてぴんとこない人もいるからです――感謝祭のディナーのあとに、食べることが頭に浮かばないのと同じように。愛されたいという欲求のバリエーションにはこういったものがあります。かわいがられたい。あがめられたい。ほめられたい。認められたい。気にかけてもらいたい。受け入れられたい。仲間に入れてもらいたい。尊重されたい。大事にされたい。救われたい。この中で、あなたの気持に合うものがあるでしょうか。他の欲求にはこういったものがあります。確かめたい。制御・支配・命令・管理したい。意思を通じ合わせたい、共有したい、聞いてもらいたい。心地よく過ごしたい、守られたい。追いかけたい。解放されたい、独立・自立したい。必要とされている・重要・役に立つと感じたい。気がついてほしい、覚えておいてほしい。他人を良くしたい、喜ばせたい、満足させたい。正しいことをしたい。大義や使命を持ちたい。働きたい。忙しくしていたい。また、求めるものとしては以下のようなものがあるかもしれません。高潔さ、率直さ、誠実さ。秩序、一貫性、完全。平和、静謐、平穏、均衡。力、強さ、影響、称賛。裕福、安全。

あなたの欲求の上位二つか三つ（自分が最高の状態になるために必要なもの）を選び出すか、新たに考えてください。先のリストを読んだあとでも何も浮かんでこなかったら、こんなアプローチを試してみましょう。どんなときに怒りっぽくなったりいらいらしたりしますか？　本当はノーと言いたいのにイエスと言ってしまうのはどんなときですか？　または、誰かに利用されてしまうのはどんなときですか？　ノーと言いにくいのは、裏を返せば、他人を喜ばせたい、もしくは人に好かれたいという欲求があるからです。自分の欲求がなんなのか突き止めるのは、簡単ではありません。わたしのクライアントのほとんどは、このステップでためらい、さっさと先に進みたがります。でもわたしはそうさせません。なぜなら、これは成功を引きつけるための重大な要素だからです。窮乏してぎらぎらしている状態にどれほど魅力がないか、あなたは体験済みです。そこのところで体裁をつくろってはいけません。なかなか欲求がはっきりしない人は、コーチなどあなたをよく知っている人と一緒に取り組むとよいかもしれません。これで、あなたが本当に欲しいもの〈Tip 44〉を求める準備ができたことになります。

Tip 44 本当に欲しいものを求める

求めなさい、そうすれば与えられる。探しなさい、そうすれば見つかる。戸を叩きなさい、そうすればあなたのために開かれる。

——マタイの福音書、五章一節

自分が本当にしてほしいことを相手に頼むことさえできれば、苦悩も減り、時間やエネルギーを大いに節約することができます。シンプルなことに聞こえますが、どういうわけかそうしようとしない人がほとんどです。同僚、友人、家族、愛する人は、こちらが何を欲しがっているのかとくに要求しなくてもわかってくれると、つい思ってしまうものです。愛する人は自分と同じ欲求や欲望を抱いているに違いない、そう考える人もいるでしょう。でもそれは違います。わたしたち全員に、それぞれ独自の欲求と、それをかなえる独自の方法があるのです。

あなたの独自の欲求がどんなものか判明すると、これまでになくそれを意識するようになります。高級小売店で店員をしているスティーブンは、自分には評価されたいという欲求があることがわかりました。彼はみごとな仕事ぶりで、すばらしい売上成績を上げましたが、彼の優れた実績に関して、マネージャーたちからはなんの声も聞こえてきませんでした。スティーブンはむっとして、少々腹が立ちました。不機嫌になったり、上司の見る目のなさについて同僚に愚痴をこぼしたりはせず、自分の欲求は自分でかなえる責任があると強く思いました。週に一度のミーティングで、スティーブンはこの件を率直に持ち出しました。自分の成果について、もっとポジティブなフィードバックが欲しいとマネージャーに話したのです。マネージャー二人はすぐに謝罪し、はっきり言ってくれたことに感謝しました。二人とも、ポジティブなフィードバックをするのは不得手だけれど、もっと頻繁にそうする必要があると認めました。スティーブンはたびたび催促してよいことになり、それは上司も歓迎でした。電話をしてきたときスティーブンは大喜びでした。彼は評価されたいという欲求を仕事でかなえるのが、どんなにシンプルで簡単なことかというのがわからなかったのです。

わたしのクライアントのひとりは、大事にされたいという欲求があることに気づき、気軽に恋人にそう言いました。彼はすぐに美しい花束や、贈り物や、チョコレートを持ってくるようになりました。彼は「大事にする」というのはそういう意味だと考えたのです。そのクライアントは、とてもうれしいのは確かだけれど、あまり大事にされている気分にならないと、わたしに不満をもらしました。どんなことをすれば大事にされている気分になるのか彼女に尋ねると、それがささいなしぐさであることがわかりました。そっと手を握ったり、愛情のこもった目で見たり、耳に甘い言葉をささやいたりといったことが、本当の望みだったのです。彼女は自分の望みを具体的にはっきりと伝えると、彼は喜びました。彼女の恋人は、彼女の思うとおりの方法で、彼女を大事にするようになりました。あなたも思い切りぎゅっと抱きしめられるより、そっとやさしくいだかれるのが好きなら、そう言いましょう。バラではなくチューリップをもらいたいなら、そう頼みましょう。

こちらから頼んでしまったら意味がないんだという、妙な考えが頭にある人もいます。とくに大切な人なら、こちらの望みや欲しいものを魔法のように察してくれるべきだというのです。まず理解してください――そんなことはわかるはずがありません。単に相手は知らないだけです。こちらがどう監督されたいと思っているか上司は知らないし、こちらがどう感謝されたいと思っているか友人は知りません。わたしたちはたいてい、自分が受けたいと思うものを与えます。これがうまくいく場合もありますが、いつもそうとはかぎりません。わたしたちはみんな違うし、違う欲求を持っているからです。自分を特別な気分にさせてくれるものが自分でもよくわからないのに、他人がわかってくれるだなんてどうして期待できるでしょう？　次に理解するべきなのは、頼んだら台無しになってしまうなんてことは絶対にないという点です。それはとんでもないつくりごとです。それを身をもって体験してほしいと思います。わたしは自分の恋人に、機会があれば遠慮せずにわたしの足をマッサージしてほしいと頼みました。彼はわたしの足をひざに乗せてもみほぐすのが習慣になりました。とっても良い気持でした。あなたを愛し、大切に思っている人は、あなたを良い気持にさせたいと思うものです。だからあなたが幸せになることを、ためらわずに頼んでみましょう。

自分の欲求がどんなことかわかったら、今度は友人や家族に、ときには同僚にも、それらの欲求をかなえてほしいと頼む番です。そのときはごく具体的に言いましょう。理想は、一つの欲求を五人に頼み、それぞれ違う方法でかなえてもらいます。この実践のポイントは、とことんやるということ。大勢の人に欲求をかなえてくれるよう頼んで、十分すぎるくらいに満たされた気分になることです。たとえば、マーティンは自分に主な欲求が二つあるとわかりました――尊敬されたい、愛されたい、の二つです。彼は妻に、帰宅したら熱烈にキスをして愛していると言ってほしい、と頼みました。父親には、週に一度電話で「おまえを息子に持てて誇りに思う」のようなことを言ってほしい、と頼みました。妹には、週に一度電子メールであたたかい言葉を送ってほしい、と頼みました。上司にはキスやあたたかい言葉ではなく、仕事でのポジティブなフィードバックを頼むのが適切でしょう。同僚にもフィードバックをくれるよう頼みました。まるでマーティンが並はずれた窮乏状態のようですが、それはまさにこのコーチングの課題におけるポイントです。これは極端にやることになっているのです。十分〝以上〟に得ることが大切です。最初は、たとえ相手が親しい友人や家族でも、自分の欲求を満たしてくれと頼むのが気まずく感じられ、ばつの悪い思いをするでしょう。それはごく正常です。足を止めずに先に進んでください。自分の欲求を〝消滅〟させる鍵は、大勢の人々にさまざまな方法で満たしてもらうことです。この課題を一度やってしまえば、もう窮乏したりしません。それどころか以前よりずっと満たされ、自信があふれることでしょう。

欲求をかなえる方法を、自分でセットアップすることもできます。マーティンは、ワークアウトをして自分の健康や肉体にとことん手をかけているとき、自尊心をより強く感じることを発見しました。わたしは、家政婦〈Tip 15〉、マッサージ師〈Tip 84〉、個人指導トレーナー〈Tip 85〉を雇うことで、また自分のために神聖な夜を確保する〈Tip 40〉ことで、大事にされていると感じます。四週間から六週間ほど、そうやって自分を甘やかせば、気分が満ち足りてくるでしょう。もはや窮乏状態にはなりません。充足感をたっぷり味わったのですから。友人や家族に毎週電話をしてもらう必要はありませんが、彼らがそうするのを楽しんでいるのなら、どうぞ続けてもらってください。

わたしのクライアントのひとりには、毎週電話をかけてくる友人がいました――ぼくはきみのことを立派だと思うという、ただ一つのことだけを言うために。三年間もそんなことをしているうちに、協力し合うパワフルな関係ができあがりました。また、クライアントのバーバラは、月に一度母親に電話をするのが習慣でした。母親とは愛し合っていたし、とてもいい関係でした。バーバラは愛されたいという欲求を満たすために、毎週電話をしてきて愛していると言ってほしいと母親に頼みました。この週に一度の電話で母娘の関係はさらに深まり、まるで親友どうしのようになりました。バーバラが自分でビジネスを始めたとき、母親は最大の応援者になってくれました。

自分自身をさらけ出し、無防備な状態になって、自分の欲求をかなえてほしいと他人に頼むのは簡単なことではありません。しかし、双方にとってとてつもなく見返りが大きくなる場合があります。あなたを愛している人は、あなたの欲求をかなえてあげたいと思い、喜んで実行してくれることでしょう。相手に無理強いしてはいけません。あるクライアントは、高く評価されたいという欲求をかなえてほしいと、長年つきあってきた恋人に頼みました。恋人はいやがりました。そのとき彼女は不意に、長年のつきあいが一方通行だったことに気づきました。常に与えていたのはこちら。彼は受けるばかりだったのです。彼に「与えてほしい」と頼んでも、それはかないませんでした。数ヶ月後、彼女は恋人と別れ、引っ越しをして、もっと健全なギブ・アンド・テイクの関係を築きはじめました。

欲求をかなえるためのよりどころは複数見つけることが大切です。自分だけを頼りにしていると、忘れたりやめてしまったりするかもしれません。誰かひとりだけに頼っていると、その人はやがて腹を立てるでしょう。わたしたちは、自分にとって大切な人は、こちらの欲求を完璧にかなえるだけでなく、その欲求が何かを知らせなくてもそうしてくれて当然だと思い込む傾向があります――これはとても大きな重荷です。多くの恋愛関係が失望や離婚に終わってしまうのも不思議ではありません。欲求をかなえてもらおうとひとりの人間に重くのしかかれば、人間関係に潜在的に無理をかけているというのがわかりますか？　誰かと愛し合い、自分の欲求がかなえられつつあるときは、お互いに特別な努力をしています。最初は、マッサージをしてあげたり、花束を贈ったり、ロマンチックなディナーの用意をしたりすることが、大きな喜びに感じられるでしょう。しかし時間がすぎるにつれ、それがもはや自由意思でなくなれば、喜びではなく重荷になります。あなたが自分の欲求をかなえることは、自由意思ではありません。基本的な肉体の欲求を満たすために食べる必要があるのと同様に、あなたは最高の状態となるために、自分の欲求をかなえなければならないのです。しかしそれをすべてひとりの人間に期待してはいけません。ベストな関係は、その関係の内と外で同じように欲求がかなえられている恋愛関係です。

これは、愛について、誰かを必要とすることについて、これまで聞いてきたことと正反対です。大概において、わたしたちは愛することと必要とすることを混同してきました。その二つはまったく違うものです。離婚率の高さはそれで説明がつくかもしれません。人は自分の欲求を相手が満たしてくれるからという理由で結婚します。数年たつと、相手の欲求を満たすことに飽きてうんざりし、腹立たしくなってきます。そして、満たされないほうの人は、いかにも当然の権利であるかのように言います――「わたしの欲求をぜんぜん満たしてくれてないじゃないの――あなたはわたしが結婚した人とは別人だわ」。そして二人は離婚し、欲求を満たしてくれる別の誰かを探しはじめるのです。お互いに欲求を満たし合うという点を関係の基礎にするのが、いかに危険かということです。あなたを愛する人は喜んであなたの欲求を満たしてくれるべきですが、その人に全面的に頼ってはいけません。誰かを必要とすることは、その人を愛することと同じではないのです。

　理想を言えば、欲求が〝消滅〟するまで完全に満たしたいところです。食べ物の詰まった冷蔵庫を持っていると考えてください。おなかがすいたときには扉を開ければ食べ物が手に入ります。欲求についても同じことです。欲求の一つがたっぷりとかなえられ、もはやその心配をしなくていいという状態は、どんな感じでしょうか？　何かに関して欲求を感じたら、あなたは自然にそれを求めることでしょう。これは愛する人にあなたの欲求をかなえてもらいたくなくなる、ということを意味するのではありません。でも関係における差に注目してください。わたしは自分が結婚する男性に、わたしのために食べ物を買ってわたしの面倒を見てやりたいという気持と、その能力を持っていてほしいと思います。でも、彼はそうする必要はありません。なぜならわたしは自分でその欲求を十分に満たすことができるからです。もし誰かがわたしを養ってくれるとしたら、それはうれしいし、思いがけない幸運ですが、必要条件ではありません。同じことが感情的欲求にも言えます。わたしは、わたしを大事にしようとしない、する能力のない人とは結婚しませんが、大事にしてくれることを必要条件にしたいとも思いません。わたしを養う能力を、彼と結婚する理由にしたいと思わないのと同様に。愛とは選択の自由であり、義務ではありません。

　わたしのクライアントのひとりは、美しいと言われたいという欲求があることに気づきました。彼女はボーイフレンドに「きれいだよ」と言われると、彼にきちんと礼を述べ、「そう言われると本当に愛されていると感じるの」と言います。これはじつに賢いと言えます。もし誰かが、故意にでもたまたまでも、あなたの欲求の一つをかなえてくれたら、感謝を表すことでその行動が強められ、その結果さらに多くを得ることができます。実質的に、あなたの最高の状態を引き出すような接し方について、あなたがまわりの人をコーチングしていることになります。自分の欲求がなんなのか意識すればするほど、かなえる方法を見つけるのにいろいろなアイデアが湧くことでしょう。最初は気後れして心地が悪いかもしれませんが、それと気づかないうちに欲求をかなえてほしいと人に頼めるようになるのも、すぐのことでしょう。

クライアントと一緒に欲求について話し合っていると、「欲求を満たしてくれなんて人に頼めるわけがない」といつも決まって言われます。でも一度そういった欲求のことを人に話してみると、みんな快くかなえてやろうと思ってくれることに、びっくりすると思いますよ。以前ロンドンでセミナーを開いたとき、わたしは欲求について詳しく話し、大事にされたいというわたし自身の欲求を例として紹介しました。大事にされていると感じさせてくれる新しいものが次々と見つかり、その一つが髪をなでられることでした（幼いころ、わたしが悲しいときは父がいつもわたしを揺すって髪をなでてくれたのです。愛されている、守られていると感じる、やさしいしぐさです）。セミナーが終わると、大勢の人々がやってきて、楽しいセミナーだったと言ってくれました。ところが驚いたことに、毅然とした態度をとるはずのイギリス人が、わたしの前に列をつくって、公の場でわたしの頭をなで、髪をすくではありませんか。ちょっと不快な思いをしたわたしは、重要なことを一つ言い残したことに気づきました――わたしが指で髪をすいてもらいたいのは、心を許した男性にかぎった話で、路上で誰も彼もにそうされたいのではないということです。あなたが求めたことはそのまま得ることになります。くれぐれも具体的に頼むようにしてください。

この実践のポイントは、自分の欲求をかなえてくれるよう、人に頼むことです。頼むという行為だけで気後れやばつの悪さを感じ、間抜けな気分になるはずです。ならなければおそらく、あなたは真の欲求がなんなのか、まだ確認していないということです。

Tip 45 自分自身の家族を見つける

家族のいない男は、天涯孤独の身で寒さに震える。

——アンドレ・モロワ、『私の生活技術』

あなたを無条件に愛し、支えてくれる親友や家族がいなければ、成功を引きつけるのはたいへん困難です。愛する人と分かち合わない成功にどんな意味があるでしょう？　愛情深い協力的な家族の一員に生まれついた幸運な人もいるでしょうが、そうでなければ、自分自身の家族をつくることはきわめて重要です。あなたを受け入れて、実の息子か娘のように愛してくれる人を見つけましょう。誰もがそういった特別な愛情を注いでくれる両親を持っているとはかぎりません。両親について文句を言ったり、自分の問題で両親を責めたりして時間を無駄にするのはやめ、両親のことはそういう人間であると受け入れて、あなたに対して父や母としてふるまうことのできる人を探してみるときかもしれません。幸いにも、与える愛を持っている人が世間にはたくさんいます。探せばきっと見つかるでしょう。

わたしのクライアントのひとりは、自分が必要とする愛情を、実の両親から受け取るのは不可能でも、夫の両親が与えてくれることに気づきました。義父母は実の娘同然に彼女に接し、彼女は義父母を実の両親のように受け入れ、愛しました。ドンは一四歳のときに両親を亡くし、伯母に引き取られて育てられました。彼はいま三三歳で、伯母のことを母同様に愛していますが、それでも父親になってくれる人が欲しくてしかたありませんでした。わたしは、高齢者施設を訪ねて、与える愛を持っている人を探してみては、と提案しました。ドンは野球という共通の楽しみを持つ、とある老齢の紳士に会いました。ドンは毎週その紳士を訪ねるようになり、まもなく、ずっと自分に欠けていると思っていた愛情と慈しみが見つかったように思いました。もしもあなたに祖父母がいるなら、ことあるごとに感謝の意を伝えましょう。

両親はずっとそばにいてくれる、いつでも話をする時間はあると、わたしたちは思いがちです。でも必ずしもそうではありません。わたしの同僚は、父親をスウェーデンに連れていってあげたいとずっと思っていましたが、病気の母親がいてすぐには無理な状態でした。ところが、父親が思いがけず腎臓の病気になり、定期的に人工透析をしなければならない体になりました。予定外の事態です。彼女はできるだけ早いうちに父をスウェーデンに連れていくほうがよいと考えました。父は母のことを案じていましたが、母も父が二週間出かけることに同意してくれました。二人の旅行はすばらしいものとなりました。父はホテルに泊まったのは生まれて初めてでした。妻が楽しめないため、これまで一度も旅をしたことがなかったのです。父は十代でスウェーデンを出て以来、初めての帰国でした。二人は父にとって懐かしい場所を訪ね、何年も会っていなかった人々に会い、父が生まれた家を見に行きました。彼女は自分の父親がおなかの底から笑う声を久しぶりに聞きました。父親は、この旅行は八三年間の全人生で最もすばらしい体験だったと言いました。両親に楽しんでもらうのを遅らせてはいけません。あなたがどれほど両親を愛しているか、言葉と行動で示しましょう。

Tip 46 配偶者とデートする

市内の大概の恋人たちと同様、彼らは愛のために不可欠な、逢う場所のなさに悩んでいた。

——トマス・ウルフ、『蜘蛛の巣と岩』

成功を手にした人々の後ろには、たいてい強力なサポーターがいて、彼らをサイドラインから応援しています。傷ついたときはぎゅっと抱きしめ、欠点も含めて何もかも愛してくれる人です。愛する人と一対一で話す時間は、毎週どのくらいありますか？　アメリカ人の平均は二七分。これは、配偶者はいつも必ずそばにいる、時間があるときに話せばいいと思い込んでいるからです。でももちろん、みんな忙しくて時間などありません。

互いに育み、応援し合う、愛情あふれる関係を望むなら、週に一度は配偶者またはパートナーとデートをすることが絶対に必要です。ベビーシッターを雇ったり、ご近所さんと互いに子どもの面倒を見たりして、パートナーとロマンチックな夜を過ごせるようにしましょう。ふたりの関係を育み、ロマンスを消滅させないでおくことはたいへん重要です。高級なお店に行く必要はありませんが、外出しましょう。ピクニックのお弁当をつくり、公園で食べながら、月が昇るのを眺めたり。安くておいしい中国料理店で食事をしたり。おしゃれな服やスーツを着て出かけましょう。パートナーと互いの希望やプランや夢を話すのは、こういう機会しかないかもしれません。いろいろ工夫をして、思い切り楽しんでください。もめるとわかっている話題は避け、ロマンチックな話だけにしましょう。あなたには、パートナーと一緒に特別な時間を過ごす権利があるのです。二人の関係に活気が戻り、そもそもなぜ自分たちが一緒にいるのか、思い出させてくれるでしょう。子どもたちにも、二人が夫婦関係を大切にしているところを見せれば、良いお手本となります。あなたもパートナーも、いっそう良い親になれると思います。

クライアントのローラは、夫が彼女のコンサルタント業を応援してくれないと不満をもらしていました。彼女は、好きではない昼間の仕事をいずれ辞めたいと考えて、夜、自宅でそのビジネスをしていました。夫がもうロマンチックではなくなってしまったのも不満でした。花を買ってきてくれないし、贈り物もくれません。二人の子どもが生まれてから、一緒に何かしたことなどめったにありませんでした。わたしはローラに、一週間に一度、夜ベビーシッターを雇って、夫と二人だけで外出しなさい、と言いました。彼らの関係は、少々努力をすれば十分にもとどおりになります。後ろで子どもがぎゃあぎゃあ騒ぎ、おちびのスージーがあなたのシャツにミルクを吐いた直後では、ロマンチックになどなれるものではありません。ローラは懐疑的でしたし、夫はベビーシッターにお金を使いたくないようでしたが、わたしはともかくやってみなさいと背中を押しました。二人の関係を成功に導くには、お互い一緒にいることを純粋に楽しむ時間が不可欠なのです。

翌週、ローラが電話をしてきて、とても楽しいデートだったと報告してくれました。こぢんまりしたしゃれたレストランへ出かけ、新しい家を建てる計画や、ローラの在宅ビジネスについて話したそうです。それからショッピングモールまで、手をつないで歩いていきました。ローラは、彼と一緒にいるだけでとてもうれしかったそうです。その週の後半、彼女が店で買い物をしていると、後ろから近づいてきた人に手で目隠しされました。夫でした。思いがけずお店で夫に会ったことに胸が躍り、一瞬、他人が彼を見るような目で、夫を見ました——このとっても魅力的なたくましい男性が、わたしを狂おしいほど愛してくれているなんて。彼が自分のものであることがとても幸運に感じられました。彼らは週に一度のデートを続け、いまは夫婦としてとてもうまくいっています。ローラは出世の途中である夫を支え、夫は妻がビジネスに集中できるよう昼間の仕事を辞めればいいと、積極的に励ますようになりました。配偶者とデートをして、人生でいちばん大切な関係を育みましょう。そうすれば、今度は彼または彼女が、あなたが仕事で成功するために必要なエネルギーを与えてくれます。

Tip 47

親しい友人たちと強力なネットワークをつくる

誰もわたしたちを愛さなかったら、わたしたちは自分を愛せなくなる。

――スタール夫人

ともに愛し、楽しみ、祝う友人がいなければ、成功にどんな意味があるでしょう。あなたを愛し、支えてくれる友人はたくさん必要です。親友がひとりいればなんとかやっていける人も多いでしょう。それで十分かもしれませんが、成功を手にした人々には概して親しい友人が大勢います。ロバートは自分にはたくさんの友人がいると思っていました――長年の親友三人です。しかし、ひとりはワシントン・D・Cに、別のひとりはオレゴン州に、もうひとりはロシアにいます。手紙や電話で、それにたまには訪問して、連絡は絶やさないようにしていますが、同じ町にいて一緒に遊べる人がいるというのとはまた別です。ちょっと出かけて、終生つきあえる新しい友を一週間に五人も見つけようと思っても無理ですが、心を開いてもっと多くの友人のために余地をつくることはできます。クラブを結成したり、組織に参加したり、趣味を始めたり、同じ興味を持つ人々と出会える場所に身を投じることもできます。ビジネスの会合、人脈づくりのイベント、パーティーなどで、まわりにいる人々に注意を払いましょう。興味を引かれる人がいたら、知り合いになる努力をしてください。

ローレンはカクテルパーティーの席で、マスコミ界で大きな影響力を持つ女性と出会い、たちまち意気投合しました。その女性は、もっとよく知り合うために今度一緒にお昼をいかがと、ローレンを誘ってくれました。もちろんローレンは二つ返事で承知しました。けれども、その女性と友だちになるか、それとも新しい客としてアプローチを試みるべきか、とても迷いました。こんな有力者を顧客に持てたらすごいと思ったのです。わたしは、ビジネスのことは忘れて、友情を培うほうに集中しなさいとアドバイスしました。真の友人はたいへん貴重なものだということを、覚えておいてください。仕事の客は次々現れては消えていってしまいます。ローレンはその女性と友だちになり、結局はその人がたくさんのビジネスチャンスをくれ、さまざまな顧客と引き合わせてくれることになりました。もしローレンが即座にビジネスの関係を築こうとしていたら、裏目に出ていたかもしれません。

ですが、無理に人と親しくなろうとしてはいけません。本当に親しくなるときはなんの努力も要しないものですし、なかなか親しくなれないなら、親しくなる価値はないのです（もしあなたがすでに欲求をかなえている場合は〈Tip 43〉これはおそらく問題にならないでしょう）。友情も、仕事に役立つ人間関係も、自然に生まれます。関係をスタートさせるためにあなたから行動を起こさなければならないかもしれませんが（たとえば誰かに電話をかけてランチに誘ったり、どこかに集まったり）、他の人に自分を押し売りするのは避けましょう。

一般に成功を手にしている人々は、強固で協力的な地域社会の中心にいます。最近では生まれた土地にそのまとどまる人はたいへん少なくなっています。地域社会の一員となる最も簡単な方法は、一ヶ所に長くとどまることです。あなたは町の一部となり、みんなあなたのことを知るようになるでしょう。小さな町では、互いに知らない人間はいないほどです。土地に根ざしたこういったコミュニティは、かつては当然のことだと思われていました。人情豊かで互いに支え合うコミュニティの一部となることが、人生において大切な一部だということを、人は忘れてしまっています。あたたかなコミュニティの一員でなければ、最高の状態にはなれないでしょう。

最近では、自分自身のコミュニティをつくらなければならないことがほとんどで、それは実際たいへん良いことです。地理的なエリアで決められた人々ではなく、自分に合った集団を選び、一緒にいて楽しい人々を見つけることができます。職場のグループがコミュニティの役割を果たすことが多いですが、必ずというわけではありません。わたしは銀行に勤める人々の中では自分がその一員だという気がしたことがありませんでしたが、コーチングの同僚はたちまち好きになり、尊敬するようになりました。あなたが本当に愛せる人々のグループが見つかるまで、いろいろ探したり試みたりしてください。自分にぴったりのグループが見つかれば、すぐになじめるはずです。

わたしのクライアントのひとりに、人がうらやむようなすばらしい人生を送っている人がいます。三十年の幸せな結婚生活、やさしくて協力的な夫、立派に成長した二人の子ども、豪華な二軒の家、万事順調な小売りのビジネス——理想的なアメリカン・ドリームの人生です。彼女は二三年間、一四人の女性からなる読書クラブに所属しています。月に一度集まって本について話し合いをしますが、何年ものあいだ、彼女たちは互いに大きな支えとなってきました。心臓発作による夫の死、十代の子どものドラッグ問題、乳ガンなど、人生に起こりうる恐ろしいことすべてに際し、お互いに助け合っています。彼女たちの中で、精神科医の診察が必要だった人はひとりもいません。ひとりひとりに、他の一三人の女性たちの大きな愛と支えがあるからです。もちろん、ふだんはただ楽しい時間を過ごし、子どもの結婚、孫の誕生、新しいビジネス、さまざまな成功、誕生日や結婚記念日のパーティーなど、何かお祝いごとがあるたびににぎやかに騒ぎます。その読書クラブは、何が起ころうとも、みんなお互いのためにそこにいようと約束しています。孤独に対する保険証書です。

もしこのようなあたたかくて頼もしいクラブがないなら、いまこそスタートさせるときです。あなた自身のクラブをつくるか、既存のクラブに参加しましょう。自分にぴったりのグループが見つかったなら、糊のようにくっついて離れないようにしましょう。親交と信頼は、時を重ねて築かれるものです。

Tip 48 自分自身の参謀集団をつくる

クリスタル「ほとんどの人は、脳の潜在能力の二パーセントを使っているんだってさ」
ロザンヌ「えっ、そんなに？」

――ドラマ「ロザンヌ」

成し遂げたいものが多ければ多いほど、より多くの支援が必要になります。成功を手にしている人々は、自分ひとりの力でそこに至ったのではありません。とくに何か大きなことをしようとしている人には、自分で思うよりも多くの支え、援助、アドバイス、励ましが必要です。大きな成功を収めた人々には、その人の力となり、賢明な助言を授けてくれるチームがついています――参謀集団です。大統領には彼に助言をする顧問団がいます。CEOには取締役会があります。もしあなたが、あまりにも規模が大きくて達成が難しそうに見えることを成し遂げたいと思っているなら、自分自身の参謀集団をつくってはどうでしょうか。さまざまな才能とバックグラウンドを持つ人間が集まった、この特別な集団は、ブレーンストーミングに協力したり、どうすればあなたが目標に到達できるかについて提案をしてくれるでしょう。助言もなく好きにやっていたら、わたしたちはたちまち挫折するか、「ああ、とても無理だ。こんなことをやってみようと考えるなんて、ぼくはいったい何様のつもりだ」的メンタリティーに陥ってしまいます。サポートチームがいればそんなことにはなりません。わざと反対意見を述べる役を演じたりして、あなた側に大きな損害が生じるエラーを阻止してくれるかもしれません。あなたを愛し、支える人々、あなたに真実を告げることを恐れない人々です。あなたのほうでは、たとえ気に入らないことでも、彼らが言わなければならないことに――真実に――耳を傾けなければなりません。しかし、その人々が本当にあなたの成功を見たいと思っているかどうかはきちんと確認してください。

ちなみにわたしのチームには、わたしの執筆とアイデアにフィードバックをくれる雑誌編集者がいます。かつてのわたしのクライアントである、広告会社社長の洞察力にも頼っています。マーケティングの仕事をしている友人は、いつもすばらしいアイデアを分けてくれます。別の友人はコンピューターが得意で、わたしのコンピューターがシステムトラブルを起こしたときはいつも助けてくれます。彼に電話をして手短に話すと、九割は電話越しに問題を見抜いてくれ、わたしはすぐに仕事に戻れるのです。もしあなたにテクノロジーの知識がない場合、コンピューター方面の友人をひとりかふたりは必ず持つ必要があるでしょう。わたしのコーチングの同僚は、いつも喜んで経験や提案を分けてくれます。わたしはオーディオテープを作成するとき、すべてひとりでやるのはやめ、プロデューサーに頼んで手伝ってもらいました。いま彼女はわたしのビジネスのマーケティングに関して、新しいアイデアの泉となってくれています。別の友人は出版社で働いていて、拙著の出版に際しては大いに力を貸してくれました。わたしには師と仰ぐ人物がいます。一代で財をなした億万長者です。彼はいつもわたしにアドバイスと励ましの言葉をくれ、わたしが手痛い失敗をしないようにしてくれます。そしてもちろんわたしにも、自分自身の人生を改善するために力を貸してくれるコーチがいます。わたしは家族や友人からの愛と支えと励ましを、常に頼みにしています。

取り組んでいるプロジェクトの規模が大きければ大きいほど、恐ろしさも増し、必要とするサポートとアドバイスは増えます。わたしはウェブに関して自分で理解しようとするのはやめ、有能な人物を雇って、わが社のウェブサイトのデザインとセットアップをしてもらいました。わたしの参謀集団にいる人々のほとんどは友人か同僚で、アドバイスをただで提供してくれます。しかし、必要なサービスを受けるためなら支払いをしぶってはいけません。友人がプロとして提供しているサービスを、無料でやってくれないだろうかと期待すれば、あなたは貴重な友人をなくしてしまうことになります。率直にお願いしたり、ランチに誘ったりするだけで、人は耳よりの情報や、アドバイスや、あなたのアイデアについてフィードバックをこころよくさずけてくれるでしょう。交換しようという人もいると思います。あなたの腕とサービスが、グループの他のメンバーにとって大きな価値を持つかもしれないのです。

参謀集団は、あなたからそれぞれに電話をかけるだけの略式の組織にしてもよいし、月に一度ミーティングを開いて、メンバー全員がお互いにサポートし合うようにしてもよいでしょう。形の整った組織として参謀集団をスタートさせる場合、あなたひとりではなく、グループ内の全員をサポートすることを目標にします。ですからあなたが時間をひとり占めしてはいけません。毎週もしくは毎月のミーティングでは、みんなで解決したりブレーンストームしたいと思う論点や問題を、誰が持っているのか尋ねましょう。弁護士、会計士、マーケティング専門家、アーティスト、企業家など、さまざまなバックグラウンドを持つ人々を集めれば、最強の集団になります。そうすれば、誰もがグループの相乗効果から利益を得られますし、違った視点を共有できます。

Tip 49 すばらしい贈り物をする

なぜかしら、完璧なリムジン一台を

まだ誰もわたしに贈ってこないのは？
それはね、完璧なバラ一輪を
わたしがいつももらう定めになっているから。

――ドロシー・パーカー

とくに理由がなくても、ふと思いついたときに、自発的に贈り物をしましょう。システム手帳の新しいレフィルを買うとき、同じ手帳を使っている友人のために余分に買います。ラザニアを焼くときは、量を倍にして、半分をあなたの料理がお気に入りの友人やご近所さんに持っていきましょう。雑誌の購読を申し込むときは、友人の分も申し込みます。顧客から大口の注文を受けたときは、お礼のギフトとカードを送ります。

わたしは自分が気に入ったものならば、きっと受け取る人も気に入ってくれるだろうとつい考えてしまうのですが、必ずしもそうではありません。もしかしたらあなたの趣味はとても変わっているかもしれません。そこで、相手はどんなものが好きだろうかと考え、たとえあなたのスタイルと違っていても、それを手に入れましょう。最高の贈り物とは、自分では欲しいことに気がつかなかったけれど、もらったら感激してしまうようなもの。自発的に贈り物をすると、一年中祭日かお祝いごとのような気分になります。冷蔵庫にシャンパンのボトルを入れておいて、友人の昇進や婚約といった何かおめでたい口実があるときに栓を抜きましょう。贈り物になりそうなものを蓄えておけば、誕生日のパーティーの直前になって急に招かれたときにも、買い物の心配が要らず、その場でちょっとラッピングをするだけで済みます。一年中サンタの役をして楽しみましょう。

バーバラは地域担当のマーケティング・ディレクターで、新しい得意先を獲得しようとしていました。最高財務責任者をランチに連れ出し、企画書を提出したのですが、採用されませんでした。彼女は企画書を書き直し、再提出をしたいと考えましたが、どう進めればよいのかわかりません。その責任者に、カードを添えて贈り物をしようかと思ったけれど、買収しようとしていると思われるのが心配でした。わたしはバーバラに、心配しないで贈り物をしなさい、小さなペーパーウェイトなんていいんじゃないかしら、と言いました。贈り物をもらうのがいやな人などいません。美しいペーパーウェイトに、ユーモアのこもったメモを添えて贈ることになりました。「先日のランチではとても楽しいひとときをありがとうございました。お忙しいことは承知しておりますが、ご予定が許すならばまたご一緒させていただければ、たいへん幸いに存じます。お忙しさに取り紛れてこのメモがなくなってしまわないように、ペーパーウェイトを一緒に送らせていただきます。再びお目にかかれるのを楽しみにしております」。これが効きました。先方が贈り物に対するお礼の電話をかけてきて、ふたりはランチの約束をし、今度はバーバラの企画書を受け取ってもらえました。彼女は先方との関係を改善できないかと贈り物をしたわけですが、期待はしていませんでした。本当の贈り物は、付帯条件いっさいなしで贈られるものです。

この〝贈り物をする〟ということをもう一度確認しましょう。贈り物をする理由はただ一つ、贈ることであなたが喜びを感じるからです。楽しみを得るのは受け取る側だと、多くの人が考えがちですが、真の喜びは贈る側に生じるのです。人に何かを与えるというのは、じつは利己的な行為です。もしも贈る喜びから贈り物をしているのでないなら、それは受け取る側にとってもあまり楽しいことではないので、やめたほうがよいと思います。今週は、あなたが贈り物をしたいと思う人のリストをつくり、さっそく贈り物を始めましょう。あなたの参謀集団の頼もしいメンバーたちに。感謝を伝えたい家族に。とくに理由がなくても、仕事のクライアントに〝お客様でいてくださってありがとう〟のギフトを。みんなはびっくりし、あなたは最高の気分になるでしょう。

Tip 50 日に五回は感謝する

小さなことに感謝しない人は、大きなことにも感謝しないものだ。

――エストニアのことわざ

強力な人間関係を築き、有能な人々を引きつけるための、最も効果的な方法の一つは、彼らがあなたにしてくれるすべてについて感謝することです。一日に五通のサンキュー・メモを送ること、それを毎日やる習慣の一つ〈Tip 03〉にしましょう。意外かもしれませんが、電話をかけるよりもシンプルに「ありがとう」と書いてメールで送るほうが、ずっと時間がかからないのです。メモは、相手の都合の悪いときにぶつかることがないので、電話よりも配慮が行き届いています。手書きのメモも、いっそうあなたらしさが感じられて、記憶に残りやすく、喜ばれるでしょう。長文を書く必要はありません。一行か二行の感謝の言葉で十分です。文具用の箱とスタンプをいくつか買い、職場のデスクの手近なところに置いて、顧客、同僚、恩師、上司に感謝を伝えるのに使いましょう。家のデスクにも箱を用意して、友人や家族に感謝を伝えましょう。切手を貼ったポストカードを何枚か用意するのを日課にし、レストランやバスの待ち時間など、ちょっと手が空いたときに「ありがとう」と書き付けて、近くのポストに投函します。

あなたの人生にかかわる人は、あなたの力になろうとじつにたくさんのことをこまごまとしてくれています。一日に一五分の時間をとって、二、三通の手紙を書いてその人たちに感謝を表せば、彼らは将来もっと大きなことで、またあなたを助けたいと思うようになるでしょう。小さな好意のありがたみを認識しない人に、もっと大きな好意を向ける気にならないのは当然のことです。

あなたから、またはあなたの会社から、サービスを買ったばかりの顧客のことを思い浮かべてください。わたしが銀行の営業職をしていたとき、自前でサンキュー・メモを買わなければいけませんでした。銀行は営業部員のためにそういうものを買う出費を惜しんだのです。でもわたしは、顧客に感謝することが、今後何度も利用してもらうための方法だとわかっていました。それに、自分の仕事もやりやすくなります。サンキュー・メモを送るのは、勧誘電話をすることに比べたらじつにたやすいことです。数年後、銀行はカスタマー・サービス・キャンペーンを開始し、新規の客には営業部員からサンキュー・メモを送る決まりになりました。会社がこの方法を思いつくまで悠長に待っていることはありません。自分でさっさと始めましょう。

それから、同僚に感謝することを忘れないでください。思いがけず遠方からやってきた訪問客の相手ができるよう、休みの日を替わってくれた同僚。自分の仕事も山ほどあるのに、終業時刻ぎりぎりになってあなたの代わりに報告書のタイプ打ちをしてくれたアシスタント。オフィスにおける力関係の裏表を教えてくれた先輩。そして、上司にもちゃんと感謝しましょう。管理職はどうしてもあら探しをされたり批判されたりします。良いことをしても感謝されることなどめったにありません。あなたが大きなプロジェクトでした仕事を、上司は認めたでしょうか。それを期待してはいけません。管理職は功績をすべて自分のものにする権利があるのです。あなたの努力を認めてくれたら、それを一行か二行の短い感謝の言葉にして、上司に送りましょう。誠実に、心を込めて、簡潔に。これで上司の気分がよくなるだけでなく、あなたの成果が記憶に残るはずです。そういったことをあらためて考えれば、自分が人生の一日一日に、どれほどまわりに助けられているか、しみじみわかってくると思います。

オフィスで気分の悪い一日を過ごし、ろくに感謝の気持も感じないときは、しばらく感謝の念を表していない友人や家族を思い浮かべてください。その人たちが最近は特別なことをしていないとしても、何も思いとどまることはありません。父母にはただそこにいてくれることを、またはこの世に自分を送り出し、育ててくれたことを感謝することができます。出席できないパーティーでも、誘ってくれた人には感謝をしましょう。想像力を駆使して、普通なら感謝しないような人に感謝します。行きつけのレストランで絶品の料理を出してくれるシェフに感謝するのはどうでしょう？　心配は要りません、感謝しすぎるということはありえませんから。人はちょっとした感謝の気持に飢えているものです。感謝の手紙を一日に五通も受け取ったらどれほど愉快か、想像できますか？　それをぜひあなたの手ではやらせましょう。

この助言には思いがけないボーナスがついています。こういったシンプルな手紙を書いている途中で、あなたは何とも言えないあたたかなありがたみを感じることでしょう。毎日毎日続けていれば、あなたの人生にかかわるすべての人々に、いつも変わらない感謝の念を抱くようになるでしょう。これはとてつもない魅力を持つ資質です。ありがたく思えるものごとを探すようにすれば、より多くの好意と友人を引きつけることになります。与えよ、されば得られん。

Coach Yourself
to Success

第六章

好きな仕事をする

Do Work You Love

　いまいる場所で真実を見つけられないのなら、他のどこで見つかるというのですか？

――仏陀

コーチング・プログラムにおけるこの時点で、あなたは自分のエネルギーを増やし、これまでより多くの時間とスペースを確保し、協力的で愛情深い人々に囲まれ、財政的自立へ向かって歩いています。現時点では人生はなかなかいいものに見えるはずです。ここで質問――あなたのやりたいことは何ですか？　自分の天与の才能や素質が何かということを、生まれながらにわかっているように見える人もいます。彼らはこの世で何がしたいのか、正確に知っています。わたしはいつもそういう人々が少しうらやましいと思っていました。わたしは生まれつき強い目的意識――何か大事なことをやることになっている――という感覚を持っていたけれど、それがなんなのか見当もつかなかったからです。わたしがけっこう上手にできることはいろいろたくさんありますが、何か一つだけ飛び抜けて得意というものがありませんでした。自分が何をすることになっているのか、はっきりしなかったのです。もしあなたがやるべきことを探しているのなら、自分の天与の才能と素質を発見するのに、この第六章が役に立つでしょう。もしあなたが人生でやるべきことをすでに知っていたとしても、どうか続けてお読みください。

好きなことをやっている人ほど、多くの成功を引きつける人はいません。人は好きなことをやっているとき、目はきらきらと輝いて、生きていることが幸せでたまらず、エネルギーと喜びにあふれます。そういうわけなら、好きなことをやらない手はありません。しかし、思うようにはならないもので、好きではないことに費やしている時間はかなりの量にのぼります。最新の研究から、西洋社会では五十パーセントの人々が意に沿わない職についていると報告されています。カクテルパーティーで耳にする不平不満の数を思うと、これはかなり正確な数字に思えます。わたしもかつてはそういう不平家のひとりでした。

最も幸せな人々は、好きなことをしてお金を得ています。しかし、お金が得られるようになるのを待たずにスタートしてください。好きなことでお金を稼ぐ機会は永久に来ないかもしれません。だからいま始めたほうがいいのです。さもないと、とことん楽しめることをして得られる喜びを、体験しないまま人生が終わってしまうからです。好きなことをすると、人は若返ります。必要以上に多くのエネルギーが得られるのです。まわりの人々は、リラックスして幸せそうなあなたをいっそう愛するようになるでしょう。そのポジティブなエネルギーはまわりの人々にも影響を与えます。これからご紹介する方法で、すでにあなたの中に存在するエネルギーを引き出して、天与の才能を利用し、行きたい方向へより楽に進めるようになるでしょう。

Tip 51 理想の人生を設計する

人生は、息を潜めて暮らすには百倍も短すぎるのではないか？

――フリードリッヒ・ニーチェ

人生は、ここに座って昼メロを見てあんたの下着をたたむだけじゃなくて、もっといろいろあるはずなのよ。

――ドラマ「ママズ・ファミリー」のママ

理想的なキャリアを設計するより先に、理想的な人生を設計しなければなりません。そして、理想的な人生を設計する前に、億万長者ゲームをして〈Tip 22〉、あなたの考え方を通常より拡張しておきましょう。人はたいてい、小さすぎる目標を設定するものです。より大きくて優れた目標が可能だとは思わないからです。いまこそ、現在の限界と思い込みにとらわれず、人生において本当にやりたいことを見つけるときです。自分のキャリアを中心にして人生を設計しようとするのは最大の間違い。その逆のほうがずっとうまくいきます。理想の人生を設計することから始め、それからどんな仕事をすればその支えとなるかを考えてください。

ここで警告しておいたほうがいいかもしれません。わたしのクライアントのほとんどが、理想の人生を設計するのは簡単ではないと断言しました。空白の予定表をお渡ししますから、望むものごとをなんでも自由に考えてください。理想の人生はあくまで理想です。現在の人生になんら似せる必要はありません。次の質問に答えてください。

1　どこに住みたいですか?
2　どんな人間になりたいですか?
3　一緒に時を過ごしたい人は誰ですか?
4　どんなタイプの家が好きですか?
5　どんなタイプの仕事をしていたいですか?
6　楽しむためにどんなことをしますか?
7　普通の日はどんな感じにしたいですか?

にわか億万長者のエクササイズ〈Tip 22〉で書いたことを見直してみて、あなたが本当に人生に望むことをもっとよく考えてください。誰かうらやましいと思う相手はいませんか?　その人の人生をよく見て、あなたがとくにうらやましいと思う点を探しましょう。順風満帆なキャリア?　浜辺に建つ美しい別荘?　愛情あふれるすてきな人間関係？　うらやましいと思う気持は、自分自身の人生をどのように望んでいるかをはっきりさせるのに、たいへん役立ちます。

あなたの理想の人生を、細かいところまでいきいきと表現してください。日記や専用のノートに書いてもよいでしょう。絵を描くという方法もあります。コンピューターに打ち込んでもかまいません。絵描きや作家の才能があまりないなら、切り貼りするのはどうでしょうか。あるクライアントは、自分で描いた絵が気に入らなかったので――頭にある理想よりずっと貧弱になってしまったのです――自分の理想の人生をさまざまな側面で表現している雑誌の写真を切り抜いて、スクラップブックをつくりました。ゴム糊を使って貼り付け、余白にはそれぞれの写真の説明を現在形で書きました。たとえば、彼女の目標の一つが、結婚して子どもを持つことだったので、裏庭のハンモックで眠るハンサムな男性の写真が一枚入っています。白い木のフェンス、芝生に寝そべるゴールデン・レトリバー、その男性の胸の上では、五歳くらいの茶色の髪の男の子が寝息をたてて眠っています――平穏で幸せな家庭を象徴する写真です。彼女はこの〝スナップ写真〟が、自分の理想の人生を完璧に表現していると感じました。写真の下にはこんなメモ書きをつけました。「すばらしい日曜の午後にひと休みしている、わたしのすてきな夫と息子と愛犬。見とれてしまう光景です。犬まで幸せそう」。まるで結婚しているかのような書き方です。二ヶ月後、彼女は理想の男性に出会いました。ふたりは結婚へまっしぐらでした。このエクササイズを楽しんでください。ただし理想だということを忘れないで――あなたの夫と子どもがそんな外見というわけではないし、白い木のフェンスの家に住めるわけでもありません。

しかしながら、そういうことには絶対にならないというわけでもありません。彼女は自分のキャリアについても、同じように写真を切り抜きました。空港でブリーフケースを片手に、男性にキスをしている身なりの良いキャリアウーマン。その写真の下にはこう書きました。「ハニーが空港まで送ってくれたところ。わたしは年に一度のセールス・コンベンションに出席するためパリへ向かいます――仕事大好き」。この写真は、仕事の一部として外国に旅行をしたい、協力的なやさしい夫が欲しいという気持をとらえたのです。趣向はわかりましたね。このやり方が気に入ったならスクラップブックをつくりましょう。または、理想の人生を設計するための別な方法を自由に考案してください。

多くのクライアントが、この課題を難しいと言います。もしもどうしたらいいかわからなくなったら、理想の人生における理想の一日だけを表現してみてください。あなたがどんなことを本当に楽しいと感じるのかはっきりさせるために、最適なエクササイズです。スタートは朝起きたところ。どんなところで目覚めたいですか？ ベッドまで朝食を持ってきてくれる人がいますか？ それとも、浜辺をジョギング？ 望むものごとがなんでも手に入ると想像してください。お金は問題ではありません。そうやって、夜寝るまでの一日をすべて表現するまで書き続けてください。

クライアントのジョンは、このエクササイズをしたときに、自分の理想の一日は身近なところにあると気づきました。目を覚まし、美しい妻とすばらしいセックスをし、息子と娘とともに朝食をとり、ゴルフに出かけ、ゴルフ仲間と一緒にランチをとる。そして、リムジンをチャーターして、家族をマンハッタンに連れていき、最高のディナーとショーを楽しむ。帰宅したら、今日という夢のような一日についておしゃべりをし、ベッドに入る。彼はこうして理想の一日を書いてみて、自分は家族を楽しませる時間とゴルフをする時間を欲していることに気づきました。

わたしは彼に、あなたの理想の一日は手の届くところにありますよと指摘し、どんな感じか実際に試してみてはと提案しました。どういうわけか、理想の一日を実行に移せというと、みんな肝をつぶしてしまいます。たいていは、理想の一日を体験してみれば、毎日そんな日だったらたまらないと思うはずです。そこで次の課題へ移りましょう。理想の一週間を設計してください。遊びと仕事の両方を含めます。あるクライアントの場合、理想の一日はビーチでマルガリータをちびちびと飲みながらのんびり過ごすというものでした。彼女は、もしもその理想を実現させてしまったら、全人生が無駄になってしまうと心配していました。最後にビーチに行ったのはいつだったかと尋ねると、数年前との答え。わたしは、どこかエキゾチックな島への旅行を予約して、すっきりしていらっしゃいと言いました。彼女は一週間ビーチでぐうたら過ごしたあと、だんだん退屈しはじめ、何か他のことがしたくてたまらなくなりました。心配するまでもなく、たとえ自分を怠け者だと思っていても、たいてい二週目に入ると落ち着かなくなり、何かしたくてうずうずしてくるものです。わたしたちは何かに貢献するよう生まれついているのです。達成感を味わうためのやりがいはどうしても必要です。

さあいまから、あなたの理想をできるだけ多くの面でいまの暮らしに組み入れていきましょう。あの写真の男性や男の子はいますぐ現れないかもしれませんが、ゴールデン・レトリバーなら手に入れることができます。朝食にクロワッサンとコーヒーを運んでくれるメイドはいなくても、自分で用意することはできます。仕事で外国に旅行することはないかもしれませんが、次の休暇にパリ旅行を予約したり、出張の機会があったらぜひ行かせてくれと上司に頼んだりすることはできます。どんなに小さな一歩でも、あなたが向かいたい方角へ進みましょう。そうすれば、やがて到着するときがやってきます。

Tip 52 価値観とビジョンを一致させる

生計を立てるのが目的になっている人は、生きることを忘れている。

——マーガレット・フラー

これまでのところわかったのは、最上層のエグゼクティブはバハマより会議室を好むということだ。彼らは余暇を本気で楽しむことがない——仕事をレジャーだと思っているのだ。

——ウィリアム・シアボールド

仕事で達成感を得るための秘訣は、自分の価値観に合った仕事をすることです。正邪を判断する道徳観念における価値観を言っているのではなく、自分が本当に好きなことをしているという感覚における価値観のことで、それはあなた個人に本来備わっているものです。自分の価値観に従って生きているときが、最もいきいきとしていて、あなたらしいと言えます。たとえば、創造性と発明に価値を置く人。旅と冒険に価値を置く人。または、平和、精神性、信仰など。リスクや投機や実験に価値を置く人もいるでしょう。優雅、美、気品。他人を向上させ、寄与、奉仕、励ましをすること。導いたり、触媒の役目を果たしたり、他人を鼓舞したりするというのは？コミュニティの一員となり、他人とのつながりを感じるときに、最もいきいきする人もいるかもしれません。人によっては、ゲームやスポーツをやっているときかもしれません。人が価値を置くものはじつにさまざまです。企画と設計をやっている？コーチングをして他人にエネルギーを与えている？自分の人生において、ピークを迎えた瞬間のことを考えてみましょう。過去を振り返り、あなたの人生のハイライトはなんだったか、思い出してください。

Tip 53 代わりに選ぶキャリアを五つ考える

他の多数の人々と同じことばかりしているなら、自らの独自性を発揮するなど、まず無理な相談だろう。
——ブレンダン・フランシス

あるクライアントは、自分の人生のハイライトの一つが、高校の卒業式でスピーチをしたときのことだと気づきました。いま彼はプロの講演者です。彼の仕事には、常に他人を元気づけることが要求されます。彼にとってはこの上ない幸せであり、自分の仕事に大きな喜びを感じています。

最もやりがいのあるキャリアは、自分の価値観を十分に表現することができる、または表現することが要求される仕事です。わたしたちはひとりひとりの独自の価値観を十分に発揮して生きているときに、最高の状態になります。ちょっと時間をとって、自分の履歴を振り返り、人生のピークを迎えた瞬間を書き出してください。次に、なぜそれが自分にとって重要なのか、一つ一つ理由を書きます。その次に、そこに表れている価値観を書きましょう。あるクライアントは、最高に楽しかった子ども時代のことを書きました。森を探検したりして、外で思う存分遊んでいた時代です。彼女は、自分が大自然の美しさに囲まれることに価値を置いているのだと気づき、広告代理店の仕事をしているいま、そういうことがとても恋しくなりました。彼女は自然の中でもっと時間を過ごそうと決意し、週末にボランティアのパークレンジャーとして働くことにしました。彼女はその仕事がとても気に入り、数ヶ月後、ナショナル・パーク・サービスでフルタイムの仕事を探そうと決めました。さあ、あなたも自分が価値を置くことを、四つか五つ書き出してみましょう。

あなたは自分の理想の人生を設計し終わりました。今度は、どんな仕事をすればそんなふうに生きていけるかを考えます。一つの分野やキャリアに真剣に打ち込んでいる人はたいへん多いようです。もし別の分野で仕事を求めるとしたら、必ず経験不足が問題になります。ここに、さまざまな選択肢を考えるのに役立つ、コーチングの課題があります。あなたの現在の仕事が、地上から排除されてしまったと仮定しましょう。あなたはまったく違うことをしなければならなくなりました。どんなことをやりたいと思いますか？　プロのダンサーになれたらいいなと思ったことはありませんか？　もしくは作曲家、数学者、判事、科学者、記者、レストラン経営者とか？　思いついた職種から五つ抜き出してください。訓練や教育を受けていなくても心配は要りません。なぜその職業につきたいのか、理由を数行で書いてください。そしたら次の職業に移ります。なぜこの仕事がしたい？これはあなたが本当に価値を置くものが何か、見つけ出すための手がかりにもなります。

クライアントのジェニーは、五五歳の会社役員で、たいへんな働き者です。彼女がこのエクササイズをやってみると、思いがけない結果が出ました。彼女が選んだ代わりの職業は次のとおりです。

1　ガーデン・デザイナー
2　画家
3　作家
4　インテリア・デザイナー
5　写真家

ジェニーは、自分が他人の庭の面倒を見たいと思っていることに気づいて、びっくりしました。いま彼女が送っているエグゼクティブライフを考えると、どうもしっくりしません。でも、彼女はこう言いました――「わたしの中に、きちんと整頓してきれいにするのが好き、という部分があるのよ」。五つの代わりの職業で、ずっと抑圧されてきた強い創造的な面がはっきりしました。「ずっと外に出さないようにしていたの」とジェニーは言います。わたしは彼女に「いまこそ着手するときよ、あなたの創造的な面が外に出たくて大騒ぎしてるじゃないの」と言いました。

ジェニーは、堅い職業についているうちは、それを片側に押しやっていたのだと打ち明けてくれました。彼女は人生において常に正しいことをしています。わたしたちは別の選択肢を考えはじめ、彼女は受けられそうな講座を探してみることにしました。わたしは、家にいる日を一日、創造の日に決めてはどうかと提案しました。まず絵筆を買ってくる。それで遊んでみる。キャンバスを買う。誰かの庭の世話をする。友人の家のインテリア・デザインをしてあげる。ともかく始めるのです。ささいなことにしか思えなくても、半時間しかなくても、絵筆を手にする、写真を撮るのです。

翌週、ジェニーは芸術家の友人と一緒に出かけて、絵の具、筆、キャンバスを買ったと報告してくれました。実際に描きはじめなくても、道具を買っただけでとても楽しかったそうです。

その次の週、インテリア・デザインのビジネスを一緒に始めないかと、友人から誘いを受けました。さらに次の週には絵が仕上がり、とても気に入ったので自宅のリビングルームにかけました。友人たちがほめてくれ、本物の画家から買ったと思った、と言われました。いまジェニーは、家を売ってもっと安いアパートメントに引っ越そうとしています。この新しい興味を追求するために、企業役員の仕事を辞めることを見込んでのことです。

以前の彼女は行き詰まり、やりがいを感じず、満たされない気分でしたが、いまはかつてないほどはつらつとしています。未来は有望で刺激に満ちています――単調で味気ない、同じことの繰り返しではなく。ジェニーはいま、なんでもやれそうな気分です。

Tip 54 自分だけの才能を見つける

才能には二種類ある。人がつくる才能と、神から与えられる才能である。人がつくる才能は、懸命に努力しないと実を結ばない。神から与えられる才能は、ときどき磨きをかけるだけでいい。

――パール・ベイリー

わたしたちはみな特別な才能、技術、素質を持っています――他の人よりも上手に何かができたり、他の人とは違うものの見方をしたりすることです。性に合っていることは、すっかり自分の一部となっているので、気がつかない場合もよくあります。自分にとってたやすいことは、誰にとってもたやすいと考える傾向があります。これは誤りです。こんなに簡単だったり楽しかったりするのなら、対価を得るべきではないと思うかもしれません。わたしたちは、仕事はつらいものだと考えたいのです――汗水たらして苦労しなければ、対価を得るに値しないと。やっぱりこれも誤りです。事実、その逆のことがよくあります。お金をたっぷり稼いでいる人は、自分のやっていることが大好きです。それに向いた能力を生まれつき持っていて、さらに磨きをかけ、発達させたのです。

自分の特別な才能がなんなのかわからない人は、友人や家族や同僚にインタビューしてみましょう。みんながきっと教えてくれます。とても簡単なことです。尋ねる質問は次のようなものです。

1 わたしのいちばんの強みはなんだと思いますか?
2 わたしのいちばん大きな欠点はなんだと思いますか?（これはあなたが訊きたい気分のときだけ訊いてください。建設的な言い方で答えてほしいと頼みましょう。彼らが何を言っても、ただ、書き留めるだけにします。あなたは単に意見を集めているだけなのですから）
3 わたしの特別な才能、または素質として、どんなものがあげられますか? わたしはどんなことを努力をせずにやっていますか?
4 もしわたしが雑誌の表紙に載るとしたら、どんな雑誌でどんな記事が載っていると思いますか?
5 わたしがその才能か素質を最もよく発揮しているのはどんなときですか?

次のステップは、自分の素質をすごいと思うことです。そうやってその素質を十分に発揮したり、他人と分かち合ったり、実行したりするということです。自分が持っている特別なスキルは、自分にとってはあまりにもたやすく自然なことなので、当たり前のことだと思っているかもしれません。

スティーブがわたしにコーチングを依頼したのは、もっとお金を稼ぎたいという理由でした。彼は銀行界で給付金管理事務担当者として働いていました。仕事は平気なのですが、給料が低いことにいらだちを感じていました。わたしはスティーブに、自分の特別な才能を見つけるという宿題を出しました。彼は前述の質問をリストにして、友人や同僚に渡し、次の回で驚くべき結果を持参しました。スティーブのいちばん強い力は彼の個性。同僚たちはみんな、彼の心のあたたかさ、ユーモアセンス、誰ともうまくやっていける能力に一目おいていました。彼はいろいろな問題を解決できるし、分析的思考にも長けていますが、それは彼の特別な才能ではありませんでした。雑誌に関しては《ゴルフ》、《ゴルフ・ダイジェスト》、《スポーツ・イラストレイテッド》などがあげられ、記事のほうは、スティーブはどうやってゴルフを利用して出世階段を駆け上がったか、というものでした。そこでわたしたちは、このフィクションを現実にすることにしました。お得意様を招いてのゴルフ大会に、スティーブの個性を活かしたらどうなるでしょうか？　スティーブにとってこれほど幸せなことはありません。スティーブは、自分を気に入ってくれている上司と話し、営業職について学ぶことになりました。そして、最高幹部と上得意客のゴルフ大会の運営スタッフに志願しました。彼は自分の素質と、ゴルフ好きだということを、人々に示す方法をいろいろ探すようになりました。上司はまもなく彼にもっと大きな案件を任せるようになり、半年後には給料の良い営業部門に異動させられるよう、スティーブの訓練を始めました。いま彼は仕事に満足しているだけでなく、もっと多額の収入が見込める仕事についています。いまはまだ始まったばかり。自分にしかない素質を十分に発揮できることを、一つ実行してください。やがてそれをいまの暮らしにどう組み込めばよいかわかります。そうすれば、万物があなたをそちらの方向へ引っぱってくれるでしょう。

Tip 55 好きなことをする

生きるということは、この世でめったに見られないことである。大半の人はただ存在しているにすぎない。

――オスカー・ワイルド

人生のあらゆるものが、なんらかのエネルギーの形をしています。もし努力をせずに成功する人生を自分のものにしたければ、エネルギーの潮流に逆らうより、身を任せる、人生の流れに乗るというのは理にかなっています。流れに乗るというのは、自然の力にあらがわず、むしろ提携するということです。カヌーを川に浮かべ、下流に向ければ、目的地へずっと速く到着するでしょう。自分がいま人生の流れに乗っていることはどうしたらわかるでしょうか。良いことがすんなりと起こり、自分のしていることが楽しく感じられます。激務があったとしても、苦労ではありません。マイケル・ジョーダンがバスケットボールをするとき、懸命にプレイしますが、苦しんではいないし、つらくもありません。情熱を感じる何かを一生懸命にやるとき、大汗をかくとしても、それは喜びです。いかだを下流へ向ける仕事をしなければなりませんが、それは上流を目指すようなとてつもない苦労ではありません。仕事はとてつもなく楽しいものとなり得ます。世界で有数の高額所得者には、ゲームを楽しんで生計を立てている人がいます。タイガー・ウッズ、ブレット・ファーヴ、マーク・マクガイヤー、マルチナ・ヒンギスのようなスター選手を見てください。最も成功した人々は、自分が好きなことをしているだけでなく、素質的にそれが得意です。そして彼らはいっそう腕を磨き、やがてその道を極めるのです。

仕事として何をやりたいと思うか、答えを出す一つの方法は、実生活でやっていて楽しいことをもっとやることです。ダンスが好きなら、正規のレッスンに申し込みます。読書が好きなら、既存の読書クラブに参加するか、新しく自分で始めましょう。投資が好きなら、株式に関する講座を受けます。なんであれ、毎日の生活に組み込んでしまうのです。あなたを輝かせる〝フロー〟活動〈Tip 32〉にかかわればかかわるほど、人生に良いものがどんどん引きつけられます。いまやっていることをやめ、ダンスが好きならダンスで生計を立てなければならない、ということではありません。その活動は、職業ではないから楽しいのかもしれません。フロー活動で小さく始めて、流れがあなたをどこへ運んでくれるか、様子を見ましょう。薬の営業をしていた友人は、株式市場に興味を持っていました。彼は夜間講座を受け、本を読み、ペーパー・トレーディングの口座を開設しました。一年後、彼は自分自身のお金で少額の取引を始め、いまではウォール街でトレーダーとして働いています。別のクライアントは、ダンスのレッスンを受けはじめてまもなく、ダンスこそ自分のやりたいすべてだと悟りました。彼女は会計士の仕事を辞め、ダンスの教師になりました。いまはその仕事がとても気に入っています。

まずは抵抗の最も少ない道を選ぶことです。誇りに思えるものを生産する企業に勤める。天与の才能に合った仕事をする。目標を共有するパートナーと結婚する。世界には多くのエネルギーがあります。そのエネルギーに乗ることも、逆らうこともできます。それはあなたの選択です。いまやっていることが本当に難しく感じ、足が前に出ないのであれば、おそらくそれはあなたに適したことではないのでしょう。適したことならば、それがどんなに難しいものだろうと、やりたいと思うものです。クライアントのサムは、ビジネスの財政管理がうまくできず、自分を叱りつけていました。彼は腕の立つコンピューター・コンサルタントですが、どうも段取りよく進めることができないような気がしていました。はっきり言えば、彼は細かいことをまとめるのが不得手なのです。彼はとうとうこのことを認め、経理の仕事を全部会計士に任せました。サムは諸経費の請求書や当座預金明細書をなくさないために、会計士のオフィスに直接送らせました。これで彼の心は非常に軽くなり、自分が好きで、かつ楽しめるコンピューターの仕事を、さらに増やす余裕ができました。サムは何千ドルもの料金を払ってくれる、新しい顧客まで引きつけました。会計士に支払う料金を埋め合わせてなお余りあり、いまはもともと得意で楽しめることに嬉々として打ち込んでいます。苦労でしかない営みを排除することで、好きな営みのための時間とスペースをつくりましょう〈Tip 16〉。

別のクライアントであるアントンは、フィットネスと健康管理が大好きで、がっしりとした体格のとてつもなくゴージャスな男性です。アントンはわたしにコーチングを依頼をしてきたとき、三つの仕事をこなすために馬車馬のように働いており、不眠症で悩んでいました。毎朝五時に、ときには四時に起きて、寝るのはたいてい午前一時か二時。彼がいちばん力を入れていた仕事は、塩素を除去するシャワーフィルターといった、健康器具やフィットネス用品を売るマルチ商法でした。その関係のイベントに出席したり、ミーティングを主催したり、このビジネスに巻き込めそうな人に電話したりで、大半の時間を費やしていました。それに加えてアントンは何ヶ所かのジムでエアロビクスを教えていて、さらに個人指導のトレーナーとして数人の生徒の面倒を見ていました。

それだけ働いていたにもかかわらず、アントンは順調にはいきませんでした。マルチ商法の新たな会員を集めようとしているうちに、クレジットカードの負債が四万ドルを超えてしまいました。恋人は、彼がちっとも時間を空けてくれないことと、いつも文無しであることにいらだっていました。アントンは母親とは何年も言葉を交わしていません。彼が妹からお金を借りてずっと返せずにいたからです。それでも、もっとがんばりさえすればうまくいく、そしたら大金が転がり込んでくる、と信じていました。わたしはアントンに、あなたはこのマルチ商法で自滅しつつあるということに気づくまで、あとどれほど苦しむ必要があるのかしら、と尋ねました。わたしたちは数字を真剣に検討し、彼が週末の講習会とワークショップに参加するために、稼いでいるより多くのお金を使っていることがわかりました。負け戦をたたかうのと同じです。商品を売るだけで稼げるのかと尋ねると、それだけでも多少は稼げるが、まともな金は新しい会員をビジネスに引き込むことで得られるのだとの答え。これでわかりました。商品を売って十分なお金を稼げないのなら、そのビジネスにかかわるべきではありません。

それでもアントンは手を引くことができませんでした。彼は過去二年半のあいだに、多大な時間とお金を投資しており、成功はすぐそこの角を曲がったところまで来ていると確信していたのです。そこで、わたしたちは取り決めをしました。わたしは彼にこう言いました――あなたはただちにお金を稼ぐ必要がある、〝そのうち〟とか〝いつか未来に〟ではなく、いますぐ収入をもたらしてくれる仕事だけに従事しなければならないと。お金がいい感じに流れはじめるまで、講習会に一銭も投資することは許されません。アントンはこのプランに同意しました。わたしは、個人破産の申請を考えてみては、とも言いました。彼には新たなスタートが必要です。あれだけの借金を抱えていては至難の業です。彼は不眠症のことで医師の診察を受け、身体的な異常はまったくないことがわかりました。お金がないということと、多額の借金からくるストレスで、夜もおちおち眠れていなかったのでしょう。アントンは個人破産の申請については潔しとしなかったので、わたしはそれ以上言いませんでした。

まもなくアントンは、いますぐお金を稼ぐための確実な方法は、トレーニングの個人指導しかないことに気がつきました。彼はその仕事が大好きだし、たいへん上手なのですが、どうすればそれで自分にとって十分なお金を稼げるのかよくわかりませんでした。彼はまだ、マルチ商法の会社が彼の鼻先にぶら下げている、一攫千金の夢を見ていたのです。一時間に三五ドル（ジムに手数料を払ったあとの額）稼いでも、ろくな足しにはなりませんが、少なくともいくらかのお金になることは確かです。わたしは、新しい生徒を獲得するために、カウンターにパンフレットを置いてはどうかと提案しました。彼は簡単なコンピューターのソフトウェアと、背景入りの用紙を使って、みごとなできばえのパンフレットを作成しました。三ヶ月のあいだに、トレーニングの生徒は三人から二三人になりました。まだ夜にはマルチ商法のビジネスをやっていましたが、ジムでお金を稼ぐために割く時間はどんどん増えていきました。彼は個人破産について弁護士に相談することにしました。新しいビジネスが破産に至るのは珍しいことではないし、これは彼個人の失敗ではなくビジネス上の判断がまずかったのだと考えられるようになったのです。彼は二度と同じあやまちは犯すまいと決意しました。彼は好きなことをして過ごす時間を増やすようになりました——サッカーをしたり、金曜や土曜の晩には恋人とデートしたり。ものごとが落ち着くところに落ち着き、生きていくのが日に日に楽になっていきました。

ある週、アントンが電話で最高の一日だったと報告してきました。何もかもがうまく運んだそうです。六時間ぐっすり眠り、気持ちよく目覚めた。町へ行く電車がちょうどよくやってきて、待たずに済んだ。生徒たちは全員時間どおりに現れ、楽しく効果的な指導ができた。ランチにはうまい料理をゆっくり食べた。その晩、たまま電話してきた人から商品の注文を取ることさえできて、恋人と一緒に映画を観に行った。これは、人生の流れに乗って生きているということです。一年後、アントンは郊外のすてきなアパートメントに引っ越し、恋人と婚約しました。母親と妹とは仲直りをしました。借金もなく、夜は眠れるし、個人指導のビジネスは繁盛しています。彼の次のプロジェクトはなんでしょう？　子どもたちのためのジムを開くことです。人生は脳外科手術のようなややこしいものではなかったのです。性に合うことをやり、良いものごとがふらりと舞い込んでくるようにしましょう。

Tip 56 特別プロジェクトに取り組む

世界に変化が起こるのを見たいなら、自らがその変化にならなければならない。

——ガンジー

自分の特別な素質や才能を発見する方法として、自分を本当に輝かせてくれる特別プロジェクトをやってみてはどうでしょう。仕事で、家庭で、地域で、胸が躍るような楽しいプロジェクトを企画するのです。日常を明るくしようと職場や家で特別プロジェクトをやるというのは、ごく当たり前のこととも言えますが。職場ではこんな感じです。気にかかる問題を解決するための特別任務チームをつくる。コンピューターや外国語や交渉術など、ずっと習いたかった何かの講座に申し込む。面倒くさい単調な仕事を自動化するシステムをつくる。自分のビジネスの別な面を学ぶ（もしあなたがマーケティング部門にいるのなら、セールス部員のひとりと一緒に販促の電話をかけてみるとか）。何を選ぶかは自由ですが、本当にあなたが興味を持っているものにしてください（それに、上司の許可が得られるもの）。

私生活でも、特別プロジェクトを実施することができます。マラソン完走を目指して、毎日トレーニングをする。洗濯板状のおなかを目指して腹筋運動を五〇〇回やる。小説を書きはじめる。壁画を描く。つきあいを広げるためのプロジェクトを始める。あるクライアントはガーデニングが好きで、勤務先の味気ないオフィスビルの前に花壇をつくる許可を取り付けました。同僚とチームを結成して、一緒に花を植えました。いまは労働の成果を眺めるのが毎日の楽しみとなっています。

わたしの特別プロジェクトは、ニート・ストリート（きれいな通り）という名前がついていました。わたしはニューヨーク市に住んでいて、大きなことを二つ我慢していました——汚い通りと、ホームレスの人々です。自宅はマンハッタンのミッドタウンにあり、あたりは美しい住宅街なのですが、いつも通りがごみで汚らしく見えるのがいやでした。またホームレスの人々も、いい感じには思えませんでした。どうせドラッグかアルコールに消えると思うのでお金をあげたくはありません。でもただ通り過ぎてしまうのも気がひけます。そのとき、わたしの頭に一つのアイデアが浮かびました。ホームレスの人々に、通りを掃除してもらったらいいじゃない？　わたしはそのアイデアに興奮し、いちばん近いＡＴＭに行くと、いつものようにカップを差し出すホームレスの男性がいました。わたしは彼に、働くことに興味はないかと尋ねました。彼はあると答えました。わたしは自分のアイデアを彼に話しました。もしうちのブロックの通りの両側を毎日掃除してくれる気があるのなら、わたしはそのブロックの住民全員に、週に最低一ドルずつ寄付してくれるよう頼んでみます、と（都市のブロックなので、うちのブロックには一五〇人以上住んでいます）。いくら稼げるかという保証はないけれど、損になることはないからと、彼に言いました。翌朝七時に、その男性はブロックにやってきました。わたしはほうきとちりとりを渡しました。これが〝ニート・ストリート〟の誕生です。そのホームレスの男性、ジェイムズは、写真を撮られて《ニューヨーク・タイムズ》紙に掲載されたり、テレビに登場したりしました。彼は地域社会の正式な一員となり、降っても晴れても道を掃除し、最後には友人と一緒にアパートメントを借りられるだけのお金を稼ぎました。いま〝ニート・ストリート〟プロジェクトは他のブロックにも広がり、さまざまな組織がホームレスの人々と提携関係を結んで、通りを掃除する仕事を提供しています。いつかニューヨークはきわだって清潔な街になるかもしれません。

あなたはどんなプロジェクトをスタートさせたいと思いますか？　もし何かを率先してやるタイプではないなら、信頼できる誰かのプロジェクトに参加してみるのはどうでしょうか。あなたのプロジェクトは、ちっぽけなものでもかまいません。それでもやれば違います。〝百匹目のサル〟という現象を考えてみましょう。『百番目のサル』*The Hundredth Monkey*（佐川出版）の著者、ケン・キーズ・ジュニアによれば、ある博物学者が幸島のサルの行動を観察しました。このサルたちは、もともとサツマイモを地中から掘り起こして食べていました。ある日、一頭のサルが地面から掘ったイモをそのまま食べるのではなく、まず海水で洗ってから食べるのを目撃しました。これは新しい行動で、他のサルはやっていないことでした。しかしまもなく、島のサルは全員イモを洗ってから食べるようになりました。そして妙なことが起こりました。同じころ、他の島にいるサルたちも、イモを洗いはじめたのです。サルたちの移動はなく、それらの島々は何百キロも離れているのです。この行動の急な変化には合理的な説明がつきませんでした。そこで学者たちはそれを〝百匹目のサル現象〟として記録しました。科学の新しい飛躍的発展が、さまざまな国のまったく違う研究者たちの手で、同時期に起こることは頻繁にあります。アメリカでの研究は、瞑想する住民が多い地域ほど、犯罪発生率が低くなることを示しています。これも同じ現象だとわたしは考えています。あなたも自分のプロジェクトを始めましょう。それでいろいろなことが変わります。

気分が明るくなるプロジェクトに取り組むうちに、人生において本気でやりたいと思うことが見つかるかもしれません。そこへ自分の人生をなじませていきましょう。また、プロジェクトに取り組むことで、次のキャリアのチャンスが引きつけられるかもしれません。自分のしていることが好きな人は、すばらしい人物と絶好の機会を難なく引きつけることがよくあるのです。

Tip 57 直観の導くままに

直観を信じれば、しばしば厄災を免れる。

――アン・ウィルソン・シェイフ

理想の仕事を見つける別の方法に、直観に従うというのがあります。シンプルなことですが、必ずしも簡単ではありません。まずは二つの声を聞き分ける方法を身につけなければなりません。一つは頭脳（分別と知性のある部分）が話す声で、もう一つは直観、本能が話す声です。あなたの直観は、いつもいちばんあなたのためになることを考えています。いっぽう頭脳のほうは、人生における〝するべき〟ことを司どるため、あなたを大きなトラブルに陥れる可能性があります。あなたの直観は、社会が何を考えているかなど知りもしません。関心があるのはあなたのことだけなのです。もしあなたが非常に忙しい場合、直観の声を聞くのは難しくなるでしょう。頭の中におしゃべりがあふれてしまうからです。そこで、直観の声があまりはっきりと聞こえない場合は、第二章「行動を整理する」と第四章「人生にもっと多くの時間をつくる」に戻ってやり直したほうがいいかもしれません。十分間、直観が話すのを待つ以外、何もせずに座っているのも良い方法です〈Tip 33〉。

頭脳があなたをどういうふうにトラブルに陥れるか、うってつけの例をご紹介しましょう。わたしはある晩、ふと電子メールをチェックする気になりました。一時間前にチェックしたばかりなのにです（直観がチェックしろと言ったのです――必ずしも論理的ではありません）。果たして、同僚がマサチューセッツ州ケープ・コッドにある、海を見晴らせるペントハウスを留守にするので二ヶ月間留守番してくれる人を探している――光熱費や生活用品全部込みで請求いっさい無し――というメッセージを見つけました。わたしは即座に思いました（直観が言いました）。「もちろん！　何も言うことないわ！」。頭脳の声が割り込んできて言いました。「ばかなこと言わないで。海辺の家に逃げてなんかいないで、ニューヨークでしっかり仕事をするべきよ。それに、そんなに長く留守にしたら、彼氏が寂しがるじゃないの」。すると直観が言い返しました。「ほら、留守番は任せてって返事を書きなさいよ。ぐずぐずしてたら他の人にとられちゃうわよ。とりあえず受けといて、実際行けないとなったら、いつでも駄目になったって言えるわ」。この討論で直観が勝ち、わたしの希望は送信されました。そしてわたしは留守番をすることになり、プロビンスタウンの心地よい静けさの中、このうえない満足と幸福感を味わいながら、この本を書くこととなったのです。

シャクティ・ガーウェインは著書『マインド・トレーニング―リラクセイションの奇跡』*Living in the Light*（たま出版）の中で、直観をみごとに説明しています。「その一方で、直観的な心は無尽蔵の情報にアクセスしているように思われる。知識と知恵の宝庫、ユニバーサル・マインドを利用することができるようである。直観はその情報を選り分けて、まさにわれわれが必要とするものを、必要とするときに供給することもできるのである。そのメッセージは一度に少ししか届かないかもしれないが、もしわれわれがこの供給される情報に一つ一つ従うことを学んでいけば、必要な行動方針が徐々に明らかになるだろう。われわれがこのガイダンスに頼ることを覚えるにつれ、人生は流れるような苦労のない質を帯びる。われわれの人生、感情、行動は、われわれの周囲にいる他人のそれと、調和してからみ合っている」。

直観を発達させ、その導きに従うようになると、頭脳が発する〝分別ある声〟がだんだん聞こえなくなっていくでしょう。ますます感じることによって行動するようになります。体全体からの声に耳を傾け、ものごとを自然に展開させます――たとえそれが論理に反することであっても。これは非現実的なたわごとではありません。

科学者キャンディス・B・パート教授は、革新的な著書 *The Molecules of Emotion*（感情の分子）で、分子と感情のつながりを説明しています。喜び、悲しみ、恐れなど、さまざまな感情は、それぞれ違う分子と関連しているのです。本質的に、そういった本能的な感情は本物です。感情の裏に本物の分子があるのです。そう考えると、いまこそ、自分の全身が告げていることに耳を傾けはじめるときです。

自分の内なる声と本能的な感覚を信頼し、それらに従うようになればなるほど、人生はより楽に、よりおもしろくなります。まず、小さなことで直観に従うようにしましょう。たとえば、すっきり晴れた朝ですが、小さな声は傘を持っていきなさいと言っています。正しかったかどうか確かめてください。雨は降りましたか？　降りませんでしたか？　わたしは、自分たちの体が、何億個もの細胞が、理性や知性のレベルではつかめないものごとを感じることができるのだと思っています。わたしはコーチングをするときに全身を使っています。体に不快を感じるとき、クライアントが話を全部話してくれていないことを、感じているのでしょうか？　わたしは電話を通してもコーチングをしています。例として、コーチングに関係する興味深い話をさせてください。

マリッサは仕事でアイオワ州からコロラド州に移り住んできました（彼女はずっとコロラドに住みたいと思っていました）。引っ越し費用は仮住まいの家賃も含めてすべて支給され、彼女と家族は新居を探していました。しかし、アイオワの古い家が売れず、新居と古い家のローンを支払う余裕がなくて、マリッサは心配ではらはらしていました。コロラドでは家屋の売買が活発でしたが、アイオワでは低調です。がんばっても家は売れず、残り時間は尽きようとしています。マリッサは言いました。「わたしはずっとあの家が嫌いだったのよ。いまあの家のせいでとんでもない目に遭わされてるわ！」。わたしはどこからともなく途方もない直観的なひらめきを得ました――家が売れない理由は、彼女が家についてあれこれ否定的な考えを持っているせいなのです。愛されない家など、誰も買いたいとは思いません。わたしはマリッサに、かなり突飛な宿題を出しますよ、と言いました。古い家で家族と分かち合った良いことすべてを思い出しなさい――日曜の朝、幼い娘ふたりがベッドに飛び乗ってきて、それからみんなでキッチンに降りてパンケーキをつくったことなどを。マリッサはこの時点でかなり破れかぶれになっていたので、やってみると同意しました。彼女は四歳と五歳の娘たちに、古い家で何をしているときが楽しかったかと尋ねたり、夫にその話をしたりしました（コーチングの宿題のことは言いませんでした）。二日後、マリッサから有頂天の電話を受けました。家を買ってくれる人が現れたのです。しかも、その人は月末まで契約を終える必要があったので、手続きを早めてくれと言ってきました。これは偶然の一致でしょうか？　まあ、偶然の一致とは本来どういうことなのでしょうね？

もしあらゆるものが何らかのエネルギーの形をしているとしたら、わたしたちの否定的な考えもまたエネルギーであり、ラジオが電波を拾うように、人もそのエネルギーを拾うのです。わたしたちの思考は無限です――時間や距離に制限されません。これがそうとう突飛なことに聞こえるのはわたしもわかっていますが、自分の直観に耳を傾けて、どうなるか様子を見てみませんか？　自分がけっこう良い判断を下すこと、良いものごとがやってくることがわかるでしょう。

Tip 58 人生の行路を見つける

精いっぱい生きなさい。そうしないのは誤りだ。具体的に何をするかは、あまり問題にならない――自分の人生をつかんでいるかぎりは。もしつかんでいなかったら、あなたは何を得たと言えるだろう？

――ヘンリー・ジェイムズ

人生において何をしたいかわかっている人、ビジョンや大きな目標を持っている人は、持たない人よりも成功します。目的意識を持っている、つまり進む方向がわかっているなら、あなたは同じ方向へ行くことに興味のある人を自然に引きつけるでしょう。たとえ興味がない人でも、あなたが楽しそうに進んでいれば、興味を持つようになるかもしれません。

人生におけるあなたの目的はなんですか？　あなたは何を成し遂げ、何を学ぶためにここにいるのでしょうか。魂や心で何をしますか？　これは楽しんだり、まわりの人々を楽しませたりするのと同じくらい、シンプルなことかもしれません。宣言の形で、あなたの目的を書いてください。たとえばこんなふうに。

> わたしの目的は、できるだけたっぷり学び、愛することです。
> わたしの目的は、変化と成長のための促進役になることです。
> わたしの目的は、楽しい時間を過ごしてたくさん笑うことです。
> わたしの目的は、財政的に自立して、健康で明るい子どもたちを育てることです。
> わたしの目的は、陽気な旅人になることです。

目的は、別に世界を揺るがすような壮大なものでなくてもいいのです。ビル・ゲイツ（〝すべてのデスクに、マイクロソフト社のソフトウェアが動いているコンピューターを〟）や、マーティン・ルーサー・キング・ジュニア（〝すべての人々の平等を〉）のような大きなビジョンを持つ人もいるかもしれません。環境問題のために立ち上がりたい、地球にさらなる平和を求めるために行動を起こしたいと思うかもしれません。でも世界を変える必要はないのです。家族のため、近所のため、地域のために、何か小さなことから始めましょう。

わたしのクライアントの中に、人生の目的など、考えるだけで圧倒されてしまうという人がいました。そこでわたしは、その年のテーマをつくってみてはどうかと提案しました。そのテーマはなんでも好きなものにしてください——愉快、冒険、ロマンス、愛、平穏、バランス、遊び、喜び、平和、笑い、仕事。なんでも自分の望むものにしてください。テーマを決めます。どんなテーマでもかまいません。決めたものが気に入らなければ、いつでも別のテーマに変えられます。今年はいろいろ冒険する年にしてもよいでしょう。もしくは、月ごとにテーマを変えたくなるかもしれません。月ごとに、または年ごとに目的を持てば、何に集中すればいいのかわかります。チャンスが訪れたとき、イエスかノーかを言いやすくなります。人生における目的がはっきりしていない？ それなら、いまこそ視野を広げるときです〈Tip 59〉。

Tip 59 視野を広げる

草を成長させ、果実を実らせ、渡り鳥を導くパワーは、わたしたちみんなの中にある。

——アンジア・イェジエルスカ

誰でも人生において二つの旅をする。一つはさまざまな事件や出来事をちりばめた、外界の旅。もう一つは内なる旅、それ自体のひそかな歴史として刻まれる、精神の遍歴である。

――ウィリアム・R・イング主任司祭、"MORE LAY THOUGHTS OF A DEAN"

人生行路の発見にまだ苦労をしているのなら、現在の人生からちょっと離れて、もっと視野を広げる必要があるかもしれません。ときには自分の人生の外側に出て、自分を本当に満たすものはなんなのか、確かめる必要があります。日々の要求や義務にがんじがらめになっていると、それ以外の人生を想像するのが難しくなります。理想がどうしようもないほど遠くにあるように思え、元気が出るどころかどーんと落ち込むことになってしまいます。もしあなたがそういう状態なら、いまこそ〝蒸発〟するときです。

いまの人生からちょっと離れるにはさまざまな方法があります。荷造りをして、小さな町のベッド・アンド・ブレックファーストか、森の中のキャビンに泊まるのもよいでしょう。冬のあいだ空っぽになる、友人所有の海辺の家を借りるとか。たいていの場合、できれば自宅を離れたいものです。自宅にいると、やれ洗濯だとか冷蔵庫の電球の交換だとか、やることが必ずあるからです。他の人の家や宿屋にいれば、そういうことはあなたの気にすることではないので、煩わされずに済みます。自分のてんてこ舞いの日常から脱出して目指す場所は、じつにさまざまな種類があります。せめて三日間は出かけてください。しかし時間が割けない場合は、一日でも出かけると違うものです。最小限の衣類と、考えを書きつづる日記をバッグに入れれば、それで十分です。あれこれ持っていきたくなる気持を抑えてください――そういうものから脱出するのだということを忘れずに。

しかしながら、家を空けるだけのエネルギーや資金がない場合もあるでしょう。休暇が残っていないとか、まだ仕事があるとか。そういう場合は、自宅で家族と一緒にいながらでも、ちょっと距離を置くことはできます。一人暮しならずっと簡単です。大切な人や友人に、わたしはちょっと出かけるから一週間ほど留守にする、と言うのです。友人はあなたがいないとわかれば、自宅に電話をかけてこないでしょう。手始めは特別な儀式。仕事から帰ってきたら、キャンドルに火をともしたり、瞑想したり、仕事のストレスを和らげることをして、自分が外出中だということを心に刻みます。居留守を始める前に、ふだん休暇に出かけるときのように、ささいな厄介の種〈Tip 01〉は極力排除するようにして、請求書の支払いを済ませ、家事をやっておきます。その夜は、考えごとをしたり、読書をしたり、お風呂に入ったり、ゆっくり散歩に出たり、音楽を聴いたりするのに使いましょう。テレビを見てはいけません。他の常習癖も禁止です。すべての目的が台無しになってしまいます〈Tip 02〉。自然の中で時間を過ごしたり、星空を見上げたりしましょう。

マンハッタンに暮らして一年半たったとき、わたしはクリスマスにやっとアリゾナへ帰郷しました。飛行機の中で眠ってしまい、目が覚めたときには暗くなっていました。窓の日よけを押し上げ、息をのみました……無数の星々！　自分が星を忘れていたことにショックを受けました。マンハッタンでは、街の明かりと大気汚染のせいで、星が二つか三つ見えたらラッキーです――それもわざわざ空を見上げる気になったらの場合。しかし砂漠では、無数の星が見えます。夜空の星を見ていると、自分がつまらない存在に思えます。この広い宇宙ではちっぽけな点にすぎません。星空はわたしに広い視野を与えてくれました。自分の抱えている問題など、この広い宇宙では取るに足らないことだと思い出させてくれたのです。わたしは思いました――「なぜニューヨーカーが自分たちを世界の中心だと考えるのか、あらゆる場所が見劣りすると思うのか、これで説明がつくわ。彼らには星が見えなくて、視野が失われてしまっているから」。海もまた、わたしに同じ作用をほどこします。穏やかに広がる海。規則正しく、力強く、とめどなく砂浜に打ち寄せる波。自然は最高の癒し手です。ストレスがたまった、参ってしまった、落ち着きを失ったと感じたら、外へ出て、自然を享受しましょう――裏庭で星を見上げるのです。それであなたは元気を取り戻し、生き返った気分になるでしょう。どんな問題を抱えていても、冷静に眺めることができるはずです。

家族がいたらどうしましょう？　週末だけの居留守さえ不可能に思えるかもしれませんが、家族の手をほんの少し借りれば可能です。祖父母や他の家族に頼んで、週末のあいだ子どもたちを預かってもらい、自宅でひとり静かに過ごしましょう。パートナーとも距離を置くことをお勧めします。わたしたちはときどき、ひとりきりになる時間が必要なのです。そうすれば戻ってきたときに、互いの存在をありがたく感じるでしょう〈Tip 40〉。工夫をして、人生を見る視野を広げる方法を見つけてください。

Tip 60 長期休暇を取る

理性は役に立たないときがある。もし人生で何かを成し遂げようとするなら、ときには一切の理性を捨てることが必要だ。ときには、ビジョンと夢を追いかけなくてはならない。

——ビード・ジャレット、"THE HOUSE OF GOLD"

週末や一週間の居留守ではうまくいかないのなら、もう一歩進んで、長期休暇を取ることを考えてみてはどうでしょう。かつては学者のものだった長期休暇（サバティカル）ですが、いまでは無給ならアメリカ企業の二十パーセントが、有給でも三パーセントが、従業員の福利厚生の一部として提供しています。あなたの会社に長期休暇の制度がないとしても、自己向上や研鑽に取り組むための休暇を、交渉して獲得することができるかもしれません。雇い主が、燃え尽き状態を問題だと認識すれば、従業員ひとり失うよりは一～二ヶ月の休暇を許す気になるでしょう。何年も同じ会社で働いているならば、自分の人生を再評価し、方向を変えるために、一ヶ月から一年くらいのまとまった休暇が必要かもしれません。

長期休暇はバカンスと同じではありません。のんびり休んでリラックスしたいと思うでしょうが、新しいスキルを試し、多少の賭けをするときです。長期休暇は、日々同じことの繰り返しから脱出して、自分にとって最も大切なものを見いだすのに役立ちます。ただし、これには、雇い主にも、あなたにも、多少のリスクがあります。あなたは以前の仕事に戻りたくなくなるかもしれません。もしくは心を決めていざ戻っても、あなたの席がなかったり、同輩たちにすっかり遅れを取っていたりするかもしれません。しかし、たいていの場合は、長期休暇は関係者全員にとって利益があることなのです。元の仕事に戻りたくないと思えば、結局は雇い主は生気のない燃え尽きた従業員を抱えていなくていいということで、利益があります。席がふさがっていたら、あなたのスキルと経験を広げるような、何か新しいことを試す必要があるかもしれません。

わたしのクライアントが転職をするときにはいつも、新しい仕事を始める前にできるだけ長く休暇を確保するよう勧めています。一週間しか休暇をはさめない場合もありますが、二ヶ月以上たっぷり取らせたこともあります。広報部門管理者で三七歳のルーシーは、仕事を辞めて、コンサルティング会社での新しい仕事を始める日を遅らせる交渉に成功し、二ヶ月の休暇が手に入りました。借金はすべて返済が終わり、予備金もためていたので〈Tip 24〉〈Tip 27〉、長々と休む余裕があったのです。わたしは、生涯の目標の一つをかなえるためにその時間を使うよう勧めました。それはエクアドルへの旅と、スペイン語学習でした。彼女は心ゆくまで旅を楽しみ、その過程で実用的な語学の腕を磨きました。そして、長期休暇から戻ったとき、七年間つきあってきた恋人とはもう別れるときなのだと悟りました。二ヶ月間ひとりだけで生活し、旅をしたことで、そうするだけの自立心と強さを身につけたのです。

グレアムは五七歳のエグゼクティブで、三ヶ月間の休養を取り、そのあいだにソフトウェアの勉強からロッキーやアルプスの登山まで、あらゆることを試みました。その長期休暇のあいだに、国の経済および貿易問題を扱うという重圧を伴う、最高責任者としての責務からかけ離れたものごとを試してみたかったのです。日常の決まり切った仕事から離れ、自分の人生のもっと大きな目的をじっくり考えたいと思いました。長期休暇の初日、彼は二七時間ぶっ続けで眠りました（ご心配なく、これは正常です。最初の数日から一週間程度、過剰に眠ったとしても、それは積もり積もった睡眠不足を取り戻しているだけです。あなたの体は休息が必要なのですから、そのことで自分を叱りつけないように。睡眠を楽しんでください。そうすればナチュラル・エネルギーをすぐに回復させられます）。グレアムの妻は、長期間の合流はできなかったので、彼は休暇の大半をひとりで過ごしました。グレアムは仕事に戻ったとき、すっかり生き返った気分でした。おまけに、彼の留守のあいだオフィスはうまくまわっていて、部下たちがひとりひとり責任を持って仕事をすることに慣れ、仕事を委任する〈Tip 62〉のが楽になりました。彼は自分のための時間と、家族と過ごす時間を、より大事にするようになり、夜や週末の義理的なつきあいにノーと言うのが上手になりました〈Tip 18〉。日曜は仕事や社交行事から解放される休息の日〈Tip 89〉にすることに決めました。ここで、長期休暇獲得のための交渉のこつをご紹介します。

1　会社は長期休暇からどのように利益を得るかを指摘する。自分はどんな新しいスキルを身につけるつもりか。どのように優秀な社員となって仕事に戻るつもりか。

2　留守中、自分の仕事をどう処理するかについて、確実なプランを提出する。

3　学者が新しい着想を研究し、諸問題に斬新な洞察を得るためにそうするのと同様に、情報化時代にあっては外からの視野を得るのは道理にかなったことだと、雇い主に気づかせる。

4　自分が燃え尽きそうであれば、充電をしてエネルギーとやる気を復活させて戻ってくるにはこれが一つの方法であることを、会社に知らせる。新しい社員を訓練するよりも、優秀な社員を保持するほうが、費用効率がずっと高い。

5　長期休暇中に予定している活動が、会社に直接の利益となることなら（新しいソフトウェア技術を学ぶなど）、雇い主に給与の一部支給と訓練費用負担を求める。

6　ボランティア、慈善事業、非営利団体などで働く予定なら、補助金や奨学金の資格を得られるかもしれない。少し調査をすれば長期休暇が少額の費用、もしくは出費なしで済むかもしれない。

7　長いあいだ留守にするのであれば、アパートメントを又貸ししたり、自宅を貸したり、家を交換して使うプログラムに参加したりすることを考える。

8　海外に行くつもりで、予算がきついならば、持ち金ができるだけ増えるよう、通貨を有利に両替してくれる場所へ行く。

9　交渉を始める前に、長期休暇が社員としての自分の利益にどういう影響があるのか、しっかり理解しておくこと。健康保険にはずっと入っていられるか。年金プランや退職金積立プランに加入したままでいられるか。

10　休暇に入る前に、仕掛りの仕事は必ず完了させるか、誰かに引き継ぐこと。新しい世界へ乗り出しているところに、仕事の心配はしたくないはず。休み明け、あなたが留守のあいだに案件をどうしたらいいかわからなかった同僚や上司が、かんかんになって待っているような事態は避けること。

何よりもこの貴重な時間を、自分自身をもっとよく知ることに利用したり、ずっとやってみたかったのに時間がなくてできなかったことを試したり、一度見たいと思っていた場所に出かけたりして使ってください。箱の外へ出て暮らしてください。他人がどう思おうと気にしてはいけません。これはあなたが自分を発見し、人生への愛を復活させるための時間です。自分が価値を置くこと〈Tip 52〉の一つを試すのにもってこいの時間です。直観に耳を傾け〈Tip 57〉、人生が気まぐれにあなたをどこへ連れていってくれるか、見届けましょう。人生には、正しい軌道に再び乗るために、軌道を外れなければならないときがあるのです。

Coach Yourself
to Success

第七章

汗水たらさず、賢く働く

Work Smarter, Not Harder

働きすぎは誰の手柄にもならない。

——E・W・ハウ

「もっと賢く働きなさい」。人にこう言われると、わたしはいつもむっとしていました。賢く働く方法がわかっていたら、とっくにそうしていると思いませんか？　この第七章では、やることを増やすのではなく減らすことで、能率と生産性を上げ、効果を大にする方法を学びます。〝八十二十ルール〟というのを聞いたことはないでしょうか。成果の八十パーセントは、努力の二十パーセントから生じているという法則です。自分の努力のうち、どの二十パーセントが有効だったのかがわかれば、理論上はいまやっていることの八十パーセントを安全に省くことができます。これが賢く働くということ。再び少なければより豊か（レス・イズ・モア）の原則の登場です。第二章では、ものを少なく持つことで、本当に望んでいるものを多く引きつけることができるという話をしました。ここでは、より少なく働くことがしばしばより良い結果をもたらすという話をします。働きすぎで多忙をきわめ、ストレスをためこんでいる人は、本当に大事なものが何かという視点を失い〈Tip 35〉、ケアレスミスを犯し、そこらじゅうにある絶好の機会を逃してしまっています。超忙しくてへばっているときは、微妙なメッセージを見落として、必要以上に問題を大きくしてしまうかもしれません〈Tip 69〉。身を粉にして働いてばかりいると、自分が減ってなくなってしまいます。

第六章では、自分の特別な才能と素質がなんであるか突き止めました。次はそれらの力を活用して、自分の弱点を効果的に排除する方法を学びます。わだちにはまり込んだときに脱出する方法と、期待を控えめにすることによって仕事でのストレスを減らす方法をご紹介します。まったく何もせず、昼寝やひと休みをするだけ――そのパワーに開眼すれば、やることリストを撤廃することになるかもしれませんし〈Tip 64〉、目標そのものも不要にしてしまうことになるかもしれません。〝多忙＝成功の証〟とされている文化においては、働きすぎの罠に陥るのは簡単です。がむしゃらに突き進むばかりの人々をよく見かけますが、それは本当に手に入れたいものを遠ざけてしまっているのと同じです。あるクライアントは営業部門の新人で、押しの強い売り込みをしていました。しまいには見込み客を怖がらせてしまう始末。わたしは彼女にそんなに無理に迫るのはやめなさいと言いました。彼女がリラックスしてユーモアを持って見込み客に接するようになると、たちまちそこここで取引が成立するようになりました。自分で楽しめば楽しむほど稼ぐお金が増えていくのが、彼女には信じられませんでした。誤解しないでください、やるべき仕事はあります。でも、あなたが考えているほど多くはありません。仕事か私生活かを問わず、賢く働きながら楽しみも成功も手にしてしまう方法を、コーチングの秘訣からご紹介しましょう。

Tip 61 長所を伸ばす

自分に何ができないかを知るのは、自分に何ができるかを知るよりずっと大切だと思います。実際、それが見識というものです。

――ルシール・ボール

何もかもしなければならない、どんなことでも上手にやらなければならない、そう考えている人は大勢います。それはわたしたちが持つ自立心の表れです。じつはわたしたちは、すべてをやらなくてもいいという余裕のある時代と文明に生きています――何しろ二一世紀ですから。それでもどういうわけか、いまだに〝やらなければ〟と考えてしまいます。仕事に行く、家に帰る、凝った食事をつくる、一点の曇りもなく掃除をする、子どもの面倒を見る、すばらしい社交ライフを送る、自己改善の講座を受ける――すべてを一日で、もしくは一週間のうちにやらなければならないと思っているのです。自分の長所を伸ばし、得意なもの一つだけに目を向け、集中し、熟練して、その他は全部排除したらどうなるでしょうか。何かを極めている人は、上質の人生を引きつけやすい傾向にあります。ウォーレン・バフェットは投資の達人です。バーブラ・ストライザンドは熟練した歌手です。〝そこそこ〟上手なことをいくつもやるのは、〝非常に〟上手なことを一つやるほどの価値はありません。熟練とはアートであり、たとえ何かについて天与の才能を持っている人でも、その才能を開花させるには、時間をかけ、ひたむきに打ち込んで訓練する必要があります。タイガー・ウッズは生まれつきスポーツが得意で、ゴルフの才能の持ち主かもしれませんが、練習と実践と集中とコーチングで、ゴルフをアートにまで磨き上げました。ウッズに帳簿を締めることができるかどうかなんて、気になりますか？　もちろんノーです。あらゆることを上手にやろうとするのはやめて、自分の長所に目を向けましょう。

自分にできることをどれもこれも手放せずにいるなら、何がどれほどエネルギーを消費するかという観点で考えてください。満足感、幸福感の点から見て、その何かをするのにどれくらいエネルギーが失われますか？　何かがいやでたまらないときや、何かをいつまでもぐずぐずと引き延ばしているとき、それが自分にとってどんな価値があるのかを考えてみましょう。ジョナサンは優秀なコンピューター・プログラマーで、やると決めたことなら何でもやってしまう器用な人です。家の配管を直せるし、車の修理もできるうえ、絶品のレバー・パテまでつくってしまいます。新居の屋根が雨漏りしはじめたとき、お金を払って誰かにやってもらうよりはと、自分で直すことにしました。それはそれでいいのですが、問題は、彼が山積みのプロジェクトを抱えていることでした。わたしは、屋根の修理はプロに任せて、あなたは一年以上前からやるはずになっているプログラミングにその時間を充ててはどうか、と提案しました。「いいや、ぼくは自分で屋根を直してお金を節約するよ」（クライアントは必ずしもコーチングを受け入れるわけではありません）。ジョナサンは、はしごを昇る途中で転落し、足首を複雑骨折しました。彼はかすかなメッセージを聞き漏らしたわけですが〈Tip 69〉、この時点で気がつき、職人に頼んで屋根を直してもらいました。足を吊ったまま、彼はかなりのお金になるプログラミングを山ほどこなしました。あいにく健康保険に入っていなかったので〈Tip 30〉、屋根の修理代の他に何千ドルも余計に医療費を払うことになったのでした。

自分の嫌いなことをするときにはエネルギーが吸い取られます。わたしの知人に、以前から自分の代わりに問題を解決してくれる人物を雇う人がいます。自分で処理したくない問題が出てくると、人にお金を払ってやってもらうのです。たとえば、クレジットカードに二重請求があったりすると、彼はアシスタントに処理を任せます。エネルギーをやたらと使うから、人を雇わずに済ませる余裕などない、と言うのです（この話がのみ込めない人は、きっとお金に関する第三章を読み飛ばしているでしょうね）。もし人を雇う余裕がなければ、あなたが大嫌いな作業が平気な友人と、雑用を交換してみてはどうでしょう。あなたがわたしの税務処理を片づけてくれたら、わたしはあなたの家の芝刈りを十回やるわね。洗濯をしてもらえたら、金曜の夜にあなたの子どもたちのベビーシッターをするわ。もちろん、双方にとってその取引が平等であり、合意が成立するものにしてください。

自分の暮らしを見直して、本当はやりたくないのにやっていることを五つ書き出してください。そして、人を雇うためにどれだけの費用がかかるか調べましょう——会計士、家政婦、ランドリー・サービス、コック、ベビーシッター、アシスタント、コンピューター講師、配管工など。通常、思っていたほど高くありません。長い目で見れば、お金を節約したことになるかもしれません。達人への最初のステップを踏んだあなたに祝福を。

Tip 62 人に任せるわざをマスターする

自分でいい仕事をすることに次ぐ、二番目に大きな喜びは、誰かに自分の指揮下で第一級の仕事をさせることである。

――ウィリアム・フェザー、“THE BUSINESS OF LIFE”

人に仕事を任せるのに、別に上司である必要はありません。このスキルは誰にでも必要です。自分が本当に望んでいる人生を引きつけはじめると、自分では楽しめないことをどんどん人に任せ、好きなことだけをするようになっていくでしょう。もしあなたがローンレンジャータイプで、このスキルが身についていないなら、いまこそそのときです。親でさえ家事や雑用を子どもに任せるものです。

上手に人に任せる秘訣は三つあります。最初に、時間とエネルギーを必要なだけ投資して、仕事を任せる相手をしっかりと指導すること。ここでのキーワードは〝しっかり〟です。仕事を正確にやってもらうために他人をしっかり指導しないのなら、希望と違った結果になっても動揺したり文句を言ったり驚いたりしてはいけません。たいていの人が、委任することを単に「ちょっと、これやってよ」と言って誰かに頼むことだと考えています。その仕事を早く手放したくてあせりが生じ、委任するのではなく投げてしまうのです。そう、ときには自分に替わって仕事をやってもらう人を、お金を出して雇ってもいいでしょう。わたしが経理係を雇ったとき、彼女は数時間で会計ソフトにわたしの帳簿をすべて入力してしまいました。わたしはようやく悟ったのです――マニュアル片手に、操作を覚える時間を見つける気は、自分にはまったくないと（それにわたしは、マニュアルを読むのが大嫌い）。思い切って告白すると、一年前に買った会計ソフトを箱から出してもいませんでした。わたしにはどうしてもここで助けが必要だったということですね。彼女は数時間のうちに、そのソフトをインストールしただけでなく、わたしのニーズに合わせてカスタマイズし、帳尻を合わせる方法をわたしに教え、会計士宛ての報告書を印刷し終えたのです。わたしはどうして最初からこうしなかったのでしょう。自分でやろうとして、時間とエネルギーをたっぷり無駄にしてしまったわけです。

上手に委任するための二番目の秘訣は、仕事をまるごと任せるということです。しっかり指導して、最終目的を理解させたら、そこまでどうやってたどり着くかはその人に考えさせましょう。そうしないと人の創造性を奪うことになります。たとえば、息子の部屋の掃除を本人に任せることにしたとしましょう。彼は弟に掃除をやらせ、自分の小遣いから少し弟にお金をあげました。これはこれでよいと思います――弟を脅してやらせたのではないかぎりは。型破りな解決法で、同じ結果が生じるということです。

三番目の秘訣は、報告か記録のシステムをつくることです。あなたに都合のいい頻度で、雇った人にレポートさせます。たとえば、あなたが仕事に出かけているあいだ家を掃除してもらうために家政婦を雇ったとしましょう。あなたは時間をかけてその人に家を案内し、どう掃除してほしいかを正確に伝えました。その人が到着する前に、「薬のキャビネットの中の棚を拭く」など、特別にやってほしいことをリストにしておきます。家政婦には、完了した仕事をリストに書くか、あなたが書いたリストのうち仕事が終わったものを線で消すよう頼むのです。さあ、これで上手に人に仕事を任せる極意はあなたのものです。実際に試して、成果を見守りましょう。

マイケルはビジネスを成長させたいとわたしを雇いました。巨額のローンを抱え、事業を立ち行かせるために必死になっていました。優秀なフルタイムの従業員を年間三万五千ドルで雇っていましたが、支払いをする余裕がないので、わたしは彼女を解雇するよう勧めました。そうなると彼は手紙のタイピングから帳簿の管理まで、何もかもひとりでしなければなりません。最初はそれでよかったのですが、さらに顧客が増え、ビジネスが広がるにつれ、人に任せる必要が出てきました。わたしは、営業、マーケティング、経営、経理など、マイケルのビジネスの職務を網羅した、組織図をつくるよう言いました。それからマイケルは、自分がやるのが好きなことをすべてリストに書き、それとは別に、やりたくないこと、やるのが苦手なこともリストにしました。まずは経理から。彼は毎月少額の費用で会計士を雇いました。マイケルはお金を扱う細かい仕事が苦手だったので、これでかなり肩の荷が下りました。それから、パートタイムのアシスタントとして、優秀な学生を時給八ドルで雇い、プレスリリースやレターなどを書いてもらうことにしました。マイケルは余裕ができるとすぐに学生の時給を上げ、ずっといてもらえるようにしました。この臨時アシスタントのおかげで、マイケルは商談やマーケティングに集中することができるようになりました――彼がいちばん楽しめる部分です。少々のコーチングで、彼は首尾よく業績を好転させ、新しい顧客をどんどん獲得しています。

Tip 63 約束は控えめに、達成は余裕をもって

人は、少しのものを与えるのを避けるために、多くのものを約束する。

――ヴォーヴナルグ侯爵リュック

時間の蓄えを手っ取り早くつくる簡単な方法に、控えめに約束し、余裕をもって達成する方法があります。控えめに約束するというのは、何かをするのに必要だと思う時間を二倍に見積もることです。余裕をもって達成するというのは、約束の期限に先んじてプロジェクトを完了させ、提出することを意味します。たとえば、上司が

来てこう言ったとします――「この重要案件をあなたにやってもらいたいの。いつできあがる？」。ここで限度いっぱいの約束をしてしまいがちです。あなたはこう考えます――「ええと……いま木曜の午後だから、今日と明日作業をして、土曜も数時間出社してやれば、月曜の朝にはできあがるわ」。そして上司に自分の勤勉さを印象づけたくて「すぐに着手して精いっぱいがんばれば、月曜の朝にはお渡しできます」と言います。他の仕事は棚上げとなり、土曜の出社は数時間では済まず、あれほど努力したにもかかわらず、まだ提出できる状態になりません。他の部署からの情報が欠けていたからです。月曜になって、あなたは上司に言います――「もうすぐ仕上がるところです。午後には提出できます。ジョージの部署から少し情報が必要なので」。上司はぶつぶつ言い、あなたが達成しようとしていたことは台無しになってしまいました。上司はちっともいい印象を持ちません。あなたは過剰な約束をしたのです。

さて、今度は別なシナリオを見てみましょう。あなたはこう考えます――「月曜にはできそうね」。そして上司には「水曜の午後には提出できると思います」と言います。いま、あなたがしたことはなんでしょう？　とっさに時間の蓄えをつくったのです――正確に言えば二日間。あなたは週末を楽しみ、ゴルフに出かけます。ゆっくり休んで生産性は向上。ストレスなくそのプロジェクトを火曜の朝に仕上げて、同僚にプルーフリーディングをしてもらいました。提出したのは火曜の午後。おめでとう――あなたは余裕をもって達成しました。上司はいい印象を持ち、あなたを優秀な部下と考えます――「いつも予定に先んじて仕事を仕上げる人なのね」と。このシンプルな秘訣はあなたのストレスレベルを劇的に下げてくれます。ばたばたと急がなくて済むし、すっきりとした頭で取りかかれます――これで成功をより引きつけやすくなるのです。常に控えめに約束し、余裕をもって達成するようにしましょう。そうすれば、きっとボーナスや昇格といった形で結果が出ます。

上司から、どうしても月曜までに仕上げてほしいと言われたらどうしましょう？　具体的な期限を設定されることもよくありますが、たいていの場合は交渉の余地があるものです。二日か三日ほど延ばしてもらえないか、要請しましょう。常に控えめに約束しておけば、他のプロジェクトすべてにおいて時間の蓄えができることになり、必要であれば月曜までになんとかなるくらいの時間が持てるはずです。

控えめに約束することは、私生活でも威力を発揮します。いつガレージを片づけるのかと妻から訊かれた場合、本当に必要と思われる時間を二倍にして言いましょう。二ヶ月かかると言っておいて、実際には一ヶ月後に片づけを終えたら、妻は大喜びするはずです。ディナーの用意をしているなら、凝った料理をつくっていると前もって誇らしげに言うのはやめて、簡単なものだけよと言うにとどめ、みごとな料理を並べて配偶者を驚かせましょう。これは子どもたちにも効果があります。カリフォルニアへ休暇旅行へ出かけるとき、シー・ワールドと動物園とビーチに行くと約束せずに、シー・ワールドだけにしておきましょう。そのうえで他のことをする時間ができれば、思いがけないボーナスになってみんな大喜びするでしょう。しかし、前もって「時間があったら動物園も見に行って、海でボディサーフィンしましょうね」と言ってしまうと、万が一時間がなくなったときに子どもたちががっかりします。期待は低めに抑えておいて、驚かせてあげましょう。さもないとあなたは謝り続ける人生を送ることになるかもしれません。

Tip 64　やることリストを捨てる

やり遂げたことは目立たない。やり残したことしか見えないものだ。

――マリー・キュリー

多すぎる人々、多すぎる要求、多すぎる用事、忙しく飛び回る有能な人々――そんなのは全然生きていることになりません。

――アン・スペンサー・モロー・リンドバーグ

いまの瞬間を最大限に活用し、生産性を向上させる方法として、やることリストを廃止する方法があります。これが突飛に聞こえるのはよくわかっています。わたし自身、大のリスト愛好者ですし。仕事用のリストは続けてください。でも、私生活用のリストはゴミ箱に捨てることを考えましょう。リストを廃止するのが無理そうなら、一週間リストなしで過ごして、様子を見てください。する必要のあることは、自然とやってしまっていることに気づくはずです。マックスは、自分のやることリストに振りまわされていました。「ほら、あとちょっとで全部終わりそうなんだけど、必ず二つか三つやってないことが残ってるんだよ」。彼は十のことがらを済ませた自分をほめずに、まだ終わらせていない二つか三つのことで自分を責めるのです。やる必要があることをしながら一日を過ごし、リストなど気にしなければ、終わっていないことで気分が悪くなったりはしません。自分は駄目だと思わせられることをすべてやめれば、成功へ一歩近づきます。リストに書いた作業が全部終わっていない状態で、心から満足した気分になったことなどありますか？　それでもわたしたちは、いつも自分にできる以上のことを自分に命じるように思えます――悪循環です。

やることリストばかりに気を取られて、まわりに転がる絶好の機会を見逃すことはよくあります。リストは便利な道具ですが、あなたの視野を制限することにもなるのです。もしもあなたが頑固なリスト愛好者なら、「今日の大事なことは何？」の質問を試してみてください〈Tip 35〉。細かいことに埋もれてしまうこともなく、いつも何かしらやるべきことを抱えた状態に圧倒されることもなく、十分な視野を与えてくれます。自分のリストを捨てて、それがどんなにいい気分か味わってみてください。

そのいっぽうで、本当にリストが好きで、やることが一つしかなくてもリストにすると落ち着くという人は、やめることはありません、どうぞリストをつくってください（あなたはここでぴんと来ていると思います——気分が良いことならやればいいのです）。あるクライアントは、リストづくりに関して、励みを感じさせてくれるテクニックを発見しました。終わった項目を線で消す代わりに、蛍光イエローのペンで強調するのです。すでにやり終えたことにいやでも目が行くようになります。そして自分にこう言います——「ふふん、もうやっちゃったもんね。あれも、これも、それも」。こうすると、すでに終えたことでいい気分になるいっぽう、もっとやる気になります。彼女はやり終えたことを目立たせる快感を、やめる気にはならないと言います。

さて、やることリストを捨ててしまったいま、今度は目標を捨てる番です。これはさっきの提案よりひどい話に思えるかもしれませんね。でも、もしあなたにとって重要な目標なら、リストに書かないと忘れてしまったりすると思いますか？　自分の直観に耳を傾け、導かれるままにすれば、いやでも目標リストを捨てる気になるでしょう。そういったリストはたいてい頭脳から発生します。それは、自分が人生において追い求める〝べき〟と考えているものごとです。大きな家、高級車、申し分のない恋愛関係、極上の衣服、ヨーロッパ旅行、ぜい肉のかけらもないおなか——これらのうち自分で思いついたことはどれくらいありますか？　こういうものは確かに良いでしょうが、ほとんどはメディアを通して見聞きしたものです。本当の幸福を手に入れるためには、こういったものをすべて手放してもいいという気持が必要です。リストに書いた目標は線で消し、白紙の状態から始めましょう。

目標を持ってはいけないと言っているのではありません。わたしのワークショップでは、自分の望むものごとを書き出すように言うときもあります。書き出すことで実現につながる場合があるからです。でもさしあたりは、自分自身に新たなスタートを切らせましょう。古い目標を捨てて、どんなものが自然にやってくるか様子を見るのです。あなたは驚くかもしれません。たとえば、わたしはオーディオテープを制作しようと思いつきました。これは一年前は目標リストに載っていませんでしたが、体重を落とすという目標を捨てたとき、もっとおもしろい何かに自由に取り組む気になったのです。それから、本を書くというアイデアが湧きました。でもリストから消したものもあります――ポルトガル語とフランス語を習う、社交ダンスを習う、陶芸で実益を出す、外国に住む、などなど。いつかはそういうことをするかもしれないけれど、もはやリストにはありません。わたしは自分の人生に自然に行路を選ばせます。もしパリに住むことになったら、フランス語の講座を受けるでしょう。目標リストを持って走っていては、流れに乗るのは不可能です。自分の欲しいものを得るために、無理をしたり、追ったり、あせったり、しゃかりきになったり、励んだり、苦労したりするのはやめましょう。しつこく追うのをやめれば、成功をずっと引きつけやすくなります。しばらくはリラックスしてやりたいことをやるだけにし、何がどうなるか見てみましょう。

カレンはなかなか目標を捨てる気にはなれませんでした。彼女は、自分を好きなようにさせていたら、ビーチで日を浴びながら、ぼんやりとロマンス小説を読み、マルガリータを飲んで、こんがり日焼けする、そんなことしかしないと確信していました。彼女の人生は無に等しい状態でした。そこで週に八十〜一〇〇時間、好きな仕事でしゃかりきになって働いてみましたが、やはりそれだけの時間を仕事に費やせば、他には何をする余裕も残りません。とうとうカレンはストレスが限界に達して仕事を辞めました。夫とはいろいろ話し合っていて、彼女がやりたいことならなんでも、たとえビーチで寝転がっていることでも、夫は喜んで応援してくれます。また、一年分を超える生活費を貯金していたため、仕事を辞めることが可能でした〈Tip 27〉。彼女はビーチに出かけ、二週間ほど日光浴をして過ごすと、退屈してしまいました。人生をビーチで無駄にしてみようとしたわけですが、うまくいかなかったのです。彼女はまた絵筆を取るようになりました――きつい仕事を始める前にちょっとかじっていた趣味で、かなりの素質があることがわかっています。そのうえ、カレンはこれまでになく美しくなりました。肩の力が抜けて、機嫌よくしているからです。眉間の縦じわも完全に消えました。いまは絵を描く時間がたっぷりあり、セミナーを開いたりもしています。余暇を過ごしているうちに何かをしたいという衝動が起きるまでの時間には、どうしても限りがあります。自分自身を信頼して、目標を投げ捨て、次のチャンスを世界に用意させてみてはどうでしょう。

クライアントのマイケルは、フォーチュン五〇〇に数えられる優良企業で取締役営業部長をしています。彼は目標を設けることによって輝かしいキャリアを築きました。彼は自分の営業チームに、年ごと、四半期ごと、週ごと、日ごとに、目標を設けています。彼は目標をつくり、目標額を超えるという考え方によって、人生を突っ走ってきたのです。言うまでもなく、マイケルは目標を捨てるというコンセプトにまったくいい顔をしませんでした。わたしは、仕事の目標は続けてもいいけれど、私生活における目標はすべて捨てるよう言いました。彼はぶつぶつ不平を漏らし「どうしたらいいかわからない、道に迷ってさまようような気分だ」と言いましたが、実験として二週間やってみることになりました。彼は次のような目標リストを捨てました――腹筋が割れて見えるくらい鍛える、グランドキャニオンの急流でラフティングをする、アフリカでサファリをする、スペイン語を習う、空手を習う、キッチンの新しい戸棚をつくる、子どもたちをキャンプに連れていく。わたしはマイケルに念を押しました――こういった項目を線で消したところで、別にあきらめたことにはならないし、絶対にそれをしちゃいけないというわけでもない、むしろ、適した時と場所でものごとが自然に起こるようにするのだと。

翌週、マイケルは驚いた声で電話をしてきました。奇妙で信じられないことが起こっているというのです。手始めには、この一週間というもの、彼が駐車しようとしたときにはいつもいいところにスペースが空いていました。仕事方面では、マイケルが就職フェアで新人採用を行っていたところ、通常なら他社の担当者に混じって忙しく歩きまわって長話をするのに、その必要がなかったそうです。人々が「誰それをあなたに紹介したい」と言って彼のブースを訪ねてきたのです。紹介なしで来た人も三人いました。職場でも奇妙なことが起こっていました。会社は最近同業他社を買収し、その会社から来た同僚が彼の商談の邪魔をしていました。新しいチームと意思疎通をするシステムがないので、このふるまいをコントロールする方法がありません。上層部も大混乱で、誰も決定を下したがらず、何もかもが委員会まで延期されるのです。マイケルは、もしこれが半年前に起こっていたら、自分はきっとキレていただろうと言いました。いま彼は自分の顧客をサポートしながら、この大混乱にあっても超然としている自分の落ち着きに驚いています。しかし、目標を捨てて一週間たったところで、マイケルがいちばん喜んでいるのは、ゴルフのスコアが不可解なくらい劇的に上がったことでした。あなたも目標を捨てて、いろんなことが自分のところへふらりと立ち寄るのを待ってみませんか。

Tip 65 パワー・ナップを日課にする

しばらくのあいだ座って考えることを、恐れてはならない。

——ロレイン・ハンズベリー

わたしは決して瞑想の達人ではありません。自分のやっていることが本当に瞑想なのかどうか自信がないくらいです。もしあなたがすでに瞑想をする人であれば、それは何よりです。瞑想する時間がなかったり、瞑想しても効果がないと思っていたりする、わたしのような人のために、わたしがやっている方法をご紹介しましょう。ストレスが多い人のための瞑想入門です。

わたしはソファに横になり、頭をクッションに乗せて、足が寒いときはショールなどをかけます。クジャク石でできた小さなピラミッドを、第三の目——額の中央部に乗せます（この小さな石は姉にもらったものです。経済的に成功をもたらしてくれるそうなので、試してみようと思いました。これまでのところは効果があるようです。お金のために瞑想するなんて仏教徒が卒倒しそうですが、わたしは何かしらとっかかりが必要だと考えていますから）。ときどき、リラックスできるような音楽をかけることもあります。波が浜辺に打ち寄せる音は、とても気持が穏やかになります。目を閉じて、何もしません。わたしの場合は眠りに落ちることはあまりありませんが、あなたが眠ってしまったとしても、それはかまいません。あなたの体が休息を必要としているということです。わたしは心を開いて、宇宙からのメッセージを受け入れるようなイメージを思い浮かべます。いろんな考えが頭の中にぽんぽんと湧いてきます。たいていはかなり日常的なことです。クライアントに言われたこととか、ディナーに何を食べようかとか。ペンとメモ用紙を手近に置いて、なかなか興味深いことが頭に浮かんだときには書き留めることもあります。紙に書いてしまえば、忘れることができますし。何が起こっても気にかけません。起き上がる気分になるまで、ただその場に横になるだけです。

深い、神のような声でメッセージを受けたことはありませんが、ときおり、わたしは何かしなければいけないという、強烈な感覚をおぼえることがあります。そういったメッセージはわたしへの突撃命令だと考えています。わたしはオーディオテープ *Irresistible Attraction: A Way of Life* をつくることを、そんなふうにして感じ取りました。その時点では採算は合わない気がしたし、愛する人たちからは反対の声があがりましたが、わたしは計画を進め、テープをつくりました。いまは、その同じ愛する人たちが、わたしのしたことを喜んでくれています。ここでのポイントは、意識して時間をとり、瞑想、昼寝、リラックスをすること、または何もしないことです。あなたにとって効き目のあるように、自由な形で行ってください。あなたはどんなメッセージを受け取ることになるでしょう。

　クライアントのエレインは、違った方法で座ったまま思索にふけっています。彼女は大きな石油会社の製造部長で、二十人のチームを束ねています。ストレスがたまり、まいってしまったとき、彼女はコンピューターでソリティアをするのです。はたから見ればさぼっていると言われるかもしれませんが、頭脳を解放してリラックスできるこの作業のおかげで、新しいアイデアと、回復したエネルギーをもって、仕事に取り組むことができます。一五分から二十分ほどソリティアで遊ぶだけで、リラックスして再び仕事に集中することができるのです。落ち着くという効果に加え、頭が解放されるため、仕事で直面している問題に対して斬新な解決法を思いついたりします。ばかばかしいと思われるかもしれませんが、一流のコンサルティング会社がいま、仕事中の社員を〝シンクタンク〟に送り込んでいます。この仰々しい響きの〝シンクタンク〟とは、静かな暗い部屋で、横になって〝英気を養うための昼寝(パワー・ナップ)〟をする場所があるのです。企業が自社の従業員に、独創的な解決法を思いつくようなゆとりを少し与えるだけで、よそのコンサルタントの優れたアイデアに何千ドルも払わずに済むはずです。

　時間を見つけて、ゆったり座り、考えましょう。毎日パワー・ナップの時間を都合して、独創的な思考がのび

のびと出てくるだけの余地をつくりましょう。それをどのように行うかについても自分で工夫してかまいません
——ただし人に見つからないように！

Tip 66 するかしないか

もしあなたが、自分にはできると思ったら、あるいはできないと思ったら、それは正しい判断だ。

——ヘンリー・フォード

試みるというのは、はなはだしい時間の無駄です。映画《スター・ウォーズ》のヨーダは言いました——「やるかやらぬかだ。試しはない」。彼の言うとおりです。もしこの年老いた賢者の話が信じられないなら、証明するための例をご紹介しましょう。目の前のテーブルに、鉛筆を置いてください。それを手に持とうとしてください。はい、あなたは鉛筆を手に持っていますか？　それならあなたは失敗です。わたしは〝持とうとして〟と言ったのです。あなたは難なく鉛筆を取り上げました。持とうとしたのではなく、持ったのです。試みるということは、定義で言えば、完了していないことを示します。さてもう一度、鉛筆を持とうとしてください。あなたの手が鉛筆にかかり、あなたはぶつぶつぶやいたりうめいたりしていますが、鉛筆をテーブルから持ち上げてはいません。よくできました。それが、試みているという状態です。だから、もう試みるのはやめて、するかしないかどちらかにしてください。

うまくいくようがんばって**みよう**とか、何かを証明して**みよう**ということは、なぜそんなに魅力に欠けること

なのでしょうか。こんな人々に会ったことがありますよね――自分と違う何かになるために、奮闘し、苦労し、あらゆる努力を重ねている人々。そんなことをしていないで、さっさと実行してください。それはうまくいくかいかないかのどちらかです。うまくいけば、おめでとう、よかったですね。うまくいかなければ、何が悪かったのでしょう？　この経験から何を学びましたか？　わたしが「してください」と言い、「してみてください」と言わなかったことに注目してください。実行して、望んでいた結果を得るか、実行して、望んでいた結果を得ないか。もしくは、実行しないで、なんの結果も得ないか。現実にあるのはそれだけです。その他のものは、すべてあなたが頭の中でつくりあげたものです。試みるということは、エネルギーの無駄使いであり、自然な人生の流れに逆行することなのです。

人生は苦労のためにあるのではありません。そう、本気で働くことは必要かもしれませんが、苦労の部分は任意です。労働を避けるのは無理でしょうが、苦労するかしないかは選ぶことができます。労働が喜びであるとき、重荷であるとき、その違いはおわかりでしょう。もし何かが苦労であるとき、その代わりにできる、楽しくて努力を要しないことは何かありませんか？　どうしたらそれを楽にできるでしょうか。努力しなくてもいいように、自動化する、またはシステム化する？　好きではない部分を人に任せることはできますか？　最高の人生を送りたければ、苦労をやめなければなりません。

スーザンは四十代前半の自営業者で、このコンセプトをなかなか理解できずにいました。コーチングの課題をするようわたしが言うと、彼女はいつも「そうね、やってみるわ」と答えます。わたしはそれでOKにせず、課題を受け入れるか、拒否するか、他の方法を提案するよう、彼女に求めました。スーザンは「やってみる」という言葉が、内在的に力を奪うもので、始める前から失敗の要素を含んでいるということに気がつきました。彼女は課題を受け入れ、実行しました。それを〝ちょっと試してみる〟よりも、ずっと簡単でした。あっさりと何かをやることに、精神的な苦悶はありません。苦悶はあなたが何かを〝やってみよう〟とするところから生じるのです。それを考えてください。わたしは執筆しているとき、ただ書いています。出来の良いときもあるし、ぜんぜん駄目で書き直しが必要なときもあります。つらいのは、書くという行為について、考えたり悩んだりする部分です。案ずるより産むが易しということです。

Tip 67 こびりつきをはがす

小さな変化が起こるとき、人は真の人生を生きる。

――レオ・トルストイ

大きな変化を実現する秘訣は、小さく変化することです。これは慣性と関係があります。わたしたちはよく、人生において大きく変化しなければならないと思ってはいても、手に負えないような気がして、結局は何もしません。ただ祈り、待ち、願うばかり。または、とても心地よい日常の繰り返しにはまり込んでいるかもしれません。これを打破するこつがあります。慣性の力（静止している物体がそのまま静止していようとする傾向）は、あなたが何かをしないかぎり、いまいる場所にあなたを押しとどめようとするのだと理解することです。あなたの望みとは無関係なことでもいいのです。何かをすれば、あなたは動き出すことができます。

大きな目標を掲げたら、それを小さな一歩一歩に分けるという話を、おそらく耳にしたことがあると思います。これはとてもいい考えですが、どこから手をつけたらいいのか、どの小さな一歩から踏み出せばいいのか、わからないこともあります。なかなか気づかないのは、どんな変化でもさらなる変化につながるということです。単に、何か違うことをしてください。紺色の靴下をやめて赤い靴下をはく。いつもと違う道を通って会社へ行く。いつもと違うレストランで食事をする。家の中にかけている絵を、別の壁に移す。髪の毛を反対側で分ける。コーヒーではなく紅茶を飲む。どんな変化でもいいのです。こんなことが効くのは、あなたのこびりついた習慣をはがして、変化モードにしてくれるからです。そのはずみがあなたをいい方向へ転がします。あなたはそれと気づく前に、比較的努力を要さずに、どんどん大きな変化を遂げていることでしょう。大きな目標やプロジェクトや変化に取りかかるための、動機、意志の力、勇気を十分にかき集めるという面倒な部分を、このテクニックでスキップすることができます。

デイブは六七歳で離婚歴のある元会計士です。彼は自分の人生をどうしたらいいのかわかりませんでした。何も悪い点はありません。美しい家と十分な蓄えがあり、もう働く必要もないのですが、家でぶらぶらしているだけでは満足できませんでした。彼はもっと違ったことがしたいと思いましたが、何をすればよいか思いつかず、人が提案してくれたことも魅力的に感じません。生活は単調で、習慣と日課の力でなんとか毎日を過ごしていました。わたしは、小さな変化を少し取り入れてみてはどうかと提案しました。デイブはいつもと違うレストランで食事をすることにしました。家の壁にかけてあった絵画をすべてはずし、屋根裏にしまいました。しばらく壁に何もかけずにおいて、どんな感じか見てみようと思ったのです。ビジネススーツはほぼ全部、慈善事業に寄付しました。もう着る機会はないと気づいたからです。一つの変化が次の変化につながり、デイブは息子とともにアフリカへサファリに出かけることにしました。息子は忙しい毎日にひと息入れるいい機会だと大喜び。サファリはデイブもずっとやってみたかったことなのですが、いつも時間やお金がなかったのです。サファリへ出かけたあと、デイブは二週間かけてフランスの田園地方をひとりで自転車でめぐる勇気が湧きました。いま彼は自分の行きたいときにいつでも旅行に出かけ、何年も忘れていた冒険心を楽しんでいます。

営業部長をしているベスは、褐色の髪の魅力的な女性ですが、身長一七〇センチ、体重七六キロという外見が悩みでした。十キロから一五キロくらいは体重を落としたいのに、超忙しいスケジュールではワークアウトの時間はなく、カロリー計算などの食餌療法は効果があるようには思えませんでした。ベスは一度に一つの小さな変化をすることにして、理想の体重に達するまで調整を続けていくことにしました。最初の変化は、インスタントのオートミールにバナナに緑茶というシンプルな朝食をとること。毎朝職場のデスクで、ドーナツとコーヒーではなくこのメニューを食べようと考えました。それから、毎日一時間の徒歩通勤を始めました。バスや地下鉄に乗ると四十分かかるので、さらに二十分を足せば、一時間のエクササイズの時間が得られると考えたのです。その二つの小さな変化で、五ヶ月後には二・五キロやせました。それでランチメニューの改善に取り組む気になりました。いつものファストフード・コンボ――フライドチキンやフレンチフライやハンバーガー――をやめてサラダ・バーへ出かけ、野菜を食べたいだけ、ツナかチキンのサラダをひとすくい、そしてベーグル・チップスを三枚食べます。さらに二キロ近くやせました。勢いづいた彼女は、週末にはセントラルパークの貯水池のまわりをジョギングすることにしました。次はディナーの番です。あまり家で料理をしないので、イタリア料理を食べに出かける代わりに、アジアン・フードを選ぶようにしました。牛肉かチキンかエビを、野菜とブラウンライスで炒めた料理を食べる晩と、寿司とサラダを食べる晩とを交互にします。ゆっくりと、でも着実に、体重は減っていきました。半年後、ベスは理想の体重まであと二キロのところまでこぎ着けました。毎日職場から帰宅するときも歩くことにして、ウォーキングの時間を増やしました。これで二十分余計にかかることになりますが、混み合ったバスに揺られるより、ずっとリラックスできるし、元気が出るような気がします。さらに、毎朝腹筋運動を五回やることにしました。二ヶ月後、彼女のおなかは平たくなり、体重も理想どおりになりました。それもすべて、一つの小さな変化が次の変化を引き起こしていったおかげです。

Tip 68 過激に変化する

あなたがたもかつては野性的でした。飼い慣らされてはいけません。

――イサドラ・ダンカン

わたしのクライアントたちも、特定の目標にまったく近づいたような気がせず、完全に行き詰まってしまうことがあります。彼らはどうすればいいかアドバイスを求めてわたしのところにやってきます。最初に検討するのは、なぜ前に進めないかということです。単なる引き延ばし以外に、行動を起こせないような原因が何かあるのでしょうか？　もしかしたら特定の作業をする知識やスキルがないので、他人に任せる〈Tip 62〉必要があるかもしれません。わたしのクライアントのひとりは、自分の会社のウェブサイトを立ち上げるのを、ずるずると引き延ばしていました。少し話し合ったところ、彼女はウェブサイトの立ち上げに要するすべてを学ぶことに、自分が興味を持っていないと気づきました。彼女は人を雇ってその仕事を任せました――プロジェクトは完了です。

ときには恐怖に足を引っぱられることもあります。わたしたちは恐怖の原因を探り〈Tip 97〉、和らげます。クライアントのロブは、いまの仕事を辞めて自分でビジネスを始めたいと思っているのに、思い切ることができなくていらいらしていました。彼は自分のふるまいを臆病で決断力がないと考えていました。踏み出せないのにはしかるべき理由があります。彼には八千ドルを超えるクレジットカード負債があり、新しいビジネスの資金にするための蓄えはまったくなかったのです。わたしたちは彼に精力的な借金返済プランと貯蓄プランを用意して〈Tip 24〉、夜間に新しいビジネスを始められるよう手を貸しました。副業が成功すれば、以前からの仕事が必要なくなり、専業にできます。ロブにとってはきつい目覚ましとなりましたが、結果的には無事に転身を果たしました。わたしは多くの人々が、必要な貯蓄も顧客もないまま、いらだちから仕事を辞めるのを見ています。そしてこれは、きちんと計画を立てて転身をするより、ずっとずっと厳しいものです。

障害や恐れを取り除いても、クライアントがまだ前進できないのなら、目標が間違っているのかもしれません。わたしはふだん、その目標を捨てて、動機づけを必要としない新しい目標を掲げるよう勧めています〈Tip 04〉。クライアントが目標に到達しないもう一つの理由は、あるもの――本心から欲しいと思うもの――を手に入れるために、別の目標を掲げているからです。たとえば、男の人にもてたくて、減量するためにジムへ通っている女性がいるとします。そして、なぜ自分がちっともジムへ行く気にならないのかと不思議に思います。体重を落とすことは本当の目標ではないのです――本当の目標は恋人を獲得すること。この場合、わたしはそのクライアントに、自分の欲しいものを直接求めなさいと言うでしょう。欲しいものは直接求めなさい。他のものをつきまわって時間を無駄にしてはいけません。欲しいものを直接求めて、うまくいかなければ、そのときは立ち戻って別プランを試すべきかもしれません――シェープアップです。

さて、これまでのことにあてはまらないのに、それでもクライアントが行き詰まっていたら？　過激に変化するときかもしれません。何かまったく違うことをするのです。反対の方向へ行くのもよいでしょう。でも何をしようと、以前と同じことはしないでください――それではどこへも至らなかったわけですから。同じことをして違う結果を期待するのは非常にばかげています。同じ結果が欲しいのなら、同じことをしてください。違った結果が欲しいのなら、違う何かを試すこと。

どんなことにも付きものですが、これにも例外があります。行動を起こして、正しい手段を全部講じているのに、成果が頭打ちになって、行き詰まっているように見える場合があります。これは進歩していないということではありません――一見は進歩していないようですが。ジョージ・レナードはこの現象を著書『達人のサイエンス―真の自己成長のために』*Mastery*（日本教文社）の中で述べており、それはどんな分野においても傑出するためのプロセスの一部だと言っています。何においても達人の域に達したいと思うなら、ある時点で停滞期（プラトー）にさしかかることになっているのです。たいていの人はそこでやめてしまいますが、達人たちは続けます。そしてやがては突破して次のレベルへ進むのです。レナードは武道の黒帯所有者で、自分のトレーニング経験をふまえて要点を説明しています。すべての動作を何度練習しても、なかなか次のレベルへ進めないけれど、ある日突然そのレベルに達しているのです。後戻りしてしまう日さえあるでしょう。これはプロセスの正常な一部で、あって当然のことです。

ジョシュアは、自分のビジネスがなかなか次の段階へ進まないように思え、いらだっていました。しかるべき手はすべて打ち、地域の人々に知ってもらうために講演もしました。地方紙とは良好な関係にあり、頼めばジョシュアのイベントをいつでも掲載してもらえます。過去の実績も上々です。欠けているところは何もなさそうなので、わたしはジョシュアにこれまでどおり続けるよう言いました。二ヶ月後、ものごとが動きだし、いま彼のビジネスは繁盛しています。彼に必要だったのは、続けることだけでした。

過激な変化とはどういうことでしょうか。進歩していない場合、これまでやってきたことと逆のことをやりたくなるかもしれません。あるクライアントは肥満が悩みでした。彼女はあらゆるダイエットを試みましたが、何一つ効果がなさそうでした。わたしはそういった極端なケースで効果がありそうなのは、同じように極端なことではないかと言いました。本当にスリムになりたいのなら、ライフスタイルを過激に変化させることが必要なのです――エアロビクスのインストラクターでも木材伐採人でもなんにでもなってください。彼女は考え、小さな変化の積み重ねでは自分の場合うまくいかないと思い至りました。彼女は、コーチとして自分に付き添ってくれる人を探し、自分に合ったプランが見つかるまで、エクササイズや食事のあらゆる面を評価してもらいました。彼女は三十キロ近く体重を落とし、ジョギングクラブに入会することに決め、残りの余分な脂肪を燃焼させるためにマラソン大会に申し込みました。

別のクライアントは本の執筆をしていて、スランプを抜け出すことができずにいました。わたしたちは対極のことを試してみました。執筆をやめ、自宅を徹底的に片づけ、風水師を呼んで家を見てもらいました〈Tip 20〉。彼は家とオフィスのあらゆる家具の配置を変え、信じられないほどのエネルギーを獲得しました。書類のファイルもすべて片づけ、その中に、いつか読むつもりで一九七四年から切り抜いておいた記事を発見しました。考えるためのスペースを空けたら、アイデアがどんどん湧いてきて、執筆も難なく進みました。

もう一つの例を紹介させてください。マーシャはやさしい人々の中でも群を抜いてやさしい人です。親切なのはいいことなのですが、マーシャにとって、親切にするかどうかに選択の余地はありませんでした。必ず親切にしなければいけないように感じるのです。結果として、誰かに頼みごとをされると、とてもノーと言えません。誰かに思いやりのない言葉を言われると、なんと返せばよいかわかりませんでした。いつも冗談の種にされているような気がするし、容赦なくからかわれることもあります。マーシャはただ微笑んで我慢するだけでしたが、内心では苦しんでいました。あらゆる人に、彼女自身の友人にさえ、利用されているような気がします。手術を受けた友人をわざわざ手伝いにいったのに、マーシャが病気になったときには友人の姿はありませんでした。感謝祭の一日を、そのときつきあっていた男性と過ごそうと計画しましたが、彼は土壇場になって自分の友だちと出かけてしまいました。マーシャはドアマットのようにみんなに踏みつけにされていたのです。

わたしはマーシャに、型を破るために思い切った行動を取る必要があると話しました。彼女はなんでもやってみると言いました。わたしは、いい人でいようとする気持を打ち破るために、一週間ほど悪い人になりなさい、と言いました。彼女はためらいました。最初のうちは、悪いことをするなど考えるのも無理な話です。わたしは、まず小さなことから始めなさい、と勧めました。電話を取らずに留守電に任せるとか、その気にならなければ折り返しの電話をしないとか。翌週、マーシャは自分のした悪いことを報告してきました。ボランティアでやっていたいくつかの仕事を辞めたこと。単に「やっぱり無理だとわかったから」と言ったそうです。エンジェルフードケーキをひとりで全部食べたこと。寄付の依頼状をにやりと笑いながら破り捨てたこと。まったく実用に向かない、セクシーなヒョウ柄の黒いスエードの靴を買ったこと（悪い子！）。待ち合わせにはいつも時間どおりに現れるのに、わざと十分遅刻したこと。

いつもいい人でいる必要はなく、ノーと言ったところで世界は終わらないし、他人に嫌われるわけではないということを、マーシャは初めて知りました。翌週、わたしたちはもっと強力な境界線を設ける〈Tip 05〉ことにしました。マーシャはおもしろいことに気がつきました——誰も彼女をからかったりつけいったりしなくなったのです。二四時間、悪い人になってみて、様子を見てください。次に一週間トライします。心配しないで。それで命を取られることはありませんし、いい人にはいつでも戻れます。ほんの少し、まわりの人々をゆさぶってあげましょう。

明らかなことですが、あなたは自分の行動の結果とともに生きる覚悟ができているはずです。わたしは法を犯すことや、自分や他人を危険にさらす話をしているのではありません。たいていの女性は、いい人になるよう育てられています。これはけっこうなことなのですが、自分のふるまいはもはや自分自身ではありません――その結果、わたしたちはどうしてもいい人にならざるを得ないのです。そのせいで他にどうすればいいかわからないほど創造性が抑圧され、わたしたちの成長や発展は限られてしまいます。このアドバイスのポイントは、日常の型から脱出し、自分がはまり込んでいる古いやり方やパターンを破って成り行きを見ることです。あなたはどんな過激な行動を取る気かしら？

Tip 69 かすかなメッセージを聞き取るようにする

人生とボクシングには共通点がある。腹に一打を受けたら、続けてあごに右の一打が来る可能性が高い。

――アマンダ・クロス

人生は最高の教師であり、通常は思いやりもあります。わたしたちは、目覚めなさいと告げるあらゆる種類のかすかなメッセージを送られていますが、なかなか聞き取れずにいます。忙しさに取り紛れて完全に聞き逃してしまうのです。「あれ、車が妙な音を出してるから、整備してもらわなくちゃ」。たとえこんなメッセージが聞こえたとしても、あなたはそれを無視するか、解決するのを延期するかもしれません。メッセージを無視すると、それは少し声高になって〝問題〟になります。その問題を無視し続けると、さらにやかましくなって危機になります。危機を無視すれば、惨事になってしまうかもしれません。

わたしの妹の例をお話ししましょう。妹はニューヨーク・マラソンに備えてトレーニングをしていました。万事順調だったのに、突然！　腎臓の障害で二日間入院するはめになりました。妹はこれはもっと水を飲みなさいというメッセージだと、自分は脱水症状になっていたのだと思いました。その後もトレーニングを続けて、初めてのマラソン参加であるニューヨークでも調子は上々でした。妹は走り続けました。膨大な時間とエネルギーをトレーニングに注ぎつつ、参加できそうな他のレースを探していました。あるときボーイフレンドとスキーに出かけ、膝をひどく傷めてしまい、ドクターに手術が必要だと言われました。妹は自然に治ってくれないかと祈りながら、二ヶ月間も足を引きずって歩いていましたが、とうとう三時間かかる手術を受けました。費用はなんと六万ドル（幸いにも保険に入っていました〈Tip 30〉）。膝の軟骨はほとんどが除去され、二度と走ってはならないと言い渡されました。走ることはできても、骨がすり減ってしまうのです。妹はひどく落ち込み、かなり長いあいだ自分を哀れんでばかりいました。

半年ほどたって、リハビリもだいぶ進んだころ、わたしは妹になぜこんな災難になったのかと尋ねました（原因のない事故はありませんから）。妹はしばらく考えて、自分はずっと身体を酷使する生き方をしていた、本当は、身体ではなくもっと頭を使うのが自分の生き方のはず、と言いました。身体的に活発だったとしても、自分の人生をそれを中心に展開させるべきではなかったのです。妹は文字どおり、その道を行こうとしていたところを止められました。森羅万象があまり遠くまで脱線させようとしないのがおもしろいところです。もし妹が初期のかすかなメッセージにもっと敏感だったら、すぐにぴんときて、体を酷使しすぎだということに最初の入院で気がついたかもしれません。この場合は十分に取り返しのつく危機でしたが、膝のダメージはもとに戻りません。森羅万象があなたに告げようとしていることとはなんでしょう。あなたはそれを無視し続けていませんか?

かすかなメッセージに耳を傾けて、思い切った補正の手段をただちに取ってください。小切手が不渡りになったら、当座貸し越しを申し込んだり、諸経費を自動引き落としにしたり、必要と思うより多めの金額を当座預金に入れておくようにします。顧客を失ったら、その客をランチに連れ出し、理由を探ります。そして、顧客全員を調査して、もっとニーズに応える方法を探し、ただちにビジネスに改善を加えましょう。鼻がぐずぐずしはじめたら、ビタミンCを大量摂取して早めに就寝し、ダイエット法やエクササイズプランを見直しましょう。くれぐれも無理をしたり、自然に治るのを祈ったりしないこと。

ルークは保険会社のオーナーで、少し休みを取りたいと思っていたのですが、そんな余裕はないと感じていました。彼は八月に大きな目標を抱えていました。わたしはたいてい八月を休みにします。というのも、一年で最もエネルギーが低い月だからです。たいていの人は、一年のうちこの時期に人生の段取りを決める気にはなりません。どれほど立派な意図があっても、八月にはろくな成果が上がりません。働くには暑いし湿気が多く、新学期が始まる前の月ということで、全体的に倦怠感が広がるような感じがします。わたしならこの一般的な傾向と闘わずに全面降伏し、お休みの月と宣言するところです。わたしはルークに、かすかなメッセージに耳を傾けて休暇を取るよう勧めましたが、彼は他の人々がビーチでのんびりしているあいだにがんばれば、ゲームに勝つことができると考えました。彼は新しい人を雇って訓練し、営業に出て新しい顧客を引き込み、もっと広いオフィスを探したいと考えていました。

九月になってルークが連絡をしてきたとき、彼はこれまでになく疲れ、やる気をなくしていました。新しいオフィスのスペースも見つからなかったし、新しい従業員を探すために人材紹介会社に頼むことになり、営業に出なかったので新しい顧客を獲得することもありませんでした。心から休みを取りたいと思いつつも必死にがんばりました。最悪なことに、彼は具合が悪くなって二週間自宅で安静にしなければならなくなりました（休みを取る気になるかどうかは別として、彼の肉体には休みが必要だったのです）。やがて、ルークがこう言ってきました。自分では何もしなかったのに、すばらしい人材の紹介があったうえ、新しいクライアントを二件獲得できて、夏の売上目標を達成することができたと。わたしが「三つのうち二つの目標が達成されたわね」と言うと、ルークはしぶしぶそのとおりだと認めました――本来計画していたような方法ではないけれど、目的はかなったと。もちろん、彼がかすかなメッセージ（休みを取りなさい）に耳を傾けていたら、それだけで同じ結果に至っていたでしょう。それに二週間も病気で伏せることもなかったのです。ぎりぎりセーフを狙って失敗するより、やりすぎの方向へそれるほうが、ずっとましです。小さなヒントを、その先にもっと大きな何かがあるという警告として受け止め、まるでその大きな何かに対応するかのように、その小さなヒントに対応しましょう。あたふた大騒ぎしてものごとを大げさにしろと言っているのではありません。単に対処すればいいのです。二度とそのことで気をもまなくていいくらい、十分に対処しましょう。これは「完全に仕上げる」〈Tip 38〉でお話ししたことです。マーフィーの法則では、準備をすれば問題は起こりません。たとえ起こったとしても、少なくとも準備はしているわけです。問題が押し寄せている状態では、成功を引きつけるのはかなり難しいでしょう。だから早いうちにキャッチしておくのです――厄介なことになる前に。

Tip 70 電話を活用する

長話をするには人生は短すぎる。

――レディ・メアリー・ワートリー・モンタギュー

電話を有効に利用する方法はたくさんあります。まず、通話時間に十分という制限を設けること。だらだらとした長話には、たちまち疲れてしまいます。いつもこちらから会話を終わらせるように心がけましょう。くれぐれも感じが悪くならないように。たとえば、こんなふうに言ってみてはどうでしょう――「あなたと話ができてよかったわ」。電話での会話を短く、愛想良く、主題をはっきりさせることで、あなたは時間を大事にする職業人だという評判がたちます。これは私用電話でも同じことです。こちらから会話を終わらせれば、相手は物足りなさを感じるようになり、次の電話を心待ちにしてくれることでしょう。

人の注意が持続する時間は短いので、あなたに長話の傾向があるとわかると、相手はあなたの話に耳を貸さなくなるでしょう。あなたと電話をしているうちから、他のことを始めるかもしれません。会話の焦点を常に保っておけば、相手は注意を向け続けてくれます。おまけにあなたの時間もセーブできます。両親や親友など、大切な人にかける電話の場合は、十分ルールに例外を設けたいと思うかもしれません。そういう電話は確かに楽しいのですが、気がつかないうちに時間がいくらでも食われてしまいます。友人には、いつ電話をもらえばいちばん都合がいいか、知らせておきましょう。他の用事に集中する予定のない時間にしてください。彼らが電話をかけてきたとき、邪魔されたような気分にならず、会話を楽しむことができるように。

電話を活用するもう一つの方法は、最新技術を利用することです。たとえばボイスメールは、暮らしの中で電話のベルを鳴らさずに済みます。デボラは不動産会社の重役で、オープンドア・ポリシーのオフィスで仕事をしています。専用オフィスのドアは常に開けてあり、誰でもいつでも彼女に声をかけられます。デボラはまた、電話が鳴ったらあとで折り返しかけるより、その場で用件を済ませるほうが理にかなっていると強く思っていました。誰からかかってきたのか忘れたり、互いに電話に出られなくて延々すれちがいを繰り返したりするリスクがないからです。ふだん、彼女が職場に入るのは午前八時半、仕事を終えて帰るのは午後七時か七時半です。言うまでもなく、ようやく帰宅したときにはへとへとです。職場で、大半の仕事を片づけるのはいつごろかと尋ねると、「じつは夕方になってからなの」との答えが返ってきました。デボラは意識していませんでしたが、それは電話が鳴りやんだときだったのです。彼女は電話の対応で忙殺され、一日中ろくな仕事ができずにいたわけです（秘書もいるのですが、デボラは電話をふるいにかけるのに秘書を使いません）。いまデボラは一日二時間、午前十時から一二時までを、重要な仕事を片づけるために確保しています。そのあいだは電話の線を抜き、ボイスメールを利用するのです。オフィスのドアも閉めて、誰か用があって入ろうとする人には、秘書が一二時以降にしてほしいと告げます。デボラは秘書と専用オフィスとボイスメールをたいへん有効に活用しています。

ボイスメールと留守番電話を使って、かかってくる電話をふるいにかけるのを、ためらう必要はありません。いまデボラは午後五時半には職場を出ています。思いがけず何かを成し遂げた気分です。余った時間を使ってジムに行き、個人トレーナーの指導でエクササイズを始めました。夜に友人と出かけるエネルギーもあります。生産性が上がったおかげで、デボラはこの年それまでにない高額のボーナスを受け取りました。それに、ふだんも肩の力が抜けてきて、彼女の人生にひとりの男性が引きつけられています。あなたの能力を、減らすのではなく増やす道具として、電話を使いましょう。

Coach Yourself
to Success

第八章

コミュニケーション能力をみがく

Communicate with Power, Grace and Style

全世界を手に入れても、自分自身を失ったり奪われたりしたら、なんの得になろうか。
——ナザレのイエス　ルカの福音書、九章二五節

自分自身を大切にしなさい。あなたにはそれがすべてなのだから。
——ラルフ・ウォルドー・エマーソン

コーチング・プログラムも七つの章が終わり、いまあなたは人生に欲しいと思う良いものごとをたやすく引きつけています。生きていくための丈夫な土台が築かれ、エネルギーが無駄に消耗される原因を排除して前向きなエネルギーの源に置き換えることで、あなたのエネルギーは増加しています。自分の人生に望むもののために十分なスペースと時間が生み出され、お金も愛情もたっぷり引きつけられるようになりました。そういった基本を学ぶことで、自分の人生に心から欲しいと思っているものを見いだして、メディアに吹き込まれた欲望と区別するのが楽になりました。自分が欲しいものを知ることで、自分自身に思う存分手をかけられるようになり、すばらしい人生を送ろうという意欲が増しました。いまあなたはずっと欲しかったものを、労せず自然に引きつけています。

第八章は、〝やり方〟の話ではなく、〝あり方〟を扱います。パワー、品格、スタイルのあるコミュニケーションの方法を学びます。ある意味、これは最も重要な章だと言えます。我慢していることを排除するとか、たっぷりと予備金を蓄えるとか、立派な家や肉体を手に入れるといったことを超越しています。わたしたちはみんな、成功しているように見えるけれど成功したとは言えない人がいることを知っています。彼らはさまざまな装飾品、高級車、衣服、家などを持っているというだけです。お金があれば成功しやすくなりますが、必ずしも保証はできません。土台をちゃんと持たないと、成功を維持するのはたいへんです。第一章から第七章までは、自分がいつでも最高の状態でいるのを楽にするためのアドバイスでした。自分の人生と、自分を支える環境を構築したいま、最高〝以外〟の状態でいるのは難しいと言えるでしょう。たくさんの良いものと良い人々に囲まれて、気難しくしているにはそうとうがんばらなければなりません。あなたは成功した人間になる――そしてますます成功する――ことを学ぶ準備ができています。あとはコミュニケーションのスキルを微調整するだけです。

Tip 71 ゴシップをやめる

自分を少しも汚さずに、誰かに泥を投げつけるなんて、無理な話です。
――アビゲイル・バン・ビューレン

噂話はこたえられない？　どうぞ気をつけて。あなたの友人や同僚は、誰かの最新ゴシップを喜んで聞くかもしれませんが、自分のことはあなたにどう言われているのだろうかと、どうしても考えてしまうでしょう。ゴシップを信用する人は誰もいません。無条件の信頼があるときにだけ交わされる重要な会話に、参加できなくなってしまいます。ここでのルールは、その場にいない人の話は避けること。いない人の話をすれば、それはゴシップ以外の何ものでもありません。

わたしの基準〈Tip 08〉の一つが、噂話をしないことです。コーチという職業を考えれば、わたしがビジネスで成功するためには絶対に必要な基準です。わたしはまた、人々がわたしのまわりで噂話をしないような境界線を引いています。わたしの友人のひとりは、その場にいない人の日常について話す傾向がありました。言い換えれば、彼はゴシップ好きでした。会話をうまく舵取りして、ゴシップから感じよく離れるためにはこう言います――「あなた自身の話をもっと聞きたいな」。これでたいていの場合はうまくいくし、相手も喜びます。しかしうまくいかない場合は、もっとはっきり言う必要があるかもしれません――「それ、ここにいない人の話よね。ちょっとまずいかも」。または、あっさりと――「この場にいない人の話をするのは気分がよくないの」など。

ちょっと気さくに噂話をするくらいで、どんな害があるのかと不思議に思われるかもしれません。ゴシップは危険で有害です。わたしの同僚で、友人でもある女性が、自分のビジネスが新しい方向に進んでいると話してくれました。週に一度コラムを書いているというのです。これはすばらしいニュースです。わたしは共通の友人に会ったとき、その同僚のことを訊かれたので、コラムという朗報を伝えました。それが本人の耳に入り、彼女はかなり腹を立ててわたしに電話してきました――新しい仕事のために古い仕事を辞めようとしているなどという噂を、どうして広げるのかと。彼女は以前からの仕事を辞めるつもりはありませんでした。好意的に発したつもりのわたしのコメントが、彼女のビジネスに悪い影響を及ぼしたかもしれないのです。わたしはすぐに彼女に謝り、共通の友人にも電話をして謝りました。控えめに言っても、そうとうばつの悪い思いをしました。

こういったことは、本人がその場にいれば防げていたでしょう。本人が確実に正しい意味で伝わるようにしていたはずです。ゴシップをやめることの大きな利点は、友人たちがあなたを信頼するようになるということです。あなたにすでにゴシップ好きの評判が立っていたら、それを消すにはかなりの努力が必要でしょう。評判を逆転させるには時間がかかるでしょうが、そうするだけの価値は十分にあります。ゴシップが好きなようでは、またはゴシップの輪に加わっているというだけでも、引きつける力を強めるのは不可能です。ゴシップは魅惑的であっても魅力的ではありません。好きなほうを選んでください。

Tip 72 洗いざらいぶちまけない

口を閉じていれば蠅は飛び込んでこない。

――イタリアのことわざ

あなたが慎み深い人であればこれは当てはまりませんが、もしも同僚や新しい友人に自分のことを何もかも話したくなってしまう人なら、考え直して口をつぐんだほうがいいでしょう。あなたの過去の恋愛や成長期の問題などについて、どろどろした細かいことまで逐一聞きたいと思う人はそういません。そういった話をする相手は、母親、セラピスト、コーチ、長年の友人だけにしておくべきです。母親ならそれでもあなたを愛するでしょうし、セラピストやコーチならそういう話を聞いて答えるためのお金をもらっています。別の方法として、いわゆる自己改造プログラムなどに参加して、他の人と一緒に洗いざらいぶちまけることもできます。

マットはファッション・ビジネスの仕事をしています。そこはおしゃべり好きで社交的な人々の多い世界で、誰もが他人の生活で起こっていることを何もかも知っています。ゴシップは野火のように広がり、最も人気のある人といえば最新の噂話を持つ人。マットの同僚たちは、彼のプライベートなあれこれ――誰とつきあっているか、デートはどうだったか、どこで食事をしたか、セックスをしたか、どんな服を着たかなど、あらゆること――を尋ねるのを、なんとも思っていませんでした。マットはいつも少し不愉快に感じていましたが、無愛想に思われたくもないし、訊かれたことにはなんでも答えなければいけない気持になっていました。

同僚たちに好かれたい、受け入れられたいというのは自然なことです。わたしはマットに、あなたはその部分の境界線を失っているのだと指摘しました。私生活での出来事を詮索されるのを、もはや許すべきではありません。彼は四ステップモデルを使って、この境界線〈Tip 06〉を強化することになりました。翌日彼は出勤して、誰かに何か訊かれたとき、短くシンプルに答えて詳しいことは何も明らかにしませんでした。もし誰かがしつこく訊いてくるようなら、マットはその人に「それは個人的なことだから」と言って、あとは放置します。これがうまくいき、さらに思いがけない効果がありました。職場の人々が彼をますます尊敬し、信用するようになったのです。三ヶ月後、彼は主任の地位に昇進しました。何もかもぶちまけてはいけません――プロフェッショナルらしくない所行です。

ビジネスか私生活かにかかわらず、とくに人間関係が始まったばかりの微妙な段階では、黙り込むほうがはるかにましです。自分語りを聞かされるのはうんざりするものです。なぜそんなに急いで何もかもさらけ出すのでしょう？　人間関係が発展していくにつれ、自分の過去の重要な部分を打ち明けたいと思うようになるかもしれませんが、あまりにも早いうちから自分のごく私的なことをあれこれ暴露してはいけません。何一つ言わずにいて間違いが生じるほうがずっとましです。多少なぞめいた存在のまま、一緒にいる人の話を聞くほうに注意を集中させましょう。

ロイスは役者で、いつも自分のことを話したくてたまらない人でした。相手が興味を持っているかどうかなどおかまいなしにぺちゃくちゃしゃべりまくります。いつも新聞や雑誌を読んで話の種になりそうなおもしろい記事を探します。自分がエンタテイナーでいなければならない気がするのです。わたしはロイスに、一週間のあいだしゃべるのをやめてまず人の話を聞きなさい〈Tip 73〉と言いました。一緒にいる人が話を終えるまで、口をはさんではいけないルールです。その結果に、ロイスは目を見張りました。他人を楽しませようとする必要がないので、リラックスできて一緒にいる人に注意が向くようになりました。何年も前から知っている友人や同僚の、その人らしい一面が初めて見えました。彼女のほうがいままでそんな機会を与えていなかったのです。ロイスはこれまでになく彼らと近づけたような気分になりました。人はたいていしゃべるほうが好きです。だからあなたが誰かと友だちになりたかったり、他人に影響を与えたりしたい場合は、相手が打ち明けてくれるまで、自分の話は差し控えましょう。相手に興味を持たせようとせず、相手に興味を持ってください。

Tip 73 聞き上手になる

物語を動かすのは、声ではなく、耳だ。

――イタロ・カルビーノ

しゃべりすぎるのをやめると、聞く時間が増えます。たいていの人は自分が聞き上手であると考えたがります。ですが実際に聞き上手である人はめったにいません。自分の知っている人々のことを考えてみてください。すべての友人、家族のうち、あなたの話をきちんと聞いてくれる人は何人いますか？　他のライフスキルと同様、話を聞くことはテクニックであり、練習が必要なのです。いままで誰も話の聞き方を教えてくれた人はいません。話をする方法は教えられましたが。これからは、何を言おうかということについてはあまり心配しないでください。本当に人を引きつけるのは、あなたが話すことではなく、話を聞くあなたの腕前なのです。

人の話を聞き、自分の話を差し控えれば、思いがけない結果に至るでしょう。しゃべる一方の人は、自分が聞き手をよく知っていて、信頼している気分に陥ります。本当は逆で、聞く人がしゃべる人のことをよく知っている気分になるべきなのですが、そうではないのです。とある有名なレポーターがこのことを裏付けています。信頼を築く方法は、話を聞く、聞き続ける、とことん聞き続けることだそうです。どんな話題で話しはじめるかは実際どうでもよく、ただ相手にしゃべらせておけば、やがてその人は本当に興味深い話を聞かせてくれることでしょう。

おおざっぱに考えて、時間にして二十パーセントをしゃべるほうに、八十パーセントを聞くほうにまわすようにします。今日さっそく試してみましょう。あなたがきちんと耳を傾ければ、相手はびっくりするようなことを話してくれるかもしれません。人は話を聞いてくれるあなたが大好きになるでしょう。一つ助言があります。誰かと一緒にいて、あなたは話していないとき、頭の中でひとりごとをつぶやいているなら――おそらく自分の反応とか相手の話の評価や判断など――本当に聞いているとは言えません。あなたは頭の中で自分自身に話しかけています。ほら、いまあの小さな声が言いましたね――「いったいなんの話かしら？　わたし、自分に話しかけてなんかいないわ」。あなたは立ち上がって部屋の隅に立ってぶつぶつひとりごとを言うほうがいいかもしれません。次に誰かの話を聞くときには、自分がどれだけ自分自身に話しかけているか、注意してみてください。それから、あなたの意識を相手に戻してください。相手が言う必要のあることを漏らさず聞いてから、返事を考えはじめるようにしましょう。

じっくり話を聞くことは、簡単ではありません――練習が必要です。ここで実験。今週は友人、同僚、家族、上司の話を三分間聞いてから、自分の意見を述べるようにしましょう。誰かと電話で話している場合は、自分がしゃべっている時間を計ってください。そうすれば、三分間がどれほど長いかわかります。相づちを打って、相手の話を促すのはかまいません――「ふむふむ」「それで？」「なるほど」「どうぞ続けて」。あなたが確かにその場にいて、相手の話を聞いていることを伝えるだけにしてください。解決法や次に言いたいことを考えてはいけません（それが頭の中でひとりごとを言っているということなのです）。

フィリップは自分を聞き上手だと考えていました。よく誰かが彼のところへやってきて、アドバイスを求めたり悩みを相談したりしていました。わたしが彼にこの課題を与えたとき、彼は頭の中で頻繁にあの小さな声がすることに驚きました。自分が相手の話にじっくりと耳を傾けていなかったと知って、あらゆる努力をしてリラックスし、判断や評価をしたり、解決法を探したりせずに、相手が話すことすべてを頭にしみこませました。するとすごいことが起こりました。相手が自分のより深い一面を彼にさらけ出すようになり、彼がいままで気がつかなかったことを話しはじめたのです。フィリップは、十分に長く話を聞けば、相手は自分で解決法を思いついてしまうことがしばしばあることに気がつきました。彼はアドバイスをしたわけでもないのに礼を言われます。じっくり話を聞けば聞くほど、人はあなたのそばにいることを楽しむようになり、あなたはますます良い機会を引きつけるようになるでしょう。

Tip 74 不満を要望に変える

これは本当ですよ。人が自分の不運を語るときには、不運の中に何かしら本人にとって不快ではないものが含まれているものです。

――ジェイムズ・ボズウェル、『サミュエル・ジョンソン伝』

不満をつぶやいているときに魅力的な人はいません。あなたが本気で成功を引きつけたいなら、不満や愚痴を言うのをやめなければなりません。事実と向き合いましょう。あなたは誰かの愚痴を聞いていて楽しいですか？　わたしは楽しくないと思います。それでは、あなたの不平をもっとおもしろくしてくれるものはなんですか？　そんなものはありません。次に誰かが愚痴を言っているときに、その人の顔を見てください。その人は魅力的ですか？　言いたいことがわかっていただけたと思います。お互いに愚痴をこぼし合うのは、ある意味満足できることですが、生産的であることはまれで、たいていは現実の問題を避けるためだったりします。

解決法はシンプルです。あなたの不満を要望に変えるのです。シンプルだし、いたって簡単でもあります。よくある不満を取り上げてみましょう――「あ～あ、自分の仕事、大嫌い」。具体的にどんなところが嫌いですか？「やってることは好きなんだけど、ボスが横暴で、いちいちうるさいのよ」。そうですか。ボスにはどんな要望を出したいと思いますか？「その目障りな@#$!をどこかにやってって言いたいわ」。わかりました。ではその要望をどうやったら建設的な形にできますか？「知るもんですか」。こうしたらどうでしょう――「わたしはあまり細かく指図されないほうがいい仕事ができるんです。週の終わりに状況や結果をご報告したいと思います。それでもかまいませんか？」。

要望を出すと、三つの反応のうち一つが返ってきます。相手がこちらの要望を受け入れてくれる場合――「わかりました。それでけっこうです」。こちらの要望が拒否される場合――「駄目です」。相手が修正案を提示してくる場合――「いいでしょう。でも初めのひと月かふた月は、週に二度電話をいただきたいわ。もうちょっと安心できるまで」。修正案にあなたが反論して、交渉となる場合もあります。次に不満が出そうになったら、本気で出したい要望を考えてみましょう。友人や家族を巻き込むのも手です。彼らがあなたの不満を察したら、そっとこう言ってもらうのです――「あなたの要望ってどんなこと？」。

エドワードは製造業の大企業で管理職をしています。わたしにコーチングを依頼してきたとき、彼は極度の疲労とフラストレーションに苦しんでいました。管理者として、自分の部署で起こるすべての問題を取り上げ、解決しなければならないという責任を感じていました。一日の終わりには、彼は疲れ果てて帰宅します。一日中何かの問題について部下が泣き言や不満を言うのを聞いていたからです。これもやはり境界線を失っているケースです。「誰もわたしに愚痴をこぼしたりしない」という境界線。そういった種類の境界線を、他人に対して設ければよいのです。次のミーティングで、エドは不満に対応する新しい手順を公表しました。彼はオープンドア・

ポリシーを続けるけれど、不満はすべて要望の形で提出すること、と申し渡したのです。たとえば、「ここは暑すぎる」という不満は「エアコンをつけてもいいですか」という要望になります。エドのほうに少しコーチングをする必要はありましたが、部下たちはすぐにそのアイデアを受け入れ、エドの仕事は一変しました。彼はもう一日の終わりになってもエネルギーを吸い取られた気分にはなりませんし、部下も何もかもエドに投げてしまうのではなく、自分たちで解決法を考えるようになりました。問題のまったくない人生を送ることはできないかもしれませんが、不満のない人生を送ることはできるのです。

さて、友人の中に、年中不平をこぼしてばかりいる人はいませんか？（もちろんあなたは違いますね！）ちょっとばかり敏感になると、そういう人々の近くにいることがどれほどくたびれるか、わかると思います。けれども、彼らを再訓練できるのなら、友人のリストから消す必要はないかもしれません。覚えておいてください、そういうふるまいを許しておけば、事実上あなたは自分のまわりで愚痴を言いなさいと彼らに教え込んでいることになるのです。ですから、彼らには、あなたの新しい基準と境界線に慣れてもらう時間を与える必要があります。きっぱりと、ニュートラルに、一貫した態度を見せれば、たいていの人は三回言われたころには理解します。旧友のミッチェルには五年も会っていませんでしたが、ある日久しぶりにランチを一緒にとったところ、彼は五年前と変わらずに不平ばかり言い散らしました。相変わらず借金を抱え、相変わらずお金に困り、相変わらず体が痛み、相変わらず仕事に満足していないミッチェル。わたしもかつては同じような不満の山を抱えていたのだと、ふと気がつきました。わたしと彼の友情は、お互いに愚痴をこぼし合う関係の上に成り立っていたのです。いまのわたしにはそういった不満はなく、彼の愚痴は我慢ならないものでした。わたしは気軽に告げました――「ミッチ、今日のあなた、わたしに愚痴しか言ってないことに気がついてる？　この数年に起こったいい話が聞きたいわ」。これがみごとに効いて、わたしたちは楽しい会話をすることができました。

Tip 75 口をつぐむ

礼儀正しくするのにお金はかかりません。しかもそうすれば、なんでも手に入るようになります。

――レディ・メアリー・ワートリー・モンタギュー

人は誰でもすばらしいアドバイスをされたがっている、と考えるのは自然な傾向です。実際には、人はあなたの話を聞きたいかもしれないし、聞きたくないかもしれません。分別に満ちた言葉など聞く耳を持たないかもしれません。損になる結果を招かないためには、最初に許可を求めることです。そして様子を見ましょう。友人と夕食をとっていて、彼が自分の上司との問題について話しています。あなたは耳を傾けていて〈Tip 73〉、その問題がありありと目に浮かびます。いちばん良いのは、彼がすべて話し終えてあなたの意見を求めるまで待つことです。しかし、彼が意見を求めずに話を終えてしまった場合、あなたはこう言うこともできます――「ふむ、こうしたらいいんじゃないかなって思うことがあるんだけど、聞いてみたい？」。あなたにアイデアがあるからといって、相手が必ず聞きたがるとは思わないでください。あなたの友人はこんなふうに答えるかもしれません――「じつは、君に話してるうちに解決しちゃったような気がするんだ」。あなたの知恵の言葉は必要ではありませんでした。話を聞くことだけが必要だったのです。許可を求める別の言い方もあります――「似たような状況にわたしがどう対処したか、聞いてみたい？」または「ちょっとアドバイスしてもいい？」。アドバイスを与える前には、必ず相手に尋ねるようにしてください。それが礼儀にかなった、有効な方法です。ちょっと練習すれば、無理なくできる習慣となるでしょう。

ジーンは四九歳のポートフォリオ管理者で、五人姉妹のいちばん上でした。友人や家族や同僚、それにつきあっている男性にまで、ことあるごとに要らぬアドバイスをせずにはいられませんでした。快活ですてきな女性であるにもかかわらず、結婚したくなるような男性を引きつけることができずにいました。わたしはジーンに「あなたはちょっと口やかましくて、身近な男性に対して母親のようにふるまってしまうのね」と言ってみました。ジーンはそのとおりだと答えました――どうしてもそうしてしまうのだと。結局、長女の役目が習い性となっているのです。彼女が自分自身と他人にどれほど厳しい目を向けているか、自分の意識を高めるために、〝小石のエクササイズ〟をするよう勧めました。自分が人のあら探しをしていることに気づいたら、小石のたくさん入ったボウルから一個取り、空のボウルに移すのです。一日の終わりに、小石がいくつ動いたかを数えて、その数字をカレンダーに記録します。翌日はまた新たにスタートします。これはジーンがどれほど批判的になるかというのを確かめるためのアイデアです（他のクライアントは数取り器を使ってうまくいきました）。わたしは、ジーンが自分にかなり厳しくしているとわかっても、驚きませんでした――彼女は一日に三四個もの小石を移したのです。交際相手が、ジーンをディナーに連れ出すためではなく、アドバイスを求めるために電話をしてくるようになったとき、彼女は自分がいつでもアドバイスばかりしていることを痛感しました。

これはジーンが自分を変えようと思う十分な動機になりました。わたしは彼女に、他人にアドバイスや批評を与えるのは、そうしてくれと頼まれたときだけにしなさい、と言いました。その変化に最初に気がついたのは妹たちで、みんなそれを歓迎しました。ジーンは生まれて初めて〝いちばん上の姉さん〟ではなく、妹たちが秘密を打ち明けられる〝友〟になったのです。やがてジーンの交際相手は、少しロマンチックになりました。いま彼女は、結婚して身を落ち着けたいと考えている、すてきなビジネスマンとつきあっています。

Tip 76 どんな話かあらかじめ穏やかに言う

真の思いやりは、他人の苦しみや喜びを自分のものとして想像する能力を前提にしている。

――アンドレ・ジイド

人に何かを言わなければならないとき、相手に心の準備をさせましょう。あなたに何も踏み越えない習慣がついているなら〈Tip 07〉、何か言おうとしても、言いにくかったり、気詰まりだったり、苦痛やばつの悪さを感じたりするのではないかと思います。そういったことをたやすく言ったり聞いたりする方法はありませんが、あらかじめ条件をつけておくことによって多少は楽になります。それはとてもシンプル。どういった話なのか言うだけです。たとえば、自分の従業員と、お粗末な実績について話し合わなければならないとしましょう。「スーザン、わたしの話っていうのはね、わたしにとっては言いにくいことだし、あなたも聞いていてつらいと思うわ。（休止）あなたの実績、この二週間は水準に達してないわね。いったいどうしたの？」。ポイントは、話を真綿にくるむのではなく、言わなければならないことを、相手がきちんと聞いて理解できるような言い方で正確に伝わるようにすることです。相手が動転する一方のことを言ってはろくなことになりませんし、相手の行動も変わりません。

ベロニカは夫のことが心配でした。夫は才能ある電気技師なのですが、いつも支払われるべき賃金よりずっと低い金額で仕事を引き受けているように見えます。ベロニカはコンピューター・プログラマーで、幼い子ども二人ともっと家で過ごせるように、パートタイムで働きたいと思っていました。ところが、一家の稼ぎ手は彼女のほうなので、それは無理でした。ベロニカは過去にその話題を持ち出したことがありますが、夫はいつも腹を立ててむきになります。彼女は何も言えなくなってしまいました。そのころ、夫は新しい仕事で面接を受けている途中でした。会社が提示しているのは相場以下の金額。夫が交渉さえせずに受け入れるのではないかと、彼女はびくびくしていました。以前、夫はすばらしい実績を上げて評価され、頻繁にほうびをもらっていたこともあります。なぜ彼がこんなに低い賃金を受け取るのか、ベロニカには理解できませんでした。彼女は途方に暮れ、わたしにアドバイスを求めて電話をかけてきました。

わたしは真っ先に、彼がすでに契約書にサインをしたかどうか尋ねました。彼はまだなんの書類にもサインはしていませんでした。よかった！　口頭での返事は無効なので、まだ交渉する時間があります。次にわたしは、ベロニカが夫に「あなたは自分の価値に足る対価を得ていない」と言ったときの、正確な言葉を教えてほしいと頼みました。だいたいこんな感じのことを言ったそうです――「ハニー、あなたにもっとたくさんお金を稼いでほしいの。ちゃんと資格もあるし腕もいいんだから。いまの額じゃ少なすぎるわ。あなたがもっと高い収入を得ないなら、わたしはどうやって子どもたちと一緒に家にいられるというの？」。ベロニカのコメントが力を奪うものだったのは明らかです。そんな会話をしたら、彼は自分が能なしに感じるし、仕事における自尊心の低さを悪化させるばかりです。わたしはベロニカに、夫に何かを言うときは必ず建設的な言い方をしなさい、と言いました。彼は何も間違ったことをしていないというような顔で、あなたの愛と支えをすべて捧げなさい。彼がどんなにすばらしい人であるかを本人に告げ、過去の成功や、もらったほうびをすべて思い出させてあげなさい。彼を思いきり持ち上げて応援しなさい。

翌日、ベロニカが電話をしてきました。彼女はわたしが言ったとおりに実行し、自分が貴重な人材であるということを夫に思い出させながら、最終面接の前夜を過ごしました。最後の勤めでは独創的かつ革新的な仕事をして表彰されたこと。六万ドルを稼ぐ平均的なエンジニアより間違いなく優秀であること。ベロニカは一度として彼を批判せず、パワフルで最高の男である気分にさせました。翌朝目覚めたとき、夫は応援してくれたことを彼女に感謝し、もっと高い金額を要求してみると言いました。ベロニカはそうしろとはひと言も言わなかったのに。彼は帰宅して、一万五千ドル上乗せに、割り増し給付金付きでオファーを受けたと報告しました。ベロニカは目を見張り、夫は一家の稼ぎ手となれたことに誇りを感じていました。ふたりはファイナンシャル・プランナーに相談し、彼の新しい給料ならその収入だけで暮らしていけることがわかりました。彼女の夢が現実になりました――家にいて、子どもふたりを育てられるのです。これが、何を言うにしても無条件に建設的・前向きになることが持つパワーです。

Tip 77 物ではなく人をほめる

魂に灯をともす言葉は、宝石よりも貴重である。

――ハズラト・イナーヤト・ハーン

成功を引きつける、シンプルでたいへん効果的な方法が、物をほめる言葉を、人をほめる言葉に変えることです。人はしょっちゅうほめ言葉を受け取るものです。「まあ、すてきなセーターね」とか「今日はとってもハンサムに見えるわ」など。誤解しないでください、物をほめても良いのです。でも人をほめる言葉はいっそう良いのです。たとえば、「ロバート、このワークショップに出席するためにわざわざニュー・ジャージーからおいでくださり、また、示してくださったご支援に心から感謝します」。これは人をほめる言葉です。人物に向けられた話であり、ロバートはたいへんよい気分になります。物をほめるのは何も悪いことではないのですが、それを人をほめる言葉に変換すれば、あなたはさらに魅力的になるでしょう。

誰かを、その人となりを理由にしてほめる方法を考えてみましょう。それもできるだけ具体的に。ただ「あなたってすごいわ」と言うだけではいけません。「あなたはとても講演が上手ね。あの失礼なコメントに上品に対処したときの様子にはほれぼれしたわ」と言いましょう。または「あなたは心が広くてやさしい人ね。人をいい気分にさせるにはどんなことを言えばいいか、ぴたりとわかるみたい」など。料理人には「なんておいしいディナーでしょう!」と言わずに、「これは極上の食事ね。注意が細部まで行き届いていてすばらしいわ。おいしいだけじゃなくて、美しく供されていて芸術家の仕事みたい」。このように人物をほめることを習慣にすると、人々はあなたのそばにいたがるようになります。こんな小さなことを変えるだけで、あなたはたちまち人々を引きつけるのです。

ワークショップで、わたしは物をほめることと人をほめることの違いを実演して見せようと思いました。わたしはひとりの紳士に「とてもすてきなタイをしていますね」と言いました。彼は「ありがとう」と答えました。そしてわたしはひとりの女性を選び、彼女の顔をじっと見つめて言いました——「今日はおいでくださってありがとうございます。あなたがいると部屋が明るくなるし、あなたの発言のおかげで話し合いが進んでいますわ」。

これは事実でしたが、わたしは実例を示したかっただけなので、具体的にはなんでもよかったのです。人物をほめるということは非常にパワフルなので、彼女は感激して泣きだしてしまいました。ワークショップのあと、彼女はわたしのところにやってきて礼を言い、それから友人のグループとのディナーに招いて、わざわざ街を案内してくれました。わたしたちはそれ以来ずっと連絡を絶やさずにいます――一度人をほめたおかげで。

Tip 78 感じよく受け取る

自分の自然な姿を解放しましょう。心の扉を広く開け放ち、善意と親切という光を入れましょう。

――O・S・マーデン

人はたいてい、贈り物をしたり人をほめたりすることに何の問題もないのですが、どういうわけか、それらを受け取ることには苦労します。感じよく受け取るということは、自分が望むものをより多く引きつけるための一つの秘訣です。贈り物やほめ言葉をこんなふうに言って謝絶するのは、無礼であるだけでなく、引きつける力がありません――「そんなことしなくていいのに」「別に大したことじゃないのよ」「まあ、これ古いのよ?」「このあいだバーゲンで買ったの」。あなたは何もすることはないし、なんの説明も要りません。ただこう言えばいいのです――「ありがとう!」。そしてにっこり笑いましょう。余計なことを言えば、あなたは何もわかってないわねとそれとなく相手に言っていることになりかねません。それはあなたと贈り主の双方にとって侮辱です。ほめ言葉を感じよく受け取るわざは、少し練習が必要かもしれませんが、身につけるだけの価値があります。

逆のことを考えてみてください。あなたが友人への贈り物を買ったとします。それを友人に渡すと、どんな気持になりますか？　とてもいい気持でしょう？　実際、贈り物をもらうよりあげるほうがいい気分になるのです。胸の内があたたかく、すばらしい気持になっているときに、受け取った人から「やだわ、こんなことしなくていいのに」と言われたら、贈り物をした喜びは消し飛んでしまいます。「ありがとう」と言うことで、贈り物をした人に最大の満足感を与えるのです。

同じことがほめ言葉にも言えます。逆らうようなことや打ち消すようなことを言うのは、贈り物を突き返すのと同じことです。なんと失礼なのでしょうか。そんなことを言うのはやめてください。ただ「ありがとう」と言えばいいのです。ほめてくれた人にその体験を楽しんでもらいましょう。贈り物、ほめ言葉、感謝の言葉などを、感じよく受け取りましょう。何度か練習すれば、自然にできるようになります。人をほめる機会を探しましょう。実験として、来週は一日に三回、それぞれ違った人を心からほめて、相手がどう反応するか注意してみてください。そして、その反応に対して自分がどう感じるか、注意してください。感じよく受け取ってくれる人には、もっと与えたいと思うことがわかるでしょう。その人があなたをすばらしい気分にさせてくれるからです。心を開いて、感じよく受け取るようにしましょう。

感じよく受け取ることに加えて、礼儀正しくすることもいい考えです。シャロンとスティーブはハウスボートを所有していて、彼らのオフィスで働く従業員たちをときどき招いて泊めています。ただし、毎回違う人が食べ物を持ってきて料理をすることになっています。フェアな条件ですね。ほぼ全員、自分が料理をする晩はありきたりのハンバーガーやホットドッグをつくるのですが、オフィスマネージャーのパティは奮闘して絶品のインド風チキン料理をつくりました。この料理にはターメリックが含まれていました。鮮やかな黄色のスパイスで、チキンにエキゾチックな風味をつけます。料理の途中でパティは、ターメリックをほんの少し、鍋敷きとキッチンのフロアマットにこぼしてしまいました。スパイスはしみになり、小さな黄色の点々がどうしても取れず、パティは女主人であるシャロンに知らせました。シャロンは料理をしたことがなく、キッチンにはめったに足を踏み入れませんが、小さな黄色の点々を見てかっとなり、パティに二度としないよう注意しました。パティは恐縮してしまい、新しい鍋敷きとキッチンマットを買ってきました。これが、不作法な女主人の見本です。招いた客にはゆったりくつろいでもらわなければなりません。客にキッチンで料理をしてもらうなら、その過程で多少のしみができることなど、予想してしかるべきです。どこのシェフでも、料理をするときはあちこちにしみがつくものだと言うでしょう（だから彼らはエプロンをしているのです）。いっぽう、駄目にしてしまった品物を新しくしたパティは、申し分なく礼儀正しいゲストでした。常に物よりも人を優先するようにすれば、礼儀正しくなれるでしょう。それはたいへん魅力的な資質です。

Tip 79 人を変えようとするのをやめる

二、三の虫が巣くっていたとしても、精神が熟していることへの反証にはならない。

――フリードリッヒ・ニーチェ

人を変えようとすることは、エネルギーの無駄です。あなたにできることはたった一つ、その人たちのために手本となることです。もしも彼らがそれに学ばないようなら、立ち去りましょう。人生はあまりにも短く、人を変えようとしているうちに無益に一生が終わってしまいます。

自分の人生にかかわっている人々は、しばしば自分自身をありのままに映す鏡となります。誰かの中に、あなたが気に入らないところがあるとしたら、それはおそらく鏡であり、自分自身の中にある同じ気に入らない特質が映っているのです。その人は、あなたの特質の一つを逆に映し出して、バランスを取る必要があることをあなたに示しているのでしょう。あなたが整頓という強迫観念にとらわれていて、だらしない不精者を人生に引きつけたなら、その人は、あなたが肩の力を抜いて少し気楽に考えるようになるために、そこにいるのかもしれません。もしくは単に、その場を立ち去って他の誰かに出会いなさいというサインかもしれません。

ローラは夫とうまく意思疎通ができませんでした。いつでも彼が正しくなければならず、ローラは頭がおかしくなりそうでした。彼女が「そこで左に曲がって」と言うと、夫は「わかってる」と言います。ここのところふたりはつまらないことでけんかばかりしていました。ローラは自分の話をちっとも聞いてもらえていないような気がしました。わたしたちは話をして、ローラには受け入れられているという実感が必要なことがわかりました。夫が「わかってる」と言うたびに、彼女は自分が役立たずでまったく認められていない気分になってしまいます。わたしはローラに、自分は受け入れられている実感が必要ということを夫に話し、彼に受け入れられていなければ尊重されてもいないと感じていることを知らせなさい、と言いました。ローラは夫と話し合いをして、興味深いことを発見しました。彼はローラをちゃんと尊重しているし、話もしっかり聞いているし、彼女の情報提供をありがたいと思っているのです。彼が「わかってる」と言うときは、じつは「きみの言うとおりだ」という意味だったのです。

これはローラにとって予想もしていなかった新事実でした。次のコーチングの回で、彼女は言いました――

「あの人はどうして思っているとおりのことを言えないのかしら」。わたしは、彼を変えようとするのはやめて、その代わり彼は火星人であると考え、頭の中で言葉を翻訳するようにしなさい、と言いました。彼が「わかってる」と言うたび、ローラは「きみの言うとおりだ」と翻訳するのです。おそらくそのおかげで、ふたりの結婚生活は救われました。ローラは夫に愛されている、大事にされていると感じていますし、彼は間違ったことを言って妻から猛烈に攻撃されるのを恐れ、びくびくと行動するようなことはしていません。他人から学べることは学び、その人を変えようなどということは忘れてしまいましょう。それは多大なエネルギーの無駄使いであり、そのエネルギーは自分自身の人生に向けるべきです。ありのままの自分を愛してもらいたいと思うなら、潔く、ありのままのその人を愛しましょう。というより、自分がその人の欠点をいとおしいと思うかどうか、確かめてください。

Tip 80 話して聞かせる

口を慎めば、ものごとは自ずと姿を現す。

――老子

人が話を聞かない第一の理由は、自分の話がまだ終わっていないからです。口をはさまれたり、張り合ってしゃべろうとされたりすると、何を言おうか、言いたいかを考えることになり、相手の話が耳に入らなくなります。したがって、人がちゃんと聞いてくれるような話をする秘訣は、まず相手に最後までしゃべらせてしまうこと。そのためにはどうしたらよいのでしょうか？　単に「他に言いたいことはありますか？」と訊けばよいのです。たとえ相手が話すのをやめていたとしても、九十パーセントの確率で、考えることは終わっていません。人に考えるための時間と余地を与えれば、たいていは他に言いたいことが出てきます。本当に話し終えたなら、そう教えてくれるでしょう。無駄なことを言うのはやめましょう。相手に話を聞く準備ができていること、こちらの話をしっかり聞いてもらえそうだということを確かめてください。

人が話を聞かない第二の理由は、聞く気をそそるような印象的な話し方をこちらがしていないことにあります。あなたの声は聞きやすいですか？　甲高い声や鼻声だったり、アクセントがきつかったりすると、聞き取るのがとてもたいへんなので、話に耳を傾けてもらえなくなるかもしれません。幸いにもわたしたちは自分の声をコントロールすることができます。テープに録音した自分の声を聞いたり、率直な友人に感想を求めたりしましょう。もしも声が耳障りだとか、アクセントが強い場合は、発音や発声の専門家に声の変え方を教えてもらってください。声を低くするには、また、不愉快なアクセントや耳障りな発音をなくすには、誰でも簡単なテクニックを覚えるだけです。役者は何年もそういうことをやっています。

人が話を聞かない第三の理由は、こちらがめりはりをつけて簡潔に話していないからです。自分の言いたいことを最小限の言葉で言い表す方法を覚えてください。ビジネスでは、手短に要を得て話すほうが、眠気を催すくらい長々と説明するよりもずっと効果があります。主張を終えたら口をつぐみましょう。

人に話を聞かせる方法が劇的に改善する、コミュニケーション手段がいくつかあります。自分のボキャブラリーから〝わたし〜〟を削除するのです。たとえばあなたはミーティングに出席していて、何かわからないことがあるとします。あなたは手をあげてこう言うでしょう――「わたしにはＸＹＺプロジェクトに関するポイントがわからなかったので、はっきり説明していただけますか」。そうではなく、こう言ってください――「ＸＹＺ

プロジェクトに関するポイントをはっきり説明していただけますか?」。自分にわからなかったことを強調する必要はありません。あなたの考えや意見を話したいときにも、同じことが言えます。「わたしはこのプロジェクトは予算を超過すると思います」とは言わずに、「わたしは〜思います」を省いて、意見を主張として口に出しましょう――「このプロジェクトは予算を超過するでしょう」。それが人々の注意を引きます。「わたしはこのプロジェクトは成功しないと思います。なぜなら……」ではなく、「このプロジェクトはXYZ問題が解決しないかぎり失敗へ向かうでしょう」と言いましょう。「質問があるのですが」と前置きをせず、自分の疑問をダイレクトに発します――「このプロジェクトの期限はいつですか?」。このようにほんの少し変えるだけで、同じ質問をしてもあなたがどう受け取られるかに大きな差が生じます。

不満を述べたり人をほめたりするときにも、同じことが当てはまります。たいていの人は「あなたってすごい人だと思うわ」より「あなたってすごい人ね」のほうを聞きたいと思うでしょう。後者は客観的事実のように聞こえますが、前者はひとりの意見でしかありません。今週は自分のボキャブラリーから〝わたしは〜〟を省く練習をして、人々がどう反応するか見てみましょう。てきめんの効果が見えるはずです。

その他のシンプルなコミュニケーション手段は、あなたの質問を主張に変えることです。一般に、女性は質問の形にたいへん心地よさを感じるものです。実際、女性は指示を与えるよりも、尋ねる形を取るほうが礼儀正しいと感じます。その結果、女性は男性に対して質問をするという間違いを犯しがちです。何が問題かと言うと、たいていの男性は、質問より指示や主張を好むという点です。たとえば、男性の上司には「どうしたらわたしの実績は上がるでしょうか」と尋ねずに、「実績を上げるにはどうしたらよいか教えてください」と言いましょう。そうすればいい反応が得やすいと思います。これは家でも効果があります。夫が帰宅したらあなたはこう尋ねます――「ハニー、今日はどんな日だった?」。するとこんなそっけない返事が返ってくるかもしれません――「普通だった」。今度はこんなふうに言ってみましょう――「ハニー、今日はどんなことがあったか話して」。するといろんな話が聞けるかもしれません。ただし、聞く準備が整っているときにしてください。

今週は質問を主張や指示に変えて、成り行きを見ましょう。男性が他の男性にどんな話し方をしているか、注意してみてください。彼らはたいてい、あまり尋ねる形を取りません。また今週は、自分のボキャブラリーから〝わたしは～〟を省いて、その結果に注目してください。あなたが話をするとき、人々が注目するのがわかるでしょう。

Coach Yourself
to Success

第九章

セルフケア

Taking Care of Your Best Asset

人の価値は、本人が自分自身をどれだけ尊重しているかである。
——フランソワ・ラブレー、『ガルガンチュワとパンタグリュエル』

人生において本当にやりたいことは何か、あなたはもう結論を出しました。そのために自分の人生を設計しました（第六章）。お金の問題も片づけました（第三章）。これからやってくるのは本当に良いものばかりです。いまこそ、自分の最大の資産——あなた自身をケアするときです。あなたの人生には、望みどおりのものがすべて存在する準備が整っています——仕事、家、家族、人間関係、健康、肉体。見せびらかそうという話ではありません。自分自身をとことん大事にしていたわろうという話です。人生で望みどおりにいっていない部分はエネルギーを枯渇させますが、パーフェクトな部分はエネルギーを与えてくれます。パーフェクトというのは、あなたにとって過不足がなく、自分の趣味やスタイルを反映しているということです。エネルギーが多ければ多いほど成功が手に入り、他人に与えることができるものも増えるのです。十分な時間とお金を手にしているいま、生活の質を改善するのはたやすく、かつ自然なことです。

わたしはかつて、日常的に格別なセルフケアにふける余裕があるのはお金持ちだけであり、その他の一般人はたまにぜいたくをするだけで満足しなければならないのだと考えていました。でもいまはそれは逆だとわかっています。格別に自分のケアをすることで、富と機会を引きつけるのです。わたしの初めての思い切ったセルフケアは、前歯を治したことです〈Tip 83〉。自分のクレジットカード負債を考えると、これはそうとう無謀なことだと思いました。その後まもなく、わたしはこの臨時出費を埋め合わせて余りあるほどの昇給を得ました。以来これまで、お金の問題はなく、それどころかお金に余裕ができているくらいです。それから、個人指導のトレーナーを頼んで〈Tip 85〉、数ヶ月後には仕事でボーナスが出ました。なんとなくパターンが見えています。わたしはある週末、奮発して市内のデイ・スパに出かけました。すると、つきあっていた男性が、まる一週間メキシコでのバケーションに連れていってくれました。わたしが自分に手をかけると、まわりの人もわたしに同じことをしてくれるのです。わたしは定期的に収入の十パーセントを貯金し、借金を返済して、現在をパーフェクトにするためのことをしていたのですが、思いがけないところからさらなるお金が入ってくるようになりました。勤務先の銀行がいきなり従業員全員に自社株購入権をオファーしてきました。わたしの営業チームは目標を突破し、全員がボーナスをもらいました。会計士がわたしの納税処理をしていて、還付を受けられることを発見しました。他にもうれしいボーナスをもらったので、わたしはお金の心配をせずに自分のビジネスをスタートさせることができました。同僚が自分の別荘を二ヶ月間まったくの無料で使わせてくれました。自分の人生にどんどん訪れる豊かさに、わたし自身たいへん驚きました。三年後には、借金を抱える身から一年分の生活費を貯金に持つ身に変わっていました――その過程でなんの苦労もせずに。わたしはまさか自分が、家政婦や個人トレーナーを雇ったり、週に一度マッサージを受けたり、定期的に爪の手入れをしてもらったり、インテリア・デザイナーの手によるアパートメントに暮らしたり、海辺の家に泊まったり、そんなことになるなんて想像もしていませんでした。

こんな話は魔法のように聞こえるかもしれませんが、やっぱりこれはすべてエネルギーがかかわることです。ドナルド・J・ウォルターズは著書 *Money Magnetism*（お金の磁力）でこう説明しています。「何かが起こらないだろうか、こちらに引き寄せられないだろうかと願えば、一条のエネルギーが放たれ、思考や意志のパワーで投射される。そのエネルギーは、今度は磁場を発生させる。われわれに期待の対象を引きつけるのは、この磁力である」。言い換えれば、自分にもっと手をかければ、あなたは自分にもっと価値があると信じるようになります。あなたはもっと多くのものを受けるに足ると、万物にメッセージを送っているのです。したがって、あなたがいっそう多くのものを引きつけても驚くことではありません。あなたは自分が持つにふさわしいと考えるものを持つ、というだけです。ナポレオン・ヒルは名著『思考は現実化する』*Think and Grow Rich*（騎虎書房）で、何十年も前にこのことを解明しています。「必ず獲得できると信じるまでは、誰もそれを手にする用意はできていない。精神状態は〝信念〟でなければならない――単なる希望や願いではなく」。ヒルの要点は、絶対に自分のものにできると確信を持つ必要があるということです。もし望んだり願ったりしているのであれば、あなたが発しているメッセージは不足だと言えます。自分が欲しいものを手に入れるために、準備と意欲を増進させる最も効果的な方法は、現在を完璧にしはじめること、分不相応だと思うことをすることです。

第九章は、お金をたっぷり使う話かと思う人がいるかもしれません。お金を扱う章よりずっとあとにこの話をするのには理由があります。お金を扱ったことがあれば、こちらを実行するのが楽なのです。しかし待つ必要はありません。これらのアドバイスの多くは、お金は少しで済むか、またはまったく使わずに実行できることです。それ以外のことも、どうやったらできるか自由に発想してください。バーター（友人とサービスを交換する）したり、あらゆるやり方で万物の支援を受けてください。買うために必要となるお金にではなく、自分の欲しいものに焦点を定めます。クレジットカードの負債を抱えていても、これらのアドバイスを実行してかまいません。ただし慎重に。

宝くじに当たるのを待つまでもなく、今日から自分に思いきり手をかけはじめましょう。まず責任感を忘れないで（このために借金をしてはいけません）。くれぐれも、本気で楽しめないものや価値を感じないもの〈Tip 52〉に、お金を無駄使いしないようにしてください。とんでもなくぜいたくに思えることで、いますぐできそうなことはなんですか？　どんなにお金がなくても、もしくは、どんなにお金持ちでも、今日自分を甘やかすためにできることは必ず何かあります。言い訳は禁止です。自分の最大の資産をケアすることについての、シンプルなアドバイスを読み進めてください。

Tip 81 自分を演出する服装

美しさは皮一枚なんていうたわごとは、もう聞き飽きた。皮一枚の深さで十分。だったら何が欲しいのよ――みめ麗しき膵臓？

――ジーン・カー

わたしの祖母はいつも言っていました――「一〇〇パーセントでないなら買ってはだめよ」。これまであなたは何度無駄な買い物をしてしまったでしょう。新しいスーツ、セーターなど、それほどぴんとこなかったけれど値段の安さに負けて購入したものがありませんか？　買って帰って、おそらく一度か二度は身につけるでしょう。そしてクローゼットに入ったままになるのです。場所を食い、新しすぎて処分もできず、あなたにやましい気持を抱かせるのです。「これってわたしに似合うかしら？」と尋ねなければならないようなら、それはおそらく正しくありません。何かを着てみたときに、とても着心地がよく、色もカットも生地の感触もデザインも気に入ったという経験は誰でもあるでしょう。重要なのは自分をいっそう引き立ててくれるかくれないかです。次にショッピングに出かけたときには、一〇〇パーセントでなければ買わないようにしましょう。

同じことが〝わけあり品〟にも当てはまります。ボタンが一つ取れていたり、ジッパーが壊れていたりといった理由で特売品になっているものを買って、そのまま手を触れずに終わったことが何度ありますか？　色が気に入っているんだけど、生地がちくちくするからめったに着ないとか。クローゼットを開けたとき、そこにあるものがどれをとっても自分によく似合うものばかりというのがどれほどすばらしい気分か、想像してみてください。あなたの気分が良ければ、成功を引きつけるのはずっと楽になります――黒のベルベットの楽ちんなスパッツをはいて家をぶらぶらしているだけでも、最高級のタキシードで街に出かけているときでも。いつでも最高の気分でいるに越したことはありません。

作家イーディス・ウォートンはこう言っています――「自分が醜いと知っていることを衣服で表してしまうのは、自分を美しいと思っていることを衣服に宣言させるのと同じくらい愚かなことだ」。似合わない衣類をお払い箱にしたり、自分が最高に輝いて見え、いい気分にさせてくれるように衣服をアレンジしたりするには、スタイルやファッションに関して抜群のセンスを持つ友人に協力をあおぐか、プロのイメージ・コンサルタントに依頼するほうがよいでしょう。プロの手を借りるにはお金がかかりますが、どんな色、素材、スタイルが自分に似合うか、または似合わないかがわかってくるので、結果的には一財産を節約することになります。プロはあなたにいちばん似合うシルエット、スタイル、色を見つける手伝いをしてくれます。あとは一生それを守っていけばいいのです。自分のイメージは、自己感覚において重大な要素であり、内なる自分を視覚的に描出するものです。ニューヨークの辣腕イメージ・コンサルタント、キャロリン・グスタフソンは、それを巧みに表現しています――「自分の見た目に満足するためには、自分らしさが表に出ていると感じる必要があるのよ」。

投資信託会社で重役秘書をしているマリリンは、仕事でフラストレーションがたまっているという理由でわたしにコーチングを依頼してきました。彼女は同じ会社に二一年間勤めていて、上司に正しく評価されていないような気がしていました。このまま働き続けても先が見えず、仕事に飽き飽きしています。マリリンがコーチング・プログラムを始めて最初の課題の一つが、クローゼットの片づけでした。わたしは、彼女にイメージ・コンサルタントを紹介しました。彼女はマリリンのワードローブをすっかりオーバーホールしました。ふたりが最初に決めたのは、マリリンに最も似合う色。マリリンは色が決まって大喜びでした。もうこの色がいいのか悪いのか二度と悩む必要がなく、生涯ショッピングが楽になります。それからコンサルタントはマリリンの家に行き、クローゼットを調べて、一点一点アイテムを抜き出していきました。これは色が間違い——ぽい！　しみがついてる？——ぽい！　きつすぎる、大きすぎる？——ぽい！　もしくはサイズ直し。流行遅れ——ぽい！　まもなく床には衣服の大きな山ができ、クローゼットに残ったのはスーツ三着でした。スカーフ、バッグ、靴、ジュエリー、化粧品についても同じことをしました。それからふたりは足りなくなったものを買うためにショッピングに出かけ、マリリンは完璧なスーツ数着と、新しいイメージを持って帰宅しました。彼女はもはや堅物でも保守的ではありません。優美で上品で柔和な女性です。マリリンは自分の新しい外見にすばらしい気分になっただけでなく、自分が最高に輝いて見えるという自覚から、強い自信が生まれました。

内なる自信は仕事でよい結果を生みました。コーチングを受けはじめて四ヶ月後、マリリンは社内で異動となり、昇給とともに顧客対応部門のマネージャーに昇進したのです。今度は仕事も一緒に働く人々もたいへん気に入りました。虐げられたアシスタントという古い自己イメージを吹き飛ばし、欲しいものを求めて手に入れはじめたのです〈Tip 44〉。マリリンは内面も外面もこれまでになく魅力的になり、自信に満ちています。

ゴードンは、羽振りのよい営業担当重役で、最近昇進したばかりです。いまは議員や上級幹部など地位の高い人々と、ゴルフに出かけたり食事をしたりする立場にいます。彼はゆったり構えた楽しい男性で、人々をくつろがせ、いつも冗談を言って笑わせていました。それでも新しい責任による重圧から、急に自意識が強くなり、持ち前のユーモアセンスが一夜にして消えてしまいました。すでに身なりもきちんとしているし、職業人らしい外見なのですが、わたしは彼にイメージ・コンサルタントのキャロリンを紹介し、彼のイメージを次の段階に引き上げることにしました。キャロリンは彼の服装を地位にふさわしいレベルに上げるために、微妙な変更をするよう助言し、スタイリッシュな新しい眼鏡と、新しい髪型を選ぶのに手を貸しました。そういった小さな変更の組み合わせが、彼の全体的な外見に大きな変化をもたらしました。自分がどこから見ても地位にふさわしい装いをしていると自覚していることで、ゴードンの自意識が消え、いまでは以前のように冗談を飛ばしています――議員を相手に。

外見を最も輝かせるために重要なのは、体に栄養価の高い最高の食物を与えることです。抜けるような肌、輝く目、健康的な髪と爪のために、正しい燃料が必要なのです。人はみんなそれぞれ違い、ひとりの人間にとって効果のあるものが、他の人にとっては体重が増えるもとになったりします。ドクター・ピーター・J・ダダモの著書『ダダモ博士の血液型健康ダイエット』*Eat Right for Your Type*（集英社文庫）は、体質と血液型の違いを考慮に入れたダイエット本です。わたしのクライアントのマイケルは、高タンパク質と低炭水化物のダイエットをしているのに体重が落ちず、いらいらしていました。彼の血液型はA型で、本当はベジタリアンのほうが調子がいいのです。豆乳や豆腐などこれまで試したことのない食べ物を買ってみたところ、一週間後には気分がよくなり、体重が一キロ落ちました。血液型がO型なら、高タンパク質、低炭水化物、小麦粉抜きのダイエットにすれば、体重が早く落ちるし気力も湧くと、ダダモ博士は言っています。クライアントのジェニーは、出産後に増えた五キロを落とすことができませんでしたが、小麦粉製品やパスタを完全にやめ、肉類を食べるようにしたところ、二週間で減量できました。拒食症・過食症や深刻な肥満があるのなら、資格を持つプロを探して、助言を求めてください。人生は短いのですから、食べ物や体重のことでくよくよしながら時間を過ごしてばかりはいられません。ある忙しいクライアントは、栄養のある手作り料理を準備する時間もエネルギーもないので、コックを雇ってつくってもらうことにしました。お金はかかっても、投資するだけの価値はあると考えたのです。その月の終わりには、彼は実際にはお金の節約になっていることに気がつきました。外食や買い食いがかなり減ったからです。何をするにしても、必要なサポートを得て、人生でもっと興味をひかれることを見つけてください。

Tip 82 再生と復活

わたしは裸電球の眩しさに耐えられないのと同様、ぶしつけな物言いや下品なふるまいにも耐えられない。

——テネシー・ウィリアムズ

何にでも当てはまる大原則が欲しいなら、教えてあげましょう——家の中には、有益だとわかっているものと、美しいと信じるものしか置かないこと。

——ウィリアム・モリス

あなたを取り囲む環境は、あなたの精神にとてつもない影響を及ぼしています。というよりも、あなたの環境はあなたの精神状態の表れなのです。周囲を見まわしてください。オフィス環境はあなたについてどんなことを語っていますか？　友人はあなたの家のことをどう表現するでしょう？　あたたかくて、居心地がよくて、きちんとしている？　クール、超然、明るい、モダン？　最も大切なこととして、あなたは自分の家にいるとどんな気持になりますか？　リラックス？　落ち着く？　自宅ではたやすくくつろげますか？　心から楽しめるものに囲まれていると、特別な気分になりますか？　わたしは明るい花柄のさらさ木綿のクッションをひとそろい持っています。わたしの大のお気に入りで、見ているだけで幸せになります。自分自身のまわりに美しい物を置きましょう。絵画でも工芸品でも、身のまわりに飾るのは大好きなものだけにしてください。好きではないけれど捨てるには惜しいときは、段ボール箱に入れてクローゼットにしまってもよいですが、それよりは友人にあげるか慈善バザーに出しましょう（とりあえずしまっておいて、無くても平気となれば、処分するのも楽になります）。

目的は、家やオフィスをきれいにして整頓するだけでなく、あなたの人となりを反映させることです。オフィスでできることには限りがあるでしょうが、せめて鉢植えや生花や美しい写真などを飾ることができないかどうか確認してください。しかし家では、もっと自由になるのですから存分にやりましょう。家はあなたを再生する場所となるべきです――翌日再び仕事へ出かけるためのエネルギーを得られるように。手始めは寝室。この部屋は、引きこもってリラックスするための安息所です。寝室にテレビがあるなら、他の部屋へ移します。よく眠れますよ。ジューンはずっと寝室にテレビがあり、一時のニュースを見ながら眠ってしまうこともしばしばでした。彼女はなぜしょっちゅう気分が落ち込み、やる気がなくなるのか、理解できずにいました。わたしは深夜のニュースを見るのをやめるよう勧めました。寝る前の頭に、殺人やら暴力やらの映像を詰め込むなんて、とんでもないことです。理想では、前向きで幸せなことを考えながら眠りに落ちるべきです。翌週、ジューンはめざましく積極的になりました。休んだという実感があり、ここ数年なかったくらいエネルギーが湧きました。こんな小さなことで、大きな違いが出るのです。

ボブは四七歳のシステムエンジニアで、生涯の伴侶となる女性とめぐり会えないのではないかと心配していました。彼は心から結婚を望んでいました。わたしはボブに、自宅の修繕をさせることにし、彼は楽しみながらそのプロジェクトに取り組みました。彼はつねづね姉の家に感心していました。ただぶらぶらしているだけでとても心地よいからです。「あなた自身の家も、同じように心休まる雰囲気をつくっていけない理由などないんですよ」と、わたしは彼に言いました。ボブは気に入らなかった家具をすべて処分することから始めました。不安定なテーブル、すり切れたソファ、本棚。それから家の色を塗り替えました。リビングルームはディープブルーに、寝室は薄いピンクに。バスルームのキャビネットを新調し、古い暖房器具を交換し、新しいブラインドを取り付けました。プロジェクトが半分ほど進んだころ、ボブは活発で優秀な女性に出会いました。彼女はなんとボブに首ったけになったのです。彼は驚きました。ボブは作業を続け、ついに家は望みどおりに仕上がりました。いまのボブの不満は、デートの相手が多すぎて時間が足りないことです。エネルギーを得るために家を整えることには、投資する価値があります。手をかけて自宅を聖域にすれば、家があなたを再生させ、復活させてくれるでしょう。

Tip 83 目障りな欠点を退治する

完璧はちょっとつまらない。誰もが完璧を目指しているのに、完璧を極めないほうがいいというのは、軽視できない人生の皮肉。

——W・サマセット・モーム

さて、完全な肉体を持つことについてはどうでしょう。いませっせと現状を欠点のないものにしているのなら、自分の体を点検するのも当然です。完全な肉体は健全で調子が良いだけでなく、あなたの人となりを表します。わたしたちの肉体は心と密接に結びついているので、もし肉体に何か気になるところ、目障りな欠点があれば、その対処をしてください。そういった欠点があると、あなたは最高の状態になれないし、エネルギーが無駄に消費されます。肌の調子がとてもいいと感じるときは、見た目にも表れます。だからといって、誰もかれもスーパーモデルのような完璧さを目指しなさいと言っているわけではありません。スーパーモデルは完璧ではありませんし、雑誌の写真は修正されてあり得ない完璧さになっています。肉体美の極致とも言われるシンディ・クロフォードでさえ、水着の見開き写真ではおなかの部分が修正されています。彼女のおへそを消してから描き直すのを忘れてしまったということさえなければ、修正したなんて誰にもわからなかったでしょうが。シンディでさえおなかに修正が必要だとしたら、わたしのおなかはどうされるのか想像もつきません！

あなたの肉体はあなたの自己を反映しています。体の一部が気にかかっていると、他人と一緒にいるのがつらくなります。わたしの前歯の一本は死んでいます。高校時代に強くぶつけて茶色になってしまったのです。プレゼンテーションをするとき、わたしはいつも、人がわたしの前歯を見て「あら……あの人の前歯、茶色いわ」と思っているのではないかと不安でした。もちろん誰もそんなところに注目してはいないのですが、人にはこの歯しか見えてないような気がしていました。そのせいで、他人と一緒にいるときに十分にリラックスできませんでした。この歯が、うっとうしい欠点の好例です――わたしのエネルギーは無駄に失われ、聴衆の前で最高の自分になれなかったわけです。微笑むときでさえ他人の目が気になり、歯を見せずに笑おうとしたものでした。わたしは腕のよさそうな美容歯科を探し、きれいに治してもらいました。いまは歯のことなど考えもしません。わたしのエネルギーはすべて、わたしのセミナーを受ける人々に向けることができます。

自分の体のことで気にかかる何かがあるのなら、治してもらいましょう。ほくろが気になるなら取りましょう。ほくろのせいでリラックスできず、最高の自分になれないのですから、取る甲斐はあります。いまのままがいいのなら、治さないでください。もし標準より体重が二十キロ多くても、自分で気にならないのであれば、それは問題ではありません。マーロン・ブランドはこう言いました――「自分が太っていることは気にならない。どうせ稼ぎは変わらないからね」。彼が太っていることをわたしたちは気にしません。本人が気にしていないからです。他人と一緒にいることのさまたげになったときに初めて問題になるのです。わたしは、魅力的になるためにいますぐ豊胸手術や隆鼻術を受けに行きなさいと言っているのではありません。バーブラ・ストライザンドの鼻はあのとおりですが、彼女は明らかに魅力的です。体重がちょっと多いからといって、やりたいことを我慢してはいけません。オプラ・ウィンフリーは減量するのを待たずしてテレビ・スターになりました。彼女は番組で二度も減量作戦を実施して、何百万人もの人を楽しませました。完璧な肉体のことは忘れて、自分で気になる欠点をできるかぎりつぶしていきましょう。奮発してすてきな眼鏡を買う。コンタクトレンズにする。むだ毛を処理する。歯を治す。自分自身のことで気分が良くなることをすれば、世界を、成功を引きつける力が、大幅にアップするでしょう。

Tip 84 マッサージのすすめ

ハイテクノロジーが周囲に増えれば増えるほど、ますます人間味への欲求が高まる。

――ジョン・ネズビッツ、『メガトレンド』

リラックスしている人だけが創造することができる。そういった人の頭にはアイデアが稲妻のように流れる。

――キケロ

たいていの人は超多忙なストレスまみれの生活を送っています。マッサージはじつにいいものです。これほど芯からリラックスしてくつろげる時間は、他にはないかもしれません。マッサージにはさまざまなタイプがあります——スポーツ・マッサージ、治療的マッサージ、レイキ、指圧、リフレクソロジーなど。わたしはかつては、叩いてもんで筋肉を服従させるような過激な種類のマッサージを楽しんでいました。その後、レイキ・マッサージに出会いました。レイキは筋肉を緊張させたりこらえさせたりすることなく、とことんリラックスさせます。わたしはいまは強くもむタイプのマッサージを受けていません。その違いに気づいたからです。あなたの筋肉をほぐすのにちょうどよい圧力を加えてくれる、腕の良いマッサージ師を探してください。

マッサージは、忙しい現代社会のストレスと闘うにはもってこいの方法です。リラックスを助けるという明らかな速効性の他に、わたしは自分自身に変化があることに目を留めました。ひとりで楽に瞑想できるようになったのです（以前は忙しすぎて瞑想する暇がなく、試してみても瞑想に入れるほどリラックスできませんでした——哀れなことです）。別の興味深い副次効果として、直観がかなり強くなっています。いつも直観が働いていると言えるほど、鋭い気がします。的を射たアイデアがひらめくこともしばしばです。わたしたちには誰にでも直観があるのに、リラックスできていないせいでそれが聞こえないのかもしれません〈Tip 57〉。わたしの個人トレーナーは、わたしが激しいウェイト・トレーニングをしても、めったに筋肉が凝ったり痛んだりしないことに驚いています。これは、週に一度のマッサージで、筋肉を常に柔軟にしているおかげです。マッサージをさぼると、筋肉痛になります。ロシアのスポーツ選手は昔から、スポーツ・マッサージの利点を知り、実践してきました。自転車競技でオリンピックに出場したアメリカのデイビス・フィニーは「われわれの競技レベルでは勝利と敗北のあいだにじつに微妙な差しかないので、少しでも有利になれるならなんでも必要になってくる。その一つがマッサージだ」と言っています。ビジネスライフにおいても、他人に負けない強みとなります。あなたがより多くの幸せと成功を本気で手にしたいのなら、週に一度とまでいかなくても、せめて一ヶ月に一度はマッサージを受けてください。

自分に合う人が見つかるまで、複数のマッサージ師を試してみましょう。一緒にいるのが心地よく、くつろげる人にしてください。腕の良いマッサージ師は、患者それぞれのニーズに応じて手技や刺激量を変えます。マッサージを受けているあいだ、緊張した筋肉の中にため込んでいた感情が解き放たれるかもしれません。台の上で気持よく涙をこぼすのはごく普通のことで、多くのマッサージ師が、そういった自然な感情の解放に対して、安全に保護してくれるスペースを用意しています。不安や悩みから遠く引き離された気持になるでしょう。そのあとは、肉体的にも感情的にも、癒され、回復した気分になるでしょう。

とある地区マーケティング担当重役が、難題の多い転職を乗り切る手助けをしてほしいと、わたしにコーチングを依頼してきました。彼女は後任への引き継ぎと、新しい職に向けての勉強と、家族（ティーンエイジャーの娘ふたり、犬一匹、鳥一羽）で別の州への引っ越しをしているところでした。大きなストレス要因を一度に三つも抱えているのですから、健康と活力を損なわないためには思い切った手段をとる必要があります。わたしがそう言うと、彼女は「ボブ・ホープは毎日欠かさずマッサージを受けていたと聞いたことがあるんですけど、きっと極楽でしょうねえ」とため息交じりにつぶやきました。わたしはそれを彼女の宿題にしました。コーチの命令――毎日欠かさずマッサージを受けること。この一風変わった課題に、彼女は少しショックを受けたようでした。カトリック教徒として育った彼女は、自分本位でしかない何かをするという罪悪感に、耐えられるかどうか自信がなかったのです。わたしは一週間だけトライしてみてはと勧めました。翌週、彼女はマッサージは天の賜物だと言いました。日中、自分だけの時間が持てるのはそのときだけです。心を自由にさまよわせるうちに、難問もひとりでに解決したりします。わたしは翌週も、その翌週も、同じ課題を出しました。三週間、毎日マッサージを受けた彼女は報告してくれました——自分がこんなことを言うとは思わなかったけれど、マッサージはもう十分って気がしています、と。いま彼女は週に一度のマッサージでたくさんだそうです。

クライアントのエドワードは、一年以上恋人がいませんでした。わたしは、日常で人と肌を触れ合わせることがないならマッサージを受けてみては、と勧めました（セックスを意味しているのではありません。免許を持つマッサージ師は、決してその線を越えることはありません）。人間である以上、触れられたいという肉体的欲求がどこかにあるものです。日頃から他人と親密な接触がない人は、十分な触れ合いがないので健康と幸せの決定的な要因が欠けています。エドワードは週に一度マッサージを受けはじめ、数ヶ月後にはひとりの女性と出会いました。それ以来ふたりはデートを重ねています。そう、必要としなければ、ますます引きつけやすくなるのです〈Tip 43〉。

Tip 85 腰を上げる

踊れない少女は、楽団が曲を弾けないと言う。

——ユダヤのことわざ

あなたは「やせる」とか「シェープアップする」などといったことを、いつから新年の誓いにしていますか？　何年も前からその目標を持っているのなら、選択肢が二つあります。一つは、その目標を捨てること〈Tip 04〉。

また一年実行せずにいて罪悪感にさいなまれ、エネルギーを無駄使いする意味はありません。一つ目の選択肢がどうしても選べないなら、二つ目をどうぞ――シェープアップしようとする自分の尻を叩いてくれる、個人トレーナーを雇うのです。オプラ・ウィンフリーを例にあげましょう。彼女のダイエット作戦第二弾が成功した鍵は、ひとりでやれると思うのをやめ、自分に代わってやってくれる人を雇ったことです。彼女は自分の健康管理を、自分よりずっと適任である人物の手に委ねました。インスピレーションがひらめく瞬間まで待っていたら、いつまでも待つことになるかもしれません。しかもインスピレーションがひらめく瞬間には問題があります――それが本当に一瞬しかないということです。

あなたはこう言うかもしれません――「オプラみたいに、毎日個人トレーナーに頼むお金の余裕はないわ」。それでは、週に一度ならどうでしょう？　その余裕がなければ、ひと月に一度頼んで、一年間あなたが軌道をそれないようにしてもらっては？　もしくは、一度か二度トレーナーを頼んで効果的なワークアウトの型を見せてもらえば、自信をもってひとりで続けられることでしょう。さもなければダンスやヨーガなど、体を動かす気分になる何かのクラスに申し込んでみては（自分に手をかけることにお金を出すのがやっぱり難しいのであれば、お金の扱い方や自分の欲求を満たす項目に戻って実践してください）。あなたに必要なのは、強力なサポート体制です。朝六時にあなたの家のドアを叩いてくれる、ジョギング・パートナーでもいいのです。あなたが動かなければ、適切なサポートシステムをちゃんと機能させられないというわけです。

肝心なのは、初期の慣性を振り切る手助けを得ることです。慣性とは、外力が働かないかぎり、静止する物体はいつまでも静止し、運動する物体は同じ速度でいつまでも運動を続ける性質を言います。言い換えれば、慣性は静止している体が静止し続ける傾向のことで、それはたいへん強力です。はずみがつけば、動いている体は動き続けようとします。ソファから起き上がってジムに出かけるのがあんなにつらいのに（慣性のせいであなたは動けないのです！）、いったんジムに行ってしまえば、十分余計にトレッドミルをやるのがたやすいのは（これがはずみです）そういうわけなのです。つまり成功の鍵は、その外力を見つけて、自分を動かす後押しにすることです。外力は、働いているかぎり、後押しをしてくれます。意志の力は大した効力が期待できません。意志の力は内力で、あまりあてにならないからです。そこでわたしは何か他の力を選ぶことをお勧めします。

クライアントのイベットは、かなりの肥満体になりつつありました。彼女はフルタイムで仕事をしながら、ビジネスを始めたところで、自由な時間はろくにありませんでした。かつては硬く引き締まっていた太ももが、だんだんたるんできたことに気がつきました。これはどうも気がかりです。わたしは、エクササイズをしないことで自分を責めるのはやめて、毎週金曜日の夜に個人トレーナーに自宅に来てもらい、ワークアウトをしてはどうか、と彼女に言いました。しばらくのあいだ、彼女がしている運動はそれだけでした。やがてイベットは、朝一時間歩いて職場に出かけるようになりました。数ヶ月後にはジムに入会し、トレーナーがいなくても追加でエアロビクスをやるようになりました。いま彼女は週に三回から五回はひとりでエクササイズしています。また、フィットネスに関しては自分を〝やる気満々〟とは言いませんが、気分はいいし、上腕に少し筋肉がついてきています（正確に言うと上腕三頭筋）。これは進歩です！　彼女の個人トレーナーは、筋肉隆々のすてきな男性で、ありあまるほどのエネルギーと思いやりの持ち主です。彼はイベットに足りないやる気を大いに補ってくれます。彼女をどのくらいせっつけばよいかわかっていて、彼女の気持をうまく誘導し、適切なトレーニングをさせます。イベットに好きなようにやらせておいたら、まったく汗をかかずに終わってしまうでしょう。イベットは彼を見るだけでもっと一生懸命やろうという気になります。普通ならイベットの足がひとりでに止まる場所で

(本人は認めたがりませんが、ソファとか)、止まってしまわないよう、彼はイベットに声をかけます。男性クライアントには、魅力的な女性トレーナーを見つけるよう勧めています。その人にいいところを見せたくて、一生懸命やるでしょうから。ここでのポイントは、自分をやる気にさせてくれる誰かを探すということです。自分ひとりでやる気を出そうとして、エネルギーを無駄にしてはいけません。

クライアントで実業家のハワードは、ジムに出かけてワークアウトをするのがいやでたまらない自分に気がつきました。ジムに入会して最初の数週間は通ったのですが、やがて飽きて、行くのをやめてしまいました。お金を無駄にしていることに罪悪感をおぼえつつも、どうにも行く気になりません。わたしは「あなたはどんなことであれバラエティに富んでいないと生きがいを感じないのね」と指摘しました。ハワードが興味を持ち続けるためには、コンスタントな変化と、さまざまな活動に挑戦することが必要なのです。しっかり運動するためには、必ずジムへ行かなければならないわけではありません。ハワードはいまテニスをする日もあれば、ローラーブレードをする日もあり、週末にはゴルフやヨットを楽しみ、その気になれば朝ジョギングをし、週に一度は体をほぐして柔軟性を保つためにヨーガをします。一つの活動をずっとやらなければならないと思うことはありません。事実、ハワードは体の筋肉をじつにさまざまな使い方で動かしているため、結果としてとても強靱でしなやかな肉体ができあがりました。何よりも、自分が楽しむことが肝心です。ジムでエアロビクスをするのに飽きたら、社交ダンスをします。自分でも気がつかないうちに、三時間も五時間もぶっ通しでダンスをしていることでしょう。それはとても楽しいからです。

ぐうたらな人には、何一つ引きつける力がありません。ひとりでやる気を出そうとしないでください。まずは友人に電話をして、ワークアウトのパートナーを見つけたり、講座に申し込んだり、優秀なトレーナーの評判を聞いて初めての予約を取ったりしてみては。

Tip 86 美とぜいたくに囲まれる

美は恍惚である。それは飢えと同じようにシンプルだ。美について言えることは、本当に何もない。あたかもバラの香水のようだ――においを嗅ぐことができるという、それだけだ。

――W・サマセット・モーム

どんなに日常的でありふれたことでも、ちょっとした工夫で特別な行事に変身させれば、豪華な気分にひたれます。いつものシリアルを美しい器に入れ、新鮮なラズベリーをひとつかみ散らすと、すてきなごちそうになります。普通の紅茶も、スプーン一杯の本物のクリームでリッチな飲み物に。ディナーの食卓にキャンドルをともすのに、どれほどの時間がかかるでしょう? ほんの二秒で雰囲気が一変します。水を飲むのには美しいワイングラスを使いましょう。バスタブのお湯にエプソム塩とラベンダーの香りのバスオイルを入れ、ボディブラシを用意すれば、ちょっとしたスパ気分。キャンドルをともし、音楽をかけ、リラックスしてください。思い切って、ぜいたくな高級バスタオルのセットを自分用に買い求めましょう。まずはハンドタオルから始めてもいいですね。デスクの引き出しに、安いペンを二十本ごちゃっと入れておくのをやめて、絶妙な書き味の高級万年筆を一本買いましょう。

あなたにとってのぜいたくとはなんでしょう? 人間工学に基づいてデザインされたオフィス用椅子?夜になったらぽーんと飛び込む最高級羽毛のベッド? それとも、ベッドそのものではなく、自分専用のグースダウンの枕でしょうか。食事のたびに、紙ナプキンではなくクロスを使うこととか。いつもひとりかふたりで食事をするのであれば、一〇〇ドルで食器セットを八組買うのをやめて、二組だけ、それも最高級の磁器にしましょう。お客がいるときには、かわいい紙皿やナプキンを使えば、食器洗いをしなくて済みますし。ベッドのそばに美しい生花の一輪挿しを飾りましょう。安っぽい針金ハンガーはリサイクルのためにクリーニング屋に返し、本物のシーダー材のハンガーをすべての衣類に使いましょう。虫除けになるだけでなく、そろいのハンガーを使うと衣類どうしがからまったりしわになったりするのを防ぐことができます。ドアベル、電話、目覚まし時計の音は、心地よい音色のベルかチャイムにします。そういったささいなことで、生活の質にとてつもなく大きな差が生まれます。人に会わないというのも一つのぜいたく。だから瞑想したり、リラックスしたり、ベッドにのんびり横たわったりするときには、遠慮なく留守番電話を利用するか電話線を抜いておきましょう。次の仕事のアポイントメントは、午後のお茶の時間にすてきなホテルに予定しては？　男性なら、朝のひげ剃りにキャスウェル・マッセイ社のアナグマの毛を使ったシェービング・ブラシを試してみてください。自宅やオフィスに飾るために、あなたが最高に気に入った本物の芸術作品――絵画でも彫刻でも――に投資しましょう。コーヒーテーブルには、美術や写真の美しい本を積んでおいて、折に触れてぱらぱらと眺めます。ティーポットやフライパンのような日用品は、機能的というだけでなく、見た目も美しいものにすること。キッチンでは野菜をスライスするために切れ味の良いナイフを用意してください。朝の紅茶やコーヒーは、おしゃれなカップや特別なマグで飲みましょう。窓辺の鉢植えやプランターでハーブを栽培し、料理に利用します。生のローズマリーをチキンにすり込んでオーブンで焼けば、シンプルで味わい深い料理ができあがります。生のバジルの葉はサラダに。パセリやチャイブは刻んで、スクランブルエッグやオムレツに散らしましょう。自分のまわりをぜいたくで囲めば、さらにぜいたくなものがあなたに引きつけられるのです。

殺風景なオフィスを、一瞬にしてぜいたくな雰囲気にするには、一つには花を飾ることです。ベルギー生まれのアメリカの詩人、小説家、脚本家であるメイ・サートンは、それを適切に表現しています――「花や植物は何も言わずにそこにいて、耳以外のあらゆる感覚に栄養を与えてくれる」。《ベター・ホームズ・アンド・ガーデンズ》のような雑誌をめくれば、写真に写っている部屋には必ず、すてきな花瓶にいけられた美しい花束や、新鮮なフルーツのボウルが置かれていることに気づくでしょう。花や果物を取り去ると、いかに建物や家具の配置がすてきでも、凡庸な部屋に見えてしまいます。どんな部屋でも、お金をかけずに手早く気品を加えるには、花を買い、美しい花瓶にいけて飾ることです。男性にもお勧めです。

こういったささやかなぜいたくで自分を喜ばせてください。自分が特別で魅力的な存在に感じられて、きっと驚くと思います。花束を抱えて街を歩くのも、特別な気分になります。花がちょっと高すぎると思うなら、鉢植えの花を買い、みっともないプラスチックのコンテナから、陶器か粘土の植木鉢に移植しましょう。切り花よりだいぶ長持ちします。三～四ドルのデイジーやカーネーションのブーケと、花瓶に入れる少々の栄養剤くらいなら、誰にでも買えるでしょうし、二週間は楽しめます。または、裏庭や窓台のプランターで草花を育て、自分のブーケをつくってみては。

賞を受けたこともあるニューヨークのフローリスト、ダグラス・コッチは、切り花の命を延ばすために、次のようなアドバイスをしています。

1　花をいける前に、茎をすべて斜めに切り落とすこと。まっすぐ切ってしまうと、花は十分な水を吸い上げることができません。花を新鮮に保つのは水です。

2 切り花用の栄養剤を少々花瓶の水に入れると、花の命が延びます。

3 水にひたってしまう葉は切り落とすこと。水の中で腐るとバクテリアが繁殖します。

4 二日に一度は水を換えること。

5 バラの頭が下を向きはじめたら、茎を斜めに切り直し、花全体をシンクにためたぬるま湯に数分つけると、再びいきいきします（バラは茎の中に気泡が入ると、水分が花まで届かず、しおれてしまいます。ぬるま湯は気泡を散らしてくれます）。

自分自身を楽しませてあげましょう。花はわたしたちの美意識と精神に栄養を与えてくれます。わたしはニューヨークシティに住んで八年たったころ、花柄のクッション、シーツ、プリント生地、そして、花を描いた絵画を買いました。アパートメントにはいつのまにか花のデザインの品物があれこれと集まってしまいました。わたしはコンクリート・ジャングルの中で草花に飢えていたのです。わたしたちが最高の状態になるためには、植物に囲まれていなければなりません。今日、美しいものとぜいたくなものを自分のまわりにそろえるとしたら、あなたはどんなふうにしますか？

Tip 87 自分を最優先にする

世界を自分だけのものにしようと決意したら、どれほど前途有望な視界が広がるか、あなたには想像もつかな

いでしょう。そして、完全に自分本意の立場からする決断が、どれほど健康的であるか。

——アニタ・ブルックナー

わたしたちは、利己的になるのはいけないことだと思うように育てられてきました。そのプロセスで他人を傷つけるとしたら、確かに悪いことです。しかし自分という人間を尊重する意味においては、利己的になるのは概して良いことなのです。実際、成功を引きつけたいと思うなら、自分自身を最優先にしなければなりません。自分の面倒を見ないうちに人の面倒など見られません。航空会社が、子ども連れの親は自分が先に酸素マスクをつけてから子どもにマスクをつけなさいと言うのは、そういうことです。神聖な夜を確保するにも〈Tip 40〉、進んで利己的になる必要があります。ＰＴＡの資金集めの催しを手伝ってほしいと頼まれたときに「ノー」と言い、引き受けるべきだったのにと感じたくないなら、利己的になる必要があります。わたしが〝ニート・ストリート〟〈Tip 56〉を企画したとき、わたしの動機はどこまでも利己的でした。自分の住まいがあるブロックが汚らしく見えるのがいやだったのと、ホームレスの人と通りですれちがうたび不快を感じたからです。いまホームレスの人にお金をせびられたら、わたしはその人に通りを掃除する仕事をしないかと打診します——マンハッタンでは汚い通りには事欠きません。もしもひとりひとりが本気で利己的になり、自分がいやだと感じるものを排除しようと何か行動を起こしたなら、車のクラクションも、公害も、ホームレスの人々も、飢えもなくなることでしょう。なぜなら、誰もそんなものは好きではないからです。理想のたわごとにしか聞こえないのはわかっていますが、ちょっと考えてみてください。自分と家族にきれいな空気と水を確保するために行動を起こせば、近所の人々が力を合わせて、ディーゼルバスを禁止したり、自家用車に乗り合わせて通勤したりするようになるかもしれません。小さな行動一つ一つが、池に投げ入れられた小石であり、水面にさざなみが立ちます。その波紋が遠くまで届くことに、あなたは目を見張るでしょう。自分自身の面倒を見てください。そうすることで、世界が面倒を見てもらえることになります。

本当に利己的になるには何をすればよいでしょう？　もしあなたがとことん利己的な人なら、いまこのとき、自分自身の人生において、どんなことを変えますか？　クライアントのカーロッタは、十歳と一二歳の娘たちの世話と、フルタイムの仕事でとても忙しく、自分のために割く時間などありませんでした。ジムの会員にはなっていましたが、娘たちの課外活動への送り迎えにかなりの時間を取られ、自分のことは何もできませんでした。私はカーロッタに、たまには自分を最優先にしてみてはと言いました。彼女が最初に思ったことは、子どもたちを課外活動へ連れていく別な方法を見つけなければならないということでした。子どもたちがスポーツや学校の活動に参加することは重要だと考えていたのですが、もはや自分自身を犠牲にしてまでそうする気にはなれません。カーロッタは娘たちにじっくりと話しました——ママも自分のための時間が欲しいこと、そして、ママには何が必要なのかと。娘たちはまわりの人々に尋ねて、バレーボールの練習のあと車で家まで送ってもいいと言ってくれる友人を見つけました。話をしているうちに、娘たちも参加している活動が多すぎて、ストレスがたまっていることに気づきました。もっと家族で食事ができる時間がとれるように、ふたりともそれぞれ課外活動を一つやめることにしました。カーロッタが娘たちを動揺させてしまうと思ったことが、結局はひとりひとりをいっそう幸せにしたのです。

結婚したばかりのミッチは新妻にでれでれで、彼女をできるだけ喜ばせたいと思っているのですが、まもなく、週に一度男同士でバスケットボールをしていた夜がなつかしくなりはじめました。ミッチにとって、利己的になることは夜の外出を復活させること。彼は妻のケイトがいい顔をしないのではないかと心配しましたが、彼女に自分のしたいことを話すと、驚いたことにケイトはまったく気にしませんでした。彼女自身も、長いこと会っていなかった古い女友だちと、一晩出かけられてうれしく思いました。しっかり自分の面倒を見れば、関係者全員にとってうまくいくのだということを、わたしは何度も何度も見てきました。わたしの同僚のひとりは、ある日体調が悪かったので、電話で行うコーチングをすべてキャンセルして体を休めることにしました。彼は完全に利己的になったわけですが、キャンセルを申し入れる電話をかけると、彼のクライアント全員が、ひとりひとり何かしらの理由で、「別の日にしてもらえるとこっちも都合がいい」と言ったのです。彼はクライアントに対してすばらしい役割モデルとなりました。彼は自分自身をとことん大切にすることによって、クライアントたちに同じことをする許可を与えたのです。

興味深いことに、あなたが自分を最優先にすると、他人はいっそうあなたを好きになり、あなたに引きつけられます。試してみてください。ただし誤解のないように。利己的とけちであることは違います。まったくの別物です。もしあなたがけちで障害者や高齢者に座席をゆずらなかった場合、実際に悪い気分を味わうことになるのは誰？　それはあなたです。席をゆずれば、とてもすばらしい気分になります。ところで、贈り物をしたり人をほめたりすることは、究極の利己的行動です――贈ることによってあなたが喜びを受けるのですから〈Tip 49〉。さあ、堂々と自分を最優先にしましょう。

Tip 88 自分に投資する

激変の時代にあって、未来を受け継ぐのは、学び続けている人々である。すでに学ぶことをやめた人々は、もはや存在しない世界で生きるための知識しか、身につけていないことに気づくだろう。

――エリック・ホッファー

率直に言って、あなたの最高の資産はなんでしょう? それはあなたです。わたしはいつも、人がなかなか自分自身に投資したがらないことに驚いています。自分が最高の状態となるために、あなたはいつでもトレーニングや自己開発を受けてしかるべきです。そして、それは必要なことなのです。経験的に、収入の五〜十パーセントをさらなるトレーニングに投資するのがよさそうです。統計から、より高度で専門的な訓練を受けている人ほど、収入も高いことがわかっています。しかし、お金のことは別にして、あなたには自分ができるだけ良い状態でいる義務があります。三ヶ月たつと、コンピューターに関するわたしたちの知識のうち二五パーセントは、すでに時代遅れになってしまいます。テクノロジーの世界はそれほど速く変化するのです。つまり、知識の更新作業を行わずにいれば、一年後にはあなたの基礎知識はすっかり時代遅れになって、すでに他の誰かにスピードも技術も追い越されているということです。考えると恐ろしいですが、常に成長と発展を心がけていれば大丈夫です。

好奇心は抑えがたいものです。好奇心の強い人は、年齢にかかわらずいきいきとしていて、学ぶことに熱心です。常に新しいものごとを学んだり、自分自身やスキルを改善したりすることに関心を持っています。学びもせず、成長もしないのなら、死んでいるのと変わりません。生きている唯一の証は成長なのです。いまは誰でもインターネット上の豊富な情報にたやすくアクセスできる時代ですから、何もかも知る必要はありません。どうやって調べるかということを知っていればよいのです。将来に向けて重要なのは、あなたが持っている知識ではなく、あなたが機敏に、休まずに、学び、適応する能力です。機敏な人、好奇心旺盛な人が、勝負を制します。他の人は、たちまち時代遅れになるでしょう。

ところで、どうすれば好奇心旺盛になれるのでしょうか。出発点は、自分は何もかも知っているわけではないと認めることです。実際、何もかも知ってしまったらつまらなくなってしまいます。好奇心の強い人は、何かについて知れば知るほど、ますます知るべきことが出てくるということを理解しています。そのため彼らはいつも謙虚で頭が柔らかく、そのおかげで、知ったかぶりをする人々とは比較にならないくらいに魅力的になるのです。自分はすべてを知らない、知ることなどできないと気がつきさえすれば、新しいことを知り、吸収するために、心を開いて行動できるようになります。知ったかぶりをする人々が、新しい情報を聞く耳を持たないということに注目してください。彼らは自分が知っていることが正しいかどうかにひたすらエネルギーを費やし、肩の力を抜こうとか、他に学ぶべきことがあるなんて思いもしません。

好奇心は、常に人間として成長し、発展しようとする内なる欲求から生じるものです。わたしは個人的には、これがわたしたちの人生の目的である、もしくは、少なくとも一つの目的であると、思っています。自分が生涯ずっと成長し発展するための道を探し求めたいと思うのは、ごく自然なことです。ずっと進行しているプロセスですから、終着点はありません。できるのはだんだん良くなっていくことです。わたしのコーチングのクライアントは、みんな強い好奇心の持ち主です。彼らは自分自身と人生を改善したいと望み、新しい考え方やものごとのやり方に進んでトライします。もしもあなたが、自分の望む成功を手にしていないなら、そして、するべきとわかっているものごとを全部やっているのなら、何かを見落としているに違いありません。よほどの人でなければそれに気づきませんし、成功するために必要な変化をしようとアドバイスやサポートを受けることもありません。なんらかの奇妙な理由で、自分が可能なかぎり良い状態になることに興味を持たない人がいます。自分はすでに知っていると思っているせいで、コーチングするのが無理な人もたくさんいます。

ロブの例をあげましょう。彼はとてつもなくハンサムな男性で、傲慢な知ったかぶりでした。ロブと話すと、なんとなくこちらが見下されている感じがしました。彼はウォール街の一流の投資銀行に勤めていて、なぜ自分に与えられるべき評価を上司が与えてくれないのか、理解できずにいるようでした。ロブは上司を愚か者だと考えていました。週末をまるまるつぶして、上司に提出する報告書をしゃかりきになって書き、月曜に提出したところ、上司はありとあらゆる修正点を指摘して（彼にしてみれば修正などまったく不要です）、やり直すように命じました。ロブは声をひそめて下品な言葉をつぶやき、片手に報告書を握りしめて、上司のオフィスをぷいと出ました。彼は毎朝スタッフミーティングに遅刻し――聞く価値のあるようなことは話し合っていないのですが――いつもいつも居残って仕事をしていました。彼がくびになっても、わたしは驚きませんでしたが、ロブは驚きました。信じられませんでした。ウォール街の会社で彼がくびになったのは、一年前に続いてこれで二度目です。彼はエゴに大打撃をくらいました。そして、本気で成功したいなら、自分がどんな間違ったことをしているのか突き止める必要があると、ロブはようやく認めたのです。そのとき、自分はすべての答えを知っているという考えから、自分は答えを知らず、なんらかの支援を得る必要があるという認識へ、決定的な転換を果たしました。彼の話を聞いたあと、わたしは、三十年以上業界に身を置いてさまざまな企業の理事を務めているコーチを、ロブに紹介しました。ロブは難しいクライアントでしたが、立派なことに、彼はコーチングに熱心に耳を傾け、自分のスタイルを変えました。数ヶ月後、彼は別の会社で新しい仕事につき、新たなスタートを切りました。今度は、たとえ上司や同僚の言うことがいつも正しいと思わなくても、彼らからできるだけ多くを学ぼうという姿勢で仕事に取り組みました。一年後、彼はまだ同じ会社に勤めています。社内での彼の将来性はかなり有望です。ロブはいらいらすることもなくなり、一緒にいてとても楽しい人になりました。

心を開き、謙虚になるもう一つの方法は、未知の何かを勉強をすることです。詩、物理学、タンゴ。あなたが興味を感じるものならなんでもかまいません。再び学生になって、最初から始めるのです。自分よりずっと賢い人々の中に身を置きましょう。精神を常に成長させ、伸ばし続けてください。

かつてはぜいたくと考えられていた自己訓練は、今日では生き残りがかかった問題です。自宅のコンピューターの使い方がいまだにわからない？　マニュアル相手にあがくのはやめて、講座を受けるかインストラクターを雇いましょう。会社の国際部門で仕事がしたい？　夜間の語学講座の受講料金を出してもらえないか、会社に要請しましょう。ほとんどの企業には、トレーニングと自己開発のための資金が用意されています。もし無くても、ともかく要請してみてください。会社が支援しているトレーニング・プログラムは最大に活用しましょう。標準コースにない講座を受けたい場合は、上司に相談してください。わたしは企業で用意されている何千ドル分もの講座を受けるよう、クライアントたちを励ましてきました。ビジネススペイン語会話の個人教授から、地元のカレッジでの広報や財務会計の授業まで、あらゆるものが含まれます。必要なのは、その講座が、管理者または従業員としての彼らをどう改善し、発展させることになるか、論拠をあげて主張するだけです。たいていの大企業の管理職は、部下たちのトレーニングと自己開発を監督するよう命じられているので、説得力のある主張とともに講座スケジュールを上司のところへ持っていき、上司に楽をさせてあげましょう。もしあなたが自営業なら、もっと多くの講座を受ける必要があるかもしれません。帳簿管理から営業まですべてを少しずつ自分でこなしているでしょうから。マネージメントのスキルに欠けている？　コンピューターのスキルをブラッシュアップしなければならない？　講座を受けましょう。遅れを取ってはいけません。無能力者に成功の芽はかけらもありません。時間をかけて自分のフィールドを極め、学び続けてください。

Tip 89 燃え尽きる前に休息を

わたしは、設備の整ったアメリカのバスルームで心地よく風呂につかりながら、どの大聖堂で得たよりも、もっと精神が高揚する考えや創造的で広大なビジョンを数多く得ている。

——エドマンド・ウィルソン

安息日。週ごとに行われる祝祭で、その起源は神が世界を六日で創り、七日目に逮捕されたという事実からきている。

——アンブローズ・ビアス

せめて一週間に一日は、完全にオフにしないと、燃え尽きてしまいます。どこかで、なぜか、そのお休みが迷子になってしまいました。週末が予定でつぶれてしまうのです。わたしたちの体と魂は、休息の日を必要としています。聖書によれば、神様も休息の日をお取りになりました。これ以上の役割モデルがあるでしょうか。なんの計画もなしで、したいことをする日が一日は必要です。ブランチもランチも予定を立てずに、どこまでも自由に、自然に任せて、休息し、遊び、自己の精神を尊ぶのです。その日をひとりきりで過ごさなければならないというわけではありません（ふだんひとりでないのなら、それも気分転換になるでしょう）が、一日をまっさらにしておいて、目が覚めたときに昼までバスローブでくつろぎたい気分なら、ブランチも何もかまわずに、自由にそうしてください。安息日を守っている人々は、安息日を神聖な時間として、平日の営みとはすっぱりと切り離し、魂の問題に集中するための時間にしています。魂の問題に集中することは、人それぞれに違った形を取ります。シナゴーグや教会に行く人もいます。自然の中で、または瞑想して時間を過ごすことによって、魂に近づくような気持がする人もいます。

そのいっぽうで、目が覚めたら親しい友人に電話をして、ブランチを食べに出かけたり、フライフィッシングに出かけたりしようかと思う人もいるでしょう。ポイントは、何も予定を立てないということです。やりたいなという気がすることを、なんでも自由にしてください。これは、人生の流れの中にいるということです。頭で考えたことにではなく、自然な気持に導かれてください。家を掃除したり、洗濯をしたりすることは絶対にないだろうと思うかもしれません――それは違います。わたしはときどき、無性にがらくたを片づけたり古い服を捨ててしまいたくなり、脇目もふらず掃除に夢中になる日があります。こんなふうに熱中するときはめったにないので、その気になったときはその気分を思いきり利用したいと思っています。何があろうとも、少なくとも週に一日は、休息の日を自分に与えてください。休んで当然というだけでなく、最高の状態になるためにはなくてはならないことです。

作家で三四歳のモーナは、漠然とした不満を感じていながら、その理由がわかりませんでした。夫はすばらしい男性であり、仕事にも恵まれ、おもしろいサイドビジネスも始めたところなのに、モーナ自身は幸せを感じないのです。少し調査をしたところ、モーナには純粋な休日がないことがわかりました。彼女の週末は社交的な約束が入り、夫と遊んだり楽しんだりできるのはその時間だけです。週末に社交的なつきあいをしたいと思うのは、平日は家で仕事をするため、人と会う機会があまりないからです。そこで、週末に休息の日を取るという考えに、モーナは乗り気ではありませんでした。わたしは、金曜日をオフにしてはどうかと提案しました。それを彼女の休息の日とするのです。モーナはそんなことが可能だとは思いませんでした。わたしは、これは選択の余地がないことなのだと言いました。最上の状態になりたければ、自分のためだけの時間が絶対に必要なのよ、と。これがどうやら効いたようでした。彼女は金曜の午後を休みにすることから始めて、完全なフリータイムを持つことがどんなにすばらしいか実感したとき、仕事をやりくりして、まる一日休めるようにしました。一日の休日を取ることで、彼女の視野はすっかり変わりました。きちんと自分の面倒を見ないうちは、夫や仕事や友人とのつきあいを十分に楽しむことはできないことに気づいたのです。いまは金曜日は彼女にとっての神聖な日として確保されていますが、わたしから選択の余地がないと言われなければ、そんなふうにはしていなかっただろうと彼女は言います。何をするにしても、休息の日を設けてください。最高の状態になるにはそうするしかないのです。

燃え尽き状態を追放するための、シンプルでお金のかからないもう一つの方法は、お風呂に入ることです。お風呂には、シャワーにまさる利点がたくさんあります。体をじっくり湯につけると、とてもリラックスできます。バブルバス用入浴剤、香りの良いバスオイル、石けんなどを湯に加えると、ぜいたくなひとときに変身します。切り傷の心配をせずに、カミソリの届きにくい部分をお手入れすることもできます。本や雑誌を読んだり、シャンパンやフルーツジュースを飲んでみたり。空気でふくらませるタイプの小さなクッションを首や背中に当てて、ゆったりと横たわり、キャンドルをともしたりお香をたいたりして、瞑想するのもよいでしょう。お気に入りの音楽を流しましょう。温泉気分を楽しみたいなら、お湯にエプソム塩を適量入れてください。お風呂はたいへんすばらしいものです。忙しすぎて自分のための時間が持てないときは、お風呂を逃避の口実に使いましょう。ドアを閉めれば、世界を締め出して自分だけの楽園に入れます。あなたにはそうする権利があるのです。バスルームから出たときには、芯までリラックスした気分になっているでしょう。

最近わたしは、コロラド州のスパで、奮発してソルトマッサージを受けました。セラピストが、塩、コーンミール、ココナツオイルを混ぜ合わせたものを使って、豪快にわたしの体をこすりながら、塩には他人から受けたネガティブなエネルギーを取り除く効能があると説明してくれました。わたしのクライアントのエリックが、家賃を払っていない借家人たちにいらいらしていたとき、わたしは、その不愉快な仕事は代理人に任せて、あなたは他人のネガティブなエネルギーを取り除くためにソルトマッサージを受けたりお風呂に入ったりしていらっしゃいと勧めました。彼は言われたとおりにして、たちまち気分を回復しました。

わたしの父は、著作の小説のほとんどを、バスタブの中に座っているあいだに執筆しました。アイデアや独創的な考えを呼び起こすには、最適な場所なのかもしれません。父の例にならい、わたしもこの本のかなりの量を、バスタブの快楽にふけりながら書きました。アイデアが頭の中にぽんぽん浮かんでくるのです。わたしの母はアリゾナ州の砂漠地帯に住んでいたとき、いつも節水に気をつかっていました。母は熱いシャワーを長々と浴びるのが好きなのですが、そんなにたくさんの水を使うことに罪悪感をおぼえていました。お風呂なら、罪の意識なく、ゆっくり座ってリラックスして楽しむことができます。自分を甘やかすには、誰にとってもたいへん手軽でお金のかからない方法です。心ゆくまで楽しみ、リラックスしてください。あなたはリラックスするためにどんなことをしますか？　いつものリラックス法を平日に組み込めば、生産性も、能率も、幸福度も上がることでしょう。

Tip 90 わずかな元手でぜいたくを

人生をあまり深刻にとらえてはならない。どうせ生きて逃げ出すことはできないのだ。

——エルバート・ハバード

わたしのクライアントたちはときどきお金のやりくりに困るのですが、お金がなければ楽しいことは何もできないと考える人がいます。これは創造力の不足以外の何ものでもありません。あなたに考えてもらうために、あまりお金を使わずに楽しめることをリストにしました。支出プランを損なわない範囲で、思いつくものをなんでも自由に足してください。

1 川、池、湖のほとりで、二十分以上のんびりと座る。
2 好きな本や椅子・毛布を持ち出して、裏庭や近所の公園で、ピクニックを楽しむ。
3 美術館へ出かけて、芸術鑑賞する。
4 花屋へ行って、あらゆる花の香りを吸い込む。
5 地元の図書館から、本、CD、ビデオなどを借り出す。
6 絵画、デッサン、ダンスなど、近所の公園やレクリエーション施設で行われる楽しい講座を受ける。

7　浜辺に腰を下ろして、のんびりレモネードを飲む。
8　あまり宿泊料金の高くない修道院で、週末を静かに過ごす。
9　美しい大聖堂や教会で、祈りをささげるか瞑想をする。
10　植物園へ行く。
11　自分の住む町で秘密の場所を探す。
12　エレガントな古いホテルで、午後のお茶を楽しむ。
13　花やハーブを植えたり、菜園をつくったりする。
14　ペットショップかアニマルシェルターに行って、子犬をかわいがる。
15　星を観測する。
16　友人と一緒に日の入りを眺め、ワインかシャンパンの小瓶を分け合う。
17　ディナーではなく、ランチかモーニングサービスの時間に高級レストランを利用する。
18　満艦飾のホット・ファッジ・サンデーを食べる。
19　映画館に行く代わりに、レンタルビデオを借り、ポップコーンをつくる。
20　芝居、コンサート、演奏会などで、ボランティアで案内係を務め、無料で出し物を見る。

Coach Yourself
to Success

第十章
最小の努力で成功をつかむ

Effortless Success

威厳は、名誉を所有することにあるのではなく、自分が名誉にふさわしいと意識することにある。

——アリストテレス

ここまでのコーチングのプロセスで、あなたはすでにすばらしいものごと、機会、人々を、自分の人生に数多く引きつけています。ずっと我慢していたことから解放され、エネルギー、時間、スペース、お金、愛情を、たくさん手に入れました。それに、自分が何を欲しいと思っているのか、やるのが楽しくてたまらないことは何か、すでにはっきりさせました。自分にとことん手をかけています。あなたの人生は目を見張るほどすばらしいものに見えるはずです。これで自分の人生に好きなものを呼び込む準備が整いました。これはかなりの進歩です。おそらくあなたが引きつけたいのは、良い仕事、申し分のないビジネス・パートナー、愛する人、理想の家などでしょう。最初のステップは、持つことを自分に許そうという意欲があればなんでも持つことができるのだと、強く意識することです。第九章「セルフケア」は必要条件です。なぜなら、ものごとを本当にすばらしいものにしたいという意欲を大きくふくらませてくれるからです。たいていの人は、人生をいいものにしたいという意欲がないので、どこかの時点で自分を駄目にしてしまいます。セルフケアを大幅に増やすことで、あなたは自分の〝持ちたい意欲〟という筋肉を柔軟にし、強化しました。自分はそれを持つにふさわしいのだと思わなければ、何かを引きつけることはほぼ不可能です。ですから、なんであれ自分の成功が妨害されそうな要因がある人は、第九章をまず実践してください。すでに自分にとことん手をかけている人は、先へ進みましょう。ここでは、あなたが欲しいと思うものを引きつける方法についての、秘訣をいくつかご紹介します。

Tip 91 努力をしないで欲しいものを引きつける

ああ、でも、人は手でつかめるところよりもっと遠くまで手をのばせるはずだ。さもなければなぜ天国があるのだ？

――ロバート・ブラウニング

なんであれ、欲しいものを手に入れるためには、まずそれを持つことを自分に許さなければなりません。本当に欲しいと思っているもののことを考えてください。何か特定の仕事、賞、物質的な品物、大金など。あなたはこんなことを考えていたかもしれません――「これが欲しいけど、わたしには無理だわ」。そうすると、「わたしには無理」という大前提のもとに現実がつくられていき、あなたはそれを手に入れることはできません。考え方を「わたしはそれを手に入れられる」「どうしたら手に入るかしら」「絶対手に入れるわ」に変えれば、いずれ与えられることでしょう。あなたの思考はたいへん強力で、あなたの現実の中にはっきりと反映されています。人々が彼ら自身をどう思っているか知りたければ、その人々の生活を見てください。人は、自分にふさわしいと考えるものを、引きつけるのです。

わたしのクライアントのジョセフィンは、保険会社の仕事を辞めてフルタイムでコンサルティング業を始めたいと思ったとき、最近合併したばかりである勤務先から、合理化に伴う解職手当をもらえないかと考えました。上司に尋ねると、まず無理だろうと告げられました。解職手当を受け取る資格を得るには、一八ヶ月間チームとして働いていなければならないのです。ジョセフィンの上司は、彼女が解職手当を受け取ることについてはかなり悲観的で、結果としてジョセフィンも同じ気持になりました。やがて彼女は、別の優良社員が「一身上の理由」で銀行を辞め、解職手当をもらったという噂を聞きました。彼女の考え方が突然変わりました。その社員にできたことなら、自分にもできるはず。そのときから、解職手当はがぜん現実味を帯びました。ジョセフィンは「欲しい」から「手に入れる」へ転換を果たしたのです。新しい信念を持った彼女の行動は変わりました。上司の上の管理者に、解職手当を受け取りたいと話しました。そして二ヶ月後、その管理者は、彼女を慰留するのは無理だと悟り、たっぷりの諸手当とともに解職手当を支給しました。もし彼女が信念を変えなかったら、そこまで根気強くなかったでしょう。ジョセフィンは上司の頭越しに直談判してはいなかったはずです。

あなたの現実は、あなたの思考をそのまま反映しています。あなたが自分に持つことを許せば許すほど、手に入るものは増えていきます。通常、自分にそれを手に入れることができると思ってはじめて、それが現実になるのです。ニューヨークで役者としてなかなか芽が出ないピーターは、都心から遠く離れたみすぼらしいアパートメントに住んでいることがとてもいやでした。彼の友人たちはみんな、もっとシックで高級な地域に住んでいます。彼ももっといい立地のアパートメントに住みたいと心から願っていましたが、家賃がひと月五〇〇ドル以下の物件など見つかるはずはないと思っていました。彼には五〇〇ドルが精いっぱいだったのです。わたしはピーターに、それが本当だと信じているなら、絶対に何も見つからないわよと言いました。彼の課題は、理想のアパートメントをできるだけ細かいところまで文章で表現すること。ピーターが望んだのは、ウェストビレッジにあるスタジオ式のアパートメントでした。裏手に庭があり、ルームメイトはなし、近所は静か、日当たりよし、ジムに近くて、五〇〇ドル以下。そういったアパートメントの家賃の相場は少なくとも七五〇ドルだし、物件も少ないので、何も期待できないのが筋です。わたしはピーターに、その理想を思い浮かべ、そこで楽しく暮らしている自分を想像しなさいと言いました。三週間後、あり得ないことが判明しました。友人の友人が、ひと月四〇〇ドルで又貸ししたい物件があるというのです――ウェストビレッジにあるガーデンスタジオ。ジムまで歩いていける距離です。しかも壁はレンガでとても美しく、日当たりのいい部屋でした。ピーターは驚喜しました。彼は新しいアパートメントが最高に気に入っています。友人たちは彼の幸運が信じられないようでした。

あなたの考えが行動を決め、それが結果を決めます。言うのは簡単ですが、いまおそらくあなたは、いったいどうしたら自分の考え方を変えられるか、不思議に思っているでしょう。どうぞ先を読み進めてください。

Tip 92 一五回書き出す

「わたしは……」という言葉は強力な言葉です。そのあとに続ける言葉は、よく注意して選ばなくてはなりません。あなたがつかみ取ろうとしているものが、逆にあなたをつかみ取るかもしれません。

――A・L・キットセルマン

あなたの考えを「欲しい」から「手に入れる」に変えるためには、欲しいものを一日一五回、紙に書いてください。これがとんでもなく単純なことに聞こえるのはわかっていますが、世界屈指の漫画家スコット・アダムズに効果があったのなら、あなたにも効果があるはずです。アダムズは『ディルバート』を生み出した人です。アダムズ自身はこの方法に最初は懐疑的でしたが、ともかくやってみました。まずは小さな目標から始めました――ある女性の気を惹くこと、値上がりする株を選ぶこと。その願いがかなったとき、もっと経験的証拠を得なければと思いました。ちょうどＧＭＡＴ（経営大学院進学希望者対象の適性試験）を受けようとしていたときで、希望の経営大学院に入るには九四点が必要でした。試験の結果は、まさに九四点。目標を一日一五回紙に書くということのパワーを確信して、今度はこう書きはじめました――「ぼくは世界でいちばんの漫画家になるだろう」。その当時はほとんど不可能としか思えませんでした。彼の前には、ゲイリー・ラースン（『ザ・ファーサイド』）、ビル・ウォッタスン（『カルビン・アンド・ホッブズ』）がたちはだかっていたのです。すると、仰天するようなことが起こりました。そのふたりの漫画家がどちらも引退して、アダムズがナンバーワンにのし上がったのです。アダムズがこの目標に向けて行動もしていたことにも注目しなければなりません――彼は漫画と本を書き続けていました。

アダムズは未来形で目標を書いていましたが、現在形で書けばもっと強力です。「ぼくは大金持ちになるだろう」ではなく「ぼくは大金持ちである」と書くようにしてください。欲しいものが得られそうになければ、それはあなたのためにならないこと、または関係者のためにならないことなのかもしれません。たとえば、自分がいちばんになるためにライバルや上司の死を願うのは賢明ではありません。思考はあくまでポジティブに保ってください。ネガティブな思考は、ネガティブな結果を伴って自分に返ってきます。あなたはどんな人間になりたいですか？　あなたの最大の「わたしは～である」宣言を、一日に一五回書きましょう。そうすれば、万物の精霊たちが動きはじめます。

本書を注意深く読み進めてきたなら、なぜこれが目標リストを捨てるという話と矛盾することにならないのか、不思議に思うことでしょう。あなたの思っているとおり、矛盾します。でもいまの時点であなたは古い目標を捨て、自分が本当に望んでいるものをはっきりさせています。だから具体的な目標を付け足すことはかまわないのです。もちろん、目標を持たないままでいたいなら、ぜひそうしてください。具体的な目標がある人、とくにそこまで到達する能力が自分にあるかどうか疑わしく思っている人は、このテクニックを一度試してください。

大きな出版社の編集長であるマシューは、別の会社の面接を受けるところでした。近いうちにオファーがあり、給料としてどのくらいの額が希望か訊いてくるはずです。マシューは妻と話し合い、希望の数字を出しました。そして「わたしの年収は〇万ドルである。年に四週間の休暇がある」と一五回書きました。その金額は、現在の給料とはかけ離れた高額で、そんなに長い休暇は彼の業界では非常にまれです。

翌日、彼は新しい職をオファーされ、いくら欲しいか尋ねられました。マシューは間髪を入れずにその数字を口に出しました。そしてそれが通りました。四週間の休暇も獲得しました。彼はわたしに電話をしてきて感謝してくれました。もし本気で信じられるまで書かなかったら、声がうわずったり、どぎまぎしたりして、チャンスを台無しにしていただろうと彼は言いました。マシューがいま思っているのは、もうちょっと高い金額を言えばよかったなということだけです。

自分の望みを一日一五回書くということの要点は、自ら本気で現実になると信じられるようになるまで、頭にたたき込むということです。欲しいものを初めて紙に書くときは、頭の中であの小さな声がいっせいに叫びはじめることでしょう――「あなたは自分を誰だと思ってるの？　手に入るはずないじゃない。冗談やめて。現実を見なさいよ。絶対に無理」。そんな声は放っておいて、書き続けてください。やがて、その小さな声がこう言ってくるところまで到達します――「ねえ、これできるね。簡単簡単。別に大したことじゃないよ」。そのとき自分が「欲しい」から「手に入れる」へと思考の転換を果たしたことがわかるでしょう。さあ、ペンを持ってきて、始めましょう。

Tip 93

ネガティブなことは絶対に考えない

心は何者にも侵されない場所だ。心ひとつで、地獄を天国に、天国を地獄にすることもできる。

――ミルトン、『失楽園』

武道には、ネガティブなことを絶対に考えないという原則があります。言い換えれば、いざ敵と闘おうとするときに、自分が何をするか決め、それを実行するということです。自分が攻撃をされたり、めちゃくちゃにやられたりするところを想像してはいけません。さもないと本当にそんなことになってしまいます。前進することに集中してください。わたしは最近、この原則がマウンテンバイクにも役立つことを発見しました。姉とコロラド州に遊びに出かけたとき、マウンテンバイクを試したらおもしろそうだと思いました。姉の婚約者のマーティンが、わたしを小さな山の頂上に連れていき、ギアの使い方、ヘルメットの正しいかぶり方を教えてくれて、いざ出発です。ギアを正確に使うのに、かなり苦労しました。登る必要があるときには必ずギアが下りになっていたような気がします。下る必要があるときはその逆です。そのうえ、わたしたちは崖の縁をジグザグに走っていて、通り道の大きな石を勢いよく乗り越えたりしていました。わたしは下を見て、最悪の事態をつい想像してしまいました――自分の体が山肌を滑り落ちていくシーン。言うまでもなく、わたしは死にたくありません。でも幸運なことに、災難はちょっとした打ち身だけで済みました。ゴールに着いて、自分の恐怖と無能ぶりを告白したところ、マーティンは言いました――「そういうときは、前を向いて自分が行きたいほうを見るといいんだよ。行きたくないほう（崖っぷちの向こう）じゃなくてね」。これから進む道から目を離さなければ、自然と体はそちらに動きます。まるで生きるためのコーチング・アドバイスのようですね。なんであれ、見つめたものはふくれ上がるという原則を忘れないでください。ネガティブなことを見つめれば、それを自分の人生に引き入れてしまうかもしれません。同気相求むと言うでしょう？

そういったネガティブな思考を追放することは、言うのは簡単でも実行するのは困難です。とくに崖っぷちをマウンテンバイクで走り降りているようなときは。だとしたら、最もタイミングの悪いときに頭の中にぽんと浮かんでくる、自滅的なネガティブな思考を、いったいどうしたらいいのでしょう。こんなふうに話しかけてみては？「あら、また出てきたのね。ここで何してるの？　どこかに消えてちょうだい」。そして、自分が望むものごとに集中します――「わたしは運動神経ばっちり。こんな坂を登るくらいちょろいものだわ」。自分をおじけさせるのは簡単ですが、ほんのちょっと考えるだけで、同じくらい簡単に勇気づけることもできるのです。

クライアントのビアギットは、四一歳のグラフィックデザイナーです。まもなく恋人と一緒に休暇を取る予定でした。彼女は、休暇が楽しいものにならなくて、彼と大げんかになるのではないかと心配していました。彼女はビーチで本を読みながらのんびりするのが好きですが、彼はゴルフ、ハイキング、名所観光と、常に動きまわっているのが好きなのです。わたしは彼女に、ひどい休暇になるだろうと考えているのなら、きっとそのとおりにできるわねと言いました。彼女は頭の中で最低の旅行を計画し、準備していたわけです。なんてばかばかしいのでしょう。彼女は笑い、自分がしていたことに気づきました。そして今度はふたりで心から楽しんでいるところを思い描くようにして、休暇中、一分一秒を一緒に過ごさなくてもいいのだと思うようになりました。彼は彼のしたいことをし、彼女は彼女のしたいことをすればいいのです。二週間後、ビアギットから電話が来て、休暇は最高だった、けんかは一度だけしたけどすぐに仲直りをした、と報告がありました。人生はあなたしだいですばらしいものをもたらしてくれるのです。

ネガティブな思考を、もっとよく観察してみましょう。思考や意見はネガティブでも、あなたの反応がそうとはかぎりません。たとえば「あの人は本当に配慮のない人ね」。これは意見です。ここであなたにはたくさんの選択肢があります。その思考をこう広げることもできます――「障害者の前に立ちふさがるなんて、いったいどんな神経をしているのかしら！」。そして、家に帰って誰かれかまわず触れまわります。または、その場を逃さずにひとこと言うこともできます――「いまこの方の行く手をさえぎったことにお気づきですか？」。その場で言ってしまえば、その瞬間、すっかり忘れてしまえます。どんどんネガティブなエネルギーを注ぎ込むよりも、はるかに有効です。先日クライアントのマイケルと話をしていたとき、彼はいつもなら何週間も不快に思うようなことを、すっかり忘れていたことに気がつきました。その場で口に出して言ってしまったからです〈Tip 07〉。

他にもこんなネガティブな事実に気がつくかもしれません――「まあ、このパンツ、ジッパーが上がらないわ」。そこであらゆる反応から選択することができます。

ネガティブ――「また体重が増えちゃったのね。わたしってほんとに意志が弱いわ。救いようがないわね。太ったら誰にも好きになってもらえないのに」。

現実に目をつぶる――「乾燥機にかけたせいでパンツが縮んだに違いないわ」。

ポジティブ――「自分にちゃんと手をかけてない証拠だわ。今日からセルフケアのプログラムを始めようっと」。

ポジティブなことに目を向けるのは、現実を否定することにならないということに、注目してください。要はどういう事態なのか認識し、ポジティブな行動を取るということです。ネガティブなことは、適切な方向に向けて行動を取るよう促すメッセージである場合もしばしばです〈Tip 69〉。ネガティブな思考について何かをする気になれないときは、受け入れてください。受け入れられないなら、何かをしてください。しつこいネガティブ思考を追放するための秘訣をご紹介します。

1　自分が一日にどれくらいネガティブな思考をするか、コインやチェックマークを使って記録してください。自分がどれほどネガティブになるか気がつくだけで、行動が変わることもよくあります。わたしのクライアントのひとりは、たいへん自分に厳しい人でした。わたしは彼女に、自分に向かってつぶやいたネガティブなことを全部記録するよう言いました。彼女のネガティブ思考ナンバーワンは「わたしってすごくバカ」。日に五十回もそう言っていることに気づいた彼女は、それをやめてこう言うことにしました——「わたしって意外と賢いのよ」。

2　自分のネガティブ思考を全部紙に書き出して、燃やしてください。

Tip 94 とっておきの切り札を持つ

求めることが最も少ない人々は、最も神に近い。

——ソクラテス

人生に望むものをすべて引きつけるための秘訣は、何も望まないことです。わかっています、またものすごく不条理なことを言っています。何かを望まないとき、簡単に手に入るのはなぜなのでしょう？　いつも電話をかけてくるのは、あなたがちっとも興味を感じない男（または女）だということに注目したことはありますか？　わたしはこれまで、結果のことを考えないようにしようという趣旨の本をたくさん読みましたが、何かがものすごく欲しいというときにいったいどうしたらそんなことができるのでしょう？　それに、その逆のことを言っている本もたくさんあります——「欲望の対象を一途に追い求めよ」。問題は、そのどちらもしなければならないということです。欲しいものを引きつけるには、それを一心に求める必要があると同時に、それを必要としない、もしくは手に入れなくてもいいと考えなければならないのです。これはちょっとやそっとの仕事ではありません。結果を考えないようにする最も簡単な方法は、何かを予備にすること、いわば切り札を取っておくことです。それはまた、まず自分の欲求をかなえるほうに集中するためにも役立ちます。それで窮乏感が減り、欲しいものを引きつける力が自然に増えます〈Tip 43〉。次のステップは、態度決定を保留して、選択肢をたくさん用意することです〈Tip 95〉。ある特定の職を心から望むなら、他でもたくさん勧誘を受けて、交渉力を高めておくとよいでしょう。自分の欲求をかなえることを、ひとりの人間や一つの組織に頼っていると、すぐに困ったことになります。依存しすぎて相手にいやな思いをさせ、遠ざけてしまうからです〈Tip 44〉。もしも特定の男性か女性にぞっこんになってしまったときは、他の友人や異性と出歩くことでバランスが取れます。自分はまだその人や仕事を強く望んでいるけれど、もはやそれほど必要としてはいないという状態になれるはずです。相手を必要としなければしないほど、相手はあなたを近くに置きたいと思うでしょう。人生がそんなものだなんてたまらないのはわかりますが、実際にそうなのです。だから慣れてください。

この本を執筆することを例に取り上げましょう。わたしはコーチングをすること、人が成功した幸せな人生を送る手助けをすることに情熱を感じています。自分の著書が大成功を収めればいいなと心から思いますし、そのプロセスで必要なことはなんでもしようと思いますが、この本を家賃の支払いのあてにはしていません。わたしはコーチングの会社を順調に経営しており、それでさまざまな請求書の支払いをしています。この本はボーナスなのです。もし収入の道としてこの本をあてにしていたら、目の色を変えてエージェントと出版社を探すことになり、相手は怖がって逃げていたでしょう。死にものぐるいな人間は、遠くからでもかぎつけられてしまいます。そういうことで、わたしは出版のプロセスをリラックスして楽しむことができました。大した苦労もなく業界屈指の優秀なエージェントを見つけることができ、彼女は適切な出版社の選定に大奮闘してくれました。わたしは、どこの出版社も関心を持ってくれなかったときに備えて、自費出版の道も考えていました。いっぽうで、もしも執筆することにすっかり飽きてしまったら、わたしはそのプロセスを最後までやり抜くことができなかったでしょう。何しろ作業の量は膨大ですから。わたしは、他のみんながハンプトンズに遊びに出かけてビーチでのんびりしていたお天気の良い週末に、執筆を続けていたくらい、執筆に夢中になっていました。この本の執筆で人生を犠牲にしたとは思いませんでした。山も谷も難題もすべて含め、そのプロセスを存分に楽しんだからです。

営業の仕事をしているマキシーンは、苦悩に直面していました。売り込みの電話ができないのです。相手にこんなふうに言われて電話を切られるのが恐ろしくてたまりません。「あなたのような人が一日に二十人も電話をかけてくるのよ。いいかげんにしてちょうだい！」。あいにく、そういうことは彼女のような仕事では当たり前のことなのですが。当然、マキシーンは幸せではありませんでした。彼女は一度の電話で予約を取り付けるという結果にこだわっていて、予約が取れないと失敗と感じてしまうのです。わたしたちは彼女の視点を変えました。マキシーンは、日に二五回の電話をかけ、相手と親しくなることだけを新しい目標にしました。何も売らなくていいのです。予約をするよう、説得したり誘導したりしなくていいのです。彼女の新しい焦点は、人と知り合うことであり、「何か御用はありませんか?」という姿勢を取ること。マキシーンは、友だちが大勢いる、とても社交的で人好きのする人なので、この新しい目標はたいへん楽しく思えました。プレッシャーがなくなると、彼女はリラックスして自分らしくなれました。たちまち、彼女の成果は改善されました。サービスを強く勧める代わりに、クライアントのことをよく知り、相手のニーズを探ろうとするようになりました。結果を無理やり出そうとするのをやめると、彼女が望んでいた数字がたやすく出るようになりました。

結果を考えないようにするもう一つの秘訣は、結果がどうでもよくなるくらいにプロセスを十分に楽しむことです。もしも一〇〇万ドルが手に入ったら、人生のどんなところを変えるかと尋ねられたとき、「何も変えない。今日やっているのと同じことを続けていく。なぜならそれが気に入ってるから」と答える人は、ほんの一握りです。それこそが生きがいのある人生です。わたしは《フォーブズ》誌で、世界で最も裕福な人々の暮らしについて読みました。ある億万長者は、ごく控えめな、どこまでも普通の家に暮らし、どこまでも普通の衣服を着ていました。彼の人生における情熱は仕事であり、所持品のことなどなんとも思わないのです。自分自身に難問を問いかけてください――愛されなくても、愛し続けることができますか? 書くことが好きなのに本が売れなかったら、それでも書き続けますか? 認めてもらえず、それなりのステータスを得ることができなかったら、働くのをやめますか? 自分がしていることを、なぜしているのか、しばらく考えてみてください。それが最終結果だから? それとも、それをするのが純粋に喜びだから? 自分が楽しめることだけをしていられるように、人生を構築してください。それが究極の成功なのです。小さなエリア一つから始め、勢いに乗って人生すべてのエリアに広げてください。

なんらかの結果を無理に出そうとしているのは、人生のどの部分でしょう。幸せになるために、自分の人生に持つべきものはなんですか？　他にどんな選択肢が設けられるか、他にどんな方法で欲求をかなえられるか、検討してください。自分が望むものを引きつける可能性は二倍になるでしょう。なぜなら、あなたはもはやそれを手に入れる必要はないからです。とっておきの切り札を持ってください。そうすれば、あなたに成功を引きよせる自信がますます増えるでしょう。

Tip 95 小石をたくさん投げる

一オンスの行動は一トンの理論に値する。

——フリードリッヒ・エンゲルス

常に釣り針を投じておきなさい。思いも寄らない水たまりで魚がかかるだろう。

——オウィディウス

成功を引きつけたいなら、リラックスして、人や物があなたのところに来るようにすることが必要です。強く押したり、迫ったり、ねじ伏せたり、誘惑したり、説得したり、せっついたりするのも効くかもしれませんが、もう一度言いましょう、そういう行為は魅力的ではありません。さざなみを呼び込もうとして多大な時間やエネルギーを無駄にするのは簡単ですが、小石をたくさん投げ込んで、どのさざなみが自分のところへ戻ってくるかを見極めるほうがはるかに効果的です。キャリアにおいて自分がどの方向を目指せばよいのかよくわからない場合、または、すばらしい恋愛関係を求めている場合、いろいろなことを試してみるほうが、ずっと楽だし、愉快です。適切なトレーニング経験やバックグラウンドがなくても、あなたがずっとおもしろそうだと思っていたあちこちで面接を受け、情報を得ましょう。さまざまなアイデアや選択肢で実験を行ったら、あとは気にしない。あなたの仕事はたくさんの小石を投げることです。

フランクは、自分が設計した会計プログラムの顧客を獲得したいと思っていました。お金をかけた分厚い小包を、国内の一流会計事務所を選んで送っていましたが、あまり反応がありませんでした。わたしたちは、簡潔にまとめた一枚のレターをたくさんの会計事務所に送ってみて、どこが興味を示すか様子を見ることにしました。反応があったら詳しい資料の小包を送るのです。これで印刷費用をカットできるだけでなく、関心を持たない人々の時間を無駄にしなくて済みます。

同じことは恋愛関係にも言えます。特別な人を探し求めている？　それなら、大勢の人とつきあってみましょう。かなりいい線をいっていると思われるたったひとりの男性や女性に、かかりきりになってはいけません。わたしたちはみんな一〇〇万人の中からそういう人を探し求めているわけですが、実際につきあったのは何人いますか？　三十人？　良いことを教えてあげましょう。一〇〇万人に達するにはまだ道は遠そうです。一〇〇万人の人とつきあう必要はありませんが、出会う人がもう少し多ければ、間違いなく確率は上がります。ニタ・タッカーが書いた、男女のつきあいに関する愉快な傑作 *How Not to Stay Single*（シングルにとどまらない方法）は、独身の人に出会うたびににっこり微笑みかけるよう提案しています。たくさんの微笑みを投げかけて、戻ってくるかどうか見てみましょう。

特定の人を〝勝ち取ろう〟としているなら、相手を変えましょう。おそらくそんな価値はありません。時間を無駄にせず、次の人を探してください。新しい恋愛関係を結ぶのが、楽しいことでもたやすいことでもなかったとしたら、おそらくやってみる価値はないのでしょう。誰かを振り向かせようと必死にがんばっているのなら、結局はうまくいかずに終わります。だから無駄は省いて他の場所をあたりましょう。自分を好きになるよう、人に無理強いすることはできないのです。すでに良い関係を築いていれば、関係を維持するのに苦労が要らないというわけではありません。でもつきあいの最初からうまくいかせるために苦労するようなら、維持するのも決して楽ではないはずです。

Tip 96 イチゴをばら売りする

するつもりのことでは名声は得られない。

――ヘンリー・フォード

あらゆる交流に付加価値をつけることができるなら、あなたは成功するでしょう。まずはビジネスの話から。ビジネスを成長させる最短の道は、顧客を熱狂的なファンにすることです。サービスや製品について、彼らの友人や家族にしゃべりたててもらうのです。これほどパワフルで効果的な宣伝はありません。サービスや製品を改善する方法を考えるのも、良い時間の投資になります。顧客が期待するよりも多くを供給しなければなりません――何が顧客を喜ばせ、満足させるか、顧客自身より先に予測してください。これはビジネスの種類によって違ってくるでしょう。あなたが最後に会社から思いがけない評価を受けたときのことを考えてください。あなたのサービスの価値を高めることは、必ずしもコストの増加にはなりません。たとえば衣料品店なら、試着室に持ち込む商品の数を限定するより、好きなだけ持ち込めるようにしたほうが、価値は高まります。ある食料品店は、客があらかじめ箱詰めされたイチゴを買うより、自分で一つ一つ選ぶほうを喜ぶことを発見しました。イチゴをばら売りしたら、売上が伸びました。なぜなら、客は箱詰めのイチゴならひと箱で済ませるところを、もっとたくさんのイチゴを買うことになったからです。あるデパートはあらゆる商品について無料でギフトラッピングを行っています。また、返品について優れた方針を持っている店はたくさんあります。何か問題があればいつでも返品できるとわかっているので、客は気軽に買うことができるのです。

価値の向上を、人生におけるあなたの目的やビジョンに結びつけることもできます。ニューヨークの《グレイストン・ベーカリー》は、ホームレスの人々を雇って訓練し、ベーカリーで働いてもらっています。地域社会において人を訓練し、成長させること、天然材料一〇〇パーセントのおいしいベーカリー製品をつくることに、力を注いでいます。他と一線を画すこのベーカリーの付加価値は、社会的使命です。そこでケーキを買えば、あなたは貧困にあえぐコミュニティをサポートしていることになるのです。この付加価値に目をつけた《ベン・アンド・ジェリーズ》は、地元のコミュニティを支える供給業者を常に求めています。同社はアイスクリーム用のファッジ・ブラウニーを《グレイストン・ベーカリー》に発注しています。

さて、あなた個人についてはどうでしょうか。あらゆる状況で、どうしたら価値を付加または増大させることができるでしょうか。バスの運転手ににっこり微笑みかけてみるとよいかもしれません。人をほめる〈Tip 77〉。あらかじめ許す〈Tip 42〉。親切な行為をして、自分のしたことを誰にも言わない。誰かに「愛してる」と言うためだけに電話をする。じっと耳を傾ける〈Tip 73〉。列に並んでいるとき、人に先をゆずる。わかりましたか？　あらゆる交流の場面で、どのように価値を高めることができるか、考えてください。これは楽しいことです。楽しくないとしたら、それはあなたが〝するべき〟と考えているからです――〝するべき〟には十分注意して！　〝するべき〟ことになるのなら、しないほうがましです〈Tip 04〉。あなたの人生でイチゴをばら売りする方法はなんでしょう？　意外なことを思いついてください。そうすればあなたは自然に成功を引きつけるでしょう。

Tip 97 恐れと仲良くする

人生はその人の勇気に比例して縮んだり広がったりする。

――アナイス・ニン

ときどきわたしのクライアントたちは、「怖いからできない」という言い訳をします。彼らはそう認めるのをいやがります。恐れることは悪いことだと、または恐れるべきではないと考えているからです。わたしはたいていそこでストップをかけ、彼らの恐れの原因について質問をします。彼らが本当に恐れているのはなんでしょう？　そう、恐れは悪者ではありません。恐れは友だちなのです。わたしたちはたいてい、それなりの十分な理由があって恐れます。その最大の解決法は、恐れと向き合い、行動を取ることなのです。

ロンは一二年間同じ会社で働いていましたが、自分の仕事にとりたてて満足していたわけではありませんでした。彼が本当にしたかったのは、仕事を辞めて自分でコンサルタント業を始めることでした。わたしたちの会話はこんな感じでした。「だったら、そうすればいいじゃない？」「怖いんだ。失敗したらどうする？」「まあ、その可能性もあるわね。怖いっていう原因は何？」「十分なお金がなくてシャツも着られなくなって路上生活になるんじゃないかって」「わかる気がするけど、それって自分でビジネスを始めることより、お金に困るってことに関係する恐れじゃない？」「うん。そうなんだ」「それじゃ、会社を辞めるにあたって、何ヶ月分くらいの生活費を貯金してる？」「三ヶ月分」「怖いのも無理ないわね――それじゃ十分とは言えないわ」「生活費が九ヶ月から一年分くらいあったら、少しは怖くなくなるかな」「ええ。住宅ローンの支払いを心配せずに自営業に転身できるよう、貯金を殖やす計画を立てましょう」「はい！」

恐れはとても有用な協力者になり得ることがわかったと思います。〝なぜ〟怖いのかよく調べ、その恐れを根本から和らげるために何かできないかどうか検討してください。そうすれば、必要な行動を取るのがずっと簡単になります。

ときに、排除しようとするべきではない恐れがあります。思いがけないときに役に立つからです。わたしの友人のひとりが、禁煙するために優秀な催眠療法士のところへ行きました。たいへん効果があったので、他の悩みも解決できないかと思い、療法士に告げました——「じつはサメがむちゃくちゃに怖いんです。サメがお尻にかみついてくるんじゃないかって、こんなに怖くなかったら、ボート遊びや水泳がずっと楽しいだろうなと思うんですが」。催眠療法士は彼をちらりと見て言いました。「別にいいじゃないですか。サメが怖いというのは良いことですから」。

恐れは、じつにさまざまな原因から生じます。あなたの恐れの原因を調べ、どこで発生したのか、根拠のある恐れなのかどうか、確かめるのは意味があることです。恐れの多くはまったく根拠がなかったと気づくでしょう。恐れは、自分の身を守るために、親に植え付けられたものもあります。「知らない人と口をきいてはいけません」は、五歳児には申し分ないアドバイスですが、この世界で生きていくためには、ある時点で見知らぬ人と話さなければならなくなります。恐れは文化的・宗教的禁止事項から生じることもあります。最も強力に恐れを生み出すもとの一つが、ニュースです。わたしの祖母が、一人旅をしていてレイプされて殺された女性に関するニュースを見ていました。当然ながら祖母はすっかりおびえてしまい、家族の誰にも一人旅をさせたがらなくなりました。一人旅をせずに、わたしはどうやって自分の人生を営み、冒険をし、国中でセミナーを開けるでしょう？　恐れはときに良いことですが、ニュースは悪いことばかり伝えるものであり、世界で起こっている出来事を正確に反映しているものではないということを、わたしたちは忘れています。ニュースは、何ごともなく楽しく一人旅をしている、他の五十万人の女性の話は伝えません。それはニュースではないからです。

テレビのニュースは誇張されたものだと、頭ではいつもわかっているのですが、それがどれほどひどいのか、マンハッタンのダウンタウンで世界貿易センターが破壊されたあとになって初めて気がつきました。あの翌日、わたしは職場へ向かうため、ミッドタウンのグランドセントラル駅に入ろうとしていたとき、マイクを持ったニュースのレポーターに呼び止められ、こう尋ねられました――「世界貿易センターが攻撃されましたが、公共の建物に入るのは恐ろしくないですか？」。わたしは答えました――「怖くありません。びくびくしていたら生きていけませんから。テロリストの狙いは、まさにそこです」。これはレポーターが求めていた答えではなかったので、彼は路上で次の人に尋ねていました。彼が小声でつぶやいたのがちらっと耳に入りました――「この街の連中は誰も怖がらないのか？　まだまともなクリップは一つも撮れてないよ」。わたしはひそかににやりとして思いました――「ニューヨーカー万歳！」。卑劣なテロリストの一味によって、わたしたちがパニックに陥ることなどありません。

その夜ニュースで、わたしはあのレポーターを見ました。そして、冷静で落ち着き払ったあのニューヨーカーたちが登場するものと思っていました。ところがテレビに映し出されたのは、ヒステリックに叫び声をあげ、大きな建物には恐ろしくて入れないと泣きわめく、状況に適応できない人たちでした。テレビ局の人たちはほうぼう探しまわって、そういう奇人を見つけ出したに違いありません。ニュースとはこういうものだったのかと、わたしは目が開く思いでした。事実を正確にレポートしたものではありません。どう見てもドラマです。わたしはもはや時間の無駄にしか思えず、テレビでニュースを見るのをやめました。もしあなたが自分の夢を追って生きるつもりなら、ある程度冒険をする必要があるでしょう――メディアにも誰にも邪魔を許さないでください。

恐れに対処するもう一つの方法は、人生において少し危険を冒すことです（肉体的な危険に身をさらすような真似をしろと言っているのではありません）。多少の、もしくはけっこう大きな危険を冒してください。なぜって？　危険を冒すこと、ちょっと怖いような何かをすることで、人は生きている実感や感動をおぼえるのです。恐怖で心臓はどきどきし、つま先にはぎゅっと力が入ります。それに加えて、あなたはより強く、よりパワフルな人間になるでしょう。ここであなたの〝危険筋肉〟を強化する提案をします。

1　上司に昇給を願い出る。たいていの人はやっていることに対してもらっている給料は少ないものです。さあ、思い切って！
2　ずっと電話をかけるつもりだったのに、なんらかの理由でかけていなかった相手に電話する。
3　自分の欲求を満たしてほしいと誰かに頼む〈Tip 44〉。
4　たとえ先方が気づいていなくても、傷つけることをしてしまった相手に謝る。
5　黙って借りたものを、適切な謝罪を添えて返却する。
6　プレゼンテーションやスピーチを買って出る。
7　ひとりで旅行する。
8　議論で反対する側に立つ（自分の考えを主張する）。

9 しゃれたレストランにひとりでディナーに行く。
10 スキューバダイビングの講習を受ける。

こういったことは、あなたが望む成功を引きつけることに、どう関係しているのでしょうか。決して危険を冒さない人は、味気なくておもしろみがありません。そろそろ飽きたなと思っていても、居心地のいい型にはまり込んだままだったりします。危険の一つや二つは、あなたを生き返らせ、いつの間にかまわりに張っていた蜘蛛の巣を振り落としてくれます。あなたがするのが怖いことはなんですか？ 今週はそれをやりましょう。必要なら友だちと一緒に、思い切ってやってください。何か新しくてぞっとするようなことに、常にチャレンジするようにしてください。そうすればあなたは絶好の機会を引きつけることでしょう。

Tip 98 もっと遊ぶ

独自性や創造性の源となるのは、人の中にいる子どもであり、素質や才能を開花させるために最適の環境は、遊び場である。

——G・K・チェスタートン

心から楽しめるものごと——あなたを育み、エネルギーを与えてくれる活動——ができなくなるほど、忙しく働きすぎてしまうのはとても簡単です。でもある時点で、あなたははたと身動きを止めて、自分に尋ねなければなりません——「楽しいことをする暇もないのに、こんなに仕事ばかりしていてどういう意味があるんだ？」。

わたしは新しいクライアントに対してコーチングを始めるとき、本当に楽しいと思うことをもっとたくさんするようにしてください、と言います。悲しい事実ながら、彼らは何一つ思いつかないことすらあります。遊びは、あなたを若返らせてエネルギーを与え、意欲と喜びを持ってまた仕事に戻れるようにしてくれます。どんな仕事でも、どれほどやりがいがあるかにかかわらず、十分な遊びとバランスが取れていなければ、骨の折れる仕事になってしまいます。最高の状態にある自分、最も成功した自分になるためには、遊ぶ必要があるのです。

あなたの〝フロー〟活動〈Tip 55〉が何かを知る方法の一つは、幼い子どものころに楽しんでやっていたことを思い出すことです。まだ大人の責任という重圧がかかっていないころは、あなたは本能的に自分のエネルギーを増やすことをやっていました。もしも思い出せないなら、自分が幼いころ何を楽しんでいたか、両親に尋ねてください。

わたしが幼いころ、水たまりの真ん中に座って頭からつま先まで泥だらけになり、無心に遊んでいるわたしを、母がよく見ていたそうです。わたしは生まれつき泥に親しみを感じるように思います。この活動の大人版が陶芸です。両手で泥の塊をいじりまわす口実でしかありませんが、大好きな趣味です。やがて、わたしはフルタイムで忙しく働くようになり、夜にはコーチングの練習を始めました。ボーイフレンドがなかなか会えないと文句を言うので、わたしは陶芸をやめました。家族がいつ陶芸を再開するつもりなのかとわたしに尋ねるようになりました。美しいボウルや皿が手に入らないので残念に思っていたのです。わたしは一ヶ月間スタジオを借りる契約をしました。一ヶ月ならボーイフレンドも文句は言わないだろうと考えてのことです。ところが、びっくりするようなことが起こりました。壺をつくった初日の午前中、彼と待ち合わせて遅いブランチをとったとき、わたしがあまりにのびのびとして満ち足りた顔をしているので、彼がこう言ったのです――「もっとしょっちゅう陶芸をやるといいかもね」。ここでわたしは、自分を育んでくれるこの活動の時間を削り、彼と一緒に過ごす時間を増やしました。

あなたの毎日に遊ぶ時間をつくってください。その活動の成功は、そのひとときに完全に打ち込めるかどうかにかかっています。読書、ハイキング、絵描き、ダンス、バスケットボール、サッカー、料理――なんでもあなたに合ったことをしてください。クライアントのアントンは優秀なサッカー選手だったのですが、もう時間がないからとちっともプレイしなくなっていました。わたしは彼に、他のことから少し時間を削って、またサッカーをするよう勧めました。サッカーをしているときの彼は、バイタリティにあふれてとてもいきいきするからです。アントンはまたサッカーをするようになり、代わりに副業のビジネスを縮小しました。彼が驚いたことに、本業のほうのビジネスで業績がにわかに急上昇しはじめました。新しい顧客が引きも切らず押し寄せました。彼はお金を稼ぐために一生懸命〝働く〟必要はありませんでした。必要だったのは、一生懸命〝遊ぶ〟ことだったのです。フロー活動はあなたにエネルギーだけでなく、深い満足感も与えてくれます。しっかり遊べば、さらに成功に近づくことでしょう。

Tip 99 すべてを手にすることは始まりにすぎない

呼ばれる人は多いが、立ち上がる人はほとんどいない。

――オリバー・ハーフォード

プログラムのこの時点で、あなたはすべてを手にしていることでしょう。愛、お金、機会、時間。そして、すべてを手に入れようとしてストレスがかかることがなくなるため、健康も損なわれていないはずです。次はなんでしょう？　あなたはたいていの人を大きく引き離しています。人生のかなりの部分をささげても、自分が望むものをほんのわずかしか手に入れていない人々とは、まるで違っているはずです。しかしこのプログラムを実践するうちに――とくに自分の欲求を突き止めてかなえ、本当にやりたいことのまわりに人生をなじませていくうちに――あなたは最初に欲しいと思っていたものを、必ずしもすべて欲しいとは思わなくなっていることに気づいたでしょう。実際、いまの時点であなたは、欲しいと思っていたもののほとんどが、それほどおもしろくもなく、まったく達成感を感じないと思っているはずです。これで人生はずっと楽になります。手に入ったら欲しくなくなるものを追い求めて、なぜ貴重なエネルギーを無駄にするのですか？　まったくそのとおり！　あなたはずっと欲しいと思っていたものを何もかも引きつけるでしょう――わたしがこう約束したことに嘘はありません。でもいまはあなたはそれを欲しいと思わないわけです。やった、引っかかりましたね！……というのは冗談ですが、ここで肝心なのは、あなたはもはや欲望の奴隷ではないということです。あなたは自分が選んだとおりに自由に人生を生きています。そして、それが最初から人生のあるべき姿だったのです。わたしたちのほとんどは、脱線させられたり目隠しされたりして、それ以上の何かをしたいと思わせられていたのです。

わたしは、自分の生涯において本当に財政的自立が達成できそうだということに、そしてこのプログラムのすべてのステップを数年以内にやり遂げるのが可能だということに、最初に気がついたときは非常に驚きました。これは一生をかけて達成するつもりでいたことなのです。いったんやり遂げたならそれで十分、いつでも死ねると考えていました。その次にどうするかなんて考えていませんでした。財政的自立と、自分の好きなことをする人生は、究極の目的に思えました。でもいまは単なる出発点だと思っています。それを土台として、生気あふれるすばらしい人生をつくるのです。

このプログラムの全十章は成功へ至る鍵です。そして真の成功とは、〝あなた〟が望むとおりに人生を生きることです。いまやこの世はあなたの思うままです。心のおもむくままにどんなことでもできるのです。あなたが残したいと思う遺産はなんでしょう？　世界の記憶にどのように自分をとどめたいと思いますか？　あなたはどんなことに貢献したいと思うでしょうか。いまの時点で、あなたは人生における次のレベル、次のチャレンジに対して、準備ができています。それは流れにとどまり、全うするための唯一の道です。あなたが奉仕するのはただ、それが自分に大いなる喜びと楽しみをもたらすから。そしてあなたがどのように奉仕するかは、完全にあなたしだいです。

Tip 100 自分の成功を祝う

われわれは、しばしの喜びにひたってもよかろう。

――ウィンストン・チャーチル、第二次世界大戦でヨーロッパにおける連合軍勝利の日に

いまこそあなたの新しい人生を喜び、祝うときです。あなたはとてつもないことを成し遂げました。どれほどのことを成し遂げたのか、点検してすべて書き出さなくてはわからないでしょう。あなたが遂げたすべての変化と転換を、あらたに引きつけた人々や友人を、あなたがやっている新しいことを、自宅の美しさを、すべてリストにしてください。時間をかけて、あなたが自分自身に感じている愛にひたってください。自分の背中をとんとんと叩き、これだけのことを成し遂げた自分をほめてあげましょう。すでに実現した成功を味わえば味わうほど、さらなる成功を引きつけることでしょう。それはどうしようもないほどです。

ほとんどの人は、現在の栄誉に満足するための時間をまったく取りません。ほんのしばらく立ち止まって自分の成功を祝うことにも、罪悪感をおぼえるのです。わたしたちはまた、自分自身を愛すると、虚栄、自己中心、傲慢といったあらゆる恐ろしいことに陥ってしまうだろうという心理的障害も抱えています。虚栄心が強く、自己中心的で傲慢な人々は、自分を十分に深く愛していないからこそそういう人間なのです。深く根付いた不安感と、山ほどあるかなえられていない欲求が、そこに隠れているというわけです。自分を愛しても愛しすぎるということはありません。というより、自分を愛すれば愛するほど、他人に与える愛が増えます。そういうことになっているのです。だから自分の成功を祝ってください。盛大なパーティーを開いて、友人をすべて招きましょう。もっといいのは、あなたのためのパーティーを友人に開いてもらうことですが。

まさにそういうことをしたクライアントがひとりいます。サイモンは、コーチングを受けはじめたとき、破産まで二ヶ月という状況でしたが、経済的破綻に気がついていませんでした。彼は失業中で、自営業を軌道に乗せようと必死でした。妻とは別居していましたが、彼女は離婚を望んでいませんでした――不実をはたらいていたにもかかわらず。そしてサイモンは神を信じる心を失っていました。七ヶ月にわたるコーチングのあと、サイモンは人生を転換させました。法律上も離婚し、フルタイムの仕事を得て、並はずれた収入を稼ぎ、生活費を半分に切り詰めました。副業のビジネスは順調でした。ボランティアをする時間ができて、夢に向かって生きるよう子どもたちをコーチするようになり、テニスをする時間もできました。信仰を取り戻し、地元の教会の合唱団に加わりました。彼のパーティーのテーマは〝自由〟。パーティーを開いてください。あなたの新しい人生を大いに祝いましょう。

Tip 101 華やかで、有能で、光り輝く最高の人になる

わたしたちが最も恐れているのは、わたしたちが不十分であるということではない。

わたしたちが最も恐れているのは、わたしたちが計り知れない力を持っていることである。

わたしたちを最もおびえさせるのは、わたしたちの光であって、闇ではない。

わたしたちは自分に問う。才気にあふれ、華々しく、有能な、すばらしいわたしは、いったい何者？

そして、そうではないあなたは何者？

あなたは神の子である。

あなたが小さな役割しか演じないことは世界のためにならない。

縮こまって、あなたのまわりの人に不安を感じさせないようにすることに、啓発されることは何もない。

わたしたちはみんな輝くことになっている。子どもたちのように。

わたしたちは、わたしたちの内部にある、神の栄光を明らかにするために生まれてきた。

それは一部の人の中にしかないのではない。わたしたちひとりひとりの中にある。

そしてわたしたちが自らの光を輝かせるとき、無意識のうちに他の人にも同じことをする許可を与えている。

わたしたちが自らの恐れから解放されるとき、わたしたちの存在は自然に他人を解放する。


――マリアン・ウィリアムソン、『愛への帰還』

『思考は現実化する』の著者である、ナポレオン・ヒルのような作家は、成功への鍵は思考のパワーを利用することであると、何年も前から主張してきました。しかしたいていの人は、思考を形がなく重要ではないものと見なす懐疑的な立場をとり続けています。しかしながら、最近の科学的証拠から、思考は確かにたいへんパワフルなものだということが証明されています。

一九九九年四月五日の《ニューズウィーク》誌の記事"*Thinking Will Make It So*"（考えればそうなる）で、シャロン・ベグリーは、思考が電気信号であり、脳波計にキャッチされて機械装置を制御することができるという話を述べています。ドイツのチュービンゲン大学の神経生物学者、ニールス・ビルバウマーは、完全に麻痺した体に健全な思考力を宿す六人の患者を研究しています。機械の助けを借りて生きているその患者たちは、脳波を増幅してコンピューターの画面からアルファベットの文字を選び、文章を組み立てる、「思考翻訳機」と呼ばれる装置につながれています。方法は次のとおりです。チュービンゲン大学のチームは、患者の耳の後ろと頭皮に電極をつけます。電極は脳波を感知するよう設計されており、それを脳波計に送ります。脳波計は多くの脳波から一つの型の脳波を選び出します。ちょうどラジオでお気に入りの局を拾うようなものです。何百時間にもわたる練習のあと、患者たちは特定の音に意識を集中することによって、脳波をコントロールする技術を身につけました。この方法をマスターした彼らは、思考のみを用いてビデオスクリーンに言葉をつづることができるのです。研究者の次のプロジェクトは、脳波を空中で〝つかむ〟ような感度の良い電子機器をつくることによって、ワイヤレスを実現することです。この革新的な科学技術は、思考が現実に存在するものということだけではなく、周囲と相互作用するということを証明しています。

ここで再び、話はエネルギーに戻ります。思考は電気信号です——頑丈なマホガニーの机や、あなたの手にある本と同じように現実に存在する、エネルギーの一形態なのです。科学は、多くの急進思想家やニューエイジの人々がずっと言い続けてきた、「思考が現実をつくりあげている」という理論に、ようやく追いついています。ただしそこには神秘や魔法のようなものはまったくありません――単に思考のパワーなのです。

このコーチング・プログラムの結果は、魔法のように思えるかもしれませんが、ここにも魔法はまったくありません。これらのコーチングのアドバイスに従って行動すれば、エネルギーのあらゆる排出口が取り除かれ、エネルギーを与えてくれるものは増えて、あなたの思考はよりパワフルに、明瞭に、いきいきとなるのです。エネルギーを多く持てば持つほど、あなたの思考はより明瞭に、強力になるでしょう。たいていの人は弱々しい、しかもしょっちゅう矛盾するような思考を送り出しています。彼らの生き方がその思考を反映していても不思議ではありません。たとえばあなたが「この会社の社長になりたい」という思考を持つとします。そして、次の瞬間に「そんなの無理だわ。自分を何様だと思ってるのよ？　わたしがそんなに優秀なものですか」と考えます。思考が現実に存在するものだと知っているいまとなっては、そのネガティブな思考が思っていたよりはるかに危険であることがわかります。そういった思考を持っていたら、他に敵など要りません！　目先を変えて、自分は聡明であり、ゴージャスであり、有能な人間だと考えてはどうでしょうか。わたしたちの思考は、わたしたちの現実です。誰もが休みなく万物に向けて信号を送り出しているのです。あなたはどんな信号を送っているのでしょうか。

コーチング・プログラムをやり遂げたいま、あなたの人生はしっかり組み立てられました。もう不愉快な日がめぐってきたり、ネガティブ思考が浮かぶことはめったにありません。こう考えてください――あなたがこの上なく幸福で、世界の頂上にいる気分となり、仕事や友人を愛しているときは、ネガティブな思考はこびりつきません。そのいっぽうで、あなたが仕事に不満を抱えていたり、家族とけんかしたりしていて幸せでないせいで、意気消沈してぶらぶらしているとき、ポジティブに考えるようアドバイスされたとしても、効果はないでしょう。まずあなたはそういったあらゆるネガティブ思考の原因を排除しなければなりません。そして、これらの具体的で役に立つアドバイスがそこで初めて作用しはじめるのです。これが、なぜ自分の望みを日に一五回書き出すことに効果があるのかということを説明しています。あなたは自分が欲しいものを手に入れるまで、何が欲しいかというポジティブなメッセージを、毎日安定したペースで送り出しているのです。会社の社長になれる人は、自分が社長になれると考える人々なのです。

わたしはあなたが、華やかで、有能で、光り輝く最高の人になるために必要となる、コーチングのアドバイスをすべてお教えしました。あとはあなたしだいです。さあ前進して、輝いてください！

あなたが成功を引きつけるために実行しているステップについて、お話を聞かせていただけたらたいへんうれしく思います。info@lifecoach.com 宛に電子メールをお送りください。あなたのご意見や成功談をうかがえるのを楽しみにしています。ありがとうございました。

著者紹介　タレン・ミーダナー（TALANE MIEDANER）

世界で最も広く認められているライフコーチのひとり，タレン・ミーダナーは，何千人のクライアントを富，成功，幸福へ導き，国際的に名声を得ました。タレンの著作は国際的なベストセラーとなり，その業績は，《ニューズウィーク》から《メンズ・フィットネス》まで数多くの雑誌に掲載され，《CBSニュース・サタデー・モーニング》などテレビやラジオの全国または国際番組にも出演しました。タレンは，人々が望む機会をたやすく引きつけられるよう，彼らの人生を体系化する手助けをしています。世界中のエグゼクティブ，政府高官，起業家，オーナー経営者などをクライアントとして，じかに会って，または電話を用いて，またはオンラインで，仕事を進めています。国内および世界中でセミナーを開き，自らもコーチの認可を受けた場所，コーチ・ユニバーシティでも教鞭を執ってきました。ジョージタウン大学の変革リーダシップ＆コーチング研究所の非常勤教授であり，本格的なリーダーシップコースをリードしています。

タレンは，ジョージタウン大学の外交大学院国際関係学の学位と英語学修士号を持っています。コーチになる以前は，チェースマンハッタン銀行で第二副頭取という地位を務めていました。

info@lifecoach.com
www.lifecoach.com

訳者紹介　近藤　三峰（こんどう　みぶ）

出版翻訳者。福島県会津若松市出身。主な訳書は『だれもが奇跡にめぐり逢う――こころのチキンスープ16』『涙が教えてくれたこと――こころのチキンスープ18』（ダイヤモンド社），『バルカン超特急』（小学館）など。富山県富山市在住。

訳者との契約により検印省略

平成16年6月20日　初版第1刷発行
平成20年9月20日　初版第2刷発行
平成23年8月20日　初版第3刷発行
平成28年3月20日　初版第4刷発行
令和3年2月20日　新装版発行

人生改造宣言〔新装版〕
成功するためのセルフコーチング
プログラム

著　者　タレン・ミーダナー
訳　者　近藤三峰
発行者　大坪克行
印刷所　株式会社技秀堂
製本所　牧製本印刷株式会社

発行所　東京都新宿区
下落合2丁目5番13号　株式会社　税務経理協会

郵便番号 161-0033　振替 00190-2-187408　電話(03)3953-3301（編集部）
FAX (03)3565-3391　(03)3953-3325（営業部）
乱丁・落丁の場合はお取替えいたします。
URL http://www.zeikei.co.jp/

ISBN978-4-419-06784-7　C0036